明日のための現代史

「歴史総合」の視点で学ぶ世界大戦

上巻 1914～1948

伊勢弘志 著

芙蓉書房出版

はじめに　なぜ歴史を学ぶのか？――「歴史学的思考法」の使い方

筆者は先に『明日のための近代史』（以下、「前著」と記す）において、「近代」から「現代」への移行期に至る国際情勢と国内政治の連環する歴史の動きを描いた。本書はその続編にあたる。

前著の「はじめに」では、歴史を学ぶことの意義は未来を考えるためであることを述べた。明日のことも分からない私たちが、歴史を学ぶことなく将来を考えようなどとはあり得ない。本書のタイトルもその問題意識から題した。しかし、未来を考えることは、未来のことを勝手に予測したり、無責任に予見しようとすることではない。未来を予測しようにも、実際には思わぬことが予想外に起きてしまい予定通りになどいかないことは、それこそ前著に見た通りである。

過去を学ぶことで、未来が分かるようになるのではなく、分からない中でどう考えていくのかという智恵を得ることができる。その当時は「何が分からなかったのか？」、そして分からない中で「どう判断し、どのような結果になったのか？」を知ることで、私たちも困難にどのように臨み、何に着目することで何を知れるのか、未知の問題への向き合い方を考えることができるようになる。

近年、情報があふれる社会に鑑みて「メディアリテラシー」が着目されるが、それには「社会事象に対して正確な因果関係を読み解くことができるのか」・「様々な分野の史資料（データ）が意味するところを正確に読み解けるのか」が問われているのであり、またそのためには、適切な問いを立てる力と、史資料の成立状況や同時代認識に迫る方法を身につける必要がある。そして、それらは歴史学的思考法の基盤なのであり、歴史学には具体的な事例を通してそれらの力を訓練するだけの蓄積がある。従って、歴史学はメディアリテラシーを鍛えるための最適な学問の一つである。

前著では、世界的な覇権争いの中で、「日本史」がどれほど「世界史」と連動するのか、また同時に日本が当時の世界にどれほど影響を与えていたのかを考察した。近代の欧州では、英露が覇権を争う中で独が世界政策を展開し、競合や孤立を回避しようと立ち回った。それは三国干渉や黄禍論として表れた。世界の対立構図を変化させた日露戦争を経て、日本は日英同盟を背景に露に接近したが、露と分割しようとした満洲の権益は米との対立を生んだ。これらのテーマについて、近年に至る学界の研究成果や学術潮流を踏まえて記述した。本書では、禁じられたはずの戦争がなぜ再び起こり、各国が何をどうように判断したのか、後世の日本人が知るべき事は何であるのかを考える。

前著において扱った内容は、重複は避けつつ本書でも極力言及したいと思うが、詳述まではできないので第二章までの内容は前著も参照いただければ幸甚である。

明日のための現代史（上巻）1914～1948　目次

第10章 日中戦争からアジア・太平洋戦争へ

《本文に登場する国名の漢字表記》

米（亜米利加）	：アメリカ
英（英吉利）	：イギリス
露（露西亜）	：ロシア
蘭（阿蘭陀）	：オランダ
仏（仏蘭西）	：フランス
独（独逸・独乙・獨逸）	：ドイツ
普（普魯西）	：プロイセン
墺（墺太利）	：オーストリア（オーストリア - ハンガリーを含む）
土（土耳古）	：トルコ
伊（伊太利）	：イタリア
白（白耳義）	：ベルギー
西（西班牙）	：スペイン
墨（墨西哥）	：メキシコ
葡（葡萄牙）	：ポルトガル
丁（丁抹）	：デンマーク
瑞（瑞西）	：スイス
典（瑞典）	：スウェーデン
芬（芬蘭）	：フィンランド
比（比律賓）	：フィリピン
豪（豪州）	：オーストラリア
新（新西蘭）	：ニュージーランド
波（波蘭）	：ポーランド
羅（羅馬尼亜）	：ルーマニア
勃（勃爾瓦利・勃牙利）	：ブルガリア
緬（緬甸）	：ビルマ（現ミャンマー）
泰	：タイ

第１章

第一次世界大戦
―世界の変転

「現代史」の開始をどの時点に求めるかについては定説があるわけではない。本書では第一次大戦後の国際的なルールの転換をもって近代から現代への区分とする。これは前著から引き継いでいる認識であるが、時代区分は何を基準にするかによって全く変わってしまうものであり、それだけ問題意識が明確に表れる点でもある。また、近現代史は国際情勢を見ることなしに理解することはできない。日本の近現代史のどれ一つをとっても、東アジアをめぐる長い歴史的視点や世界史的視野が必要である。まして「現代史」において国際的環境が日本に影響していることは尚更であろう。従来の「世界史」と「日本史」を複眼的に見る点が何より本書の課題とするところである。

１　帝国主義の世界―バルカン半島と対立軸

第一次世界大戦に至る欧州では、軍備拡張が競われ、過度な支出が各国自らの足枷《あしかせ》になっていた。この背景には、当時の帝国主義の国際秩序として、軍事力で列国に対抗することでしか平和的安定がもたらされないとの弱肉強食の世界観（現実主義―Balance of Power）があり、またその中でドイツ（独）が新たに世界政策を打ち出して、植民地獲得に乗り出したことがあった。

覇権国であったイギリス（英）は、独の世界政策を抑え込もうと行動した。両国は通商においては互いに依拠し合う関係だったが、同時に海軍力の拡張をめぐって競い合った。そうした状況の中、一九一一年にアフリカのモロッコとコンゴをめぐって独とフランス（仏）が衝突する「第二次モロッコ事件」が起きた。独は仏に植民地の譲渡を迫ったが、これに対して英は、もしも独仏間で軍事衝突が起きた際には仏を支援するとして、独に対抗する構えを見せた。それまでの英は、アフリカの植民地をめぐって仏とは競合しており、仏を明確に支援したのはこれがはじめてのことであった。これにより英仏と、日露戦争後に英仏に接近したロシア（露）とで、独の台頭を抑えようとする構図が先鋭化した（この間の詳しい経緯は前著『明日のための近代史』を参照されたい）。

他方、露は民族問題で混乱していたバルカン半島をめぐって、オーストリア・ハンガリー（墺）と対立していた。両国はブルガリアの支配権をめぐって対立していたのだが、その対立は半世紀前に遡《さかのぼ》る。日本に黒船が来航した頃、欧州では黒海において「クリミア戦争」が勃発していた。露が、冬でも凍結せずに使用できる港（不凍港）を手に入れようとオスマントルコ帝国の領土を狙い、それを英が阻止しようとして起きた戦争である。英は仏とも連合し、勝利した。敗退して不凍港の獲得に失敗した露は、その後一八七七年に再び南下を試みると、今度はオスマンに勝利した（「露土戦争」）。その結果、オスマンの支配下にあったバルカン半島ではセルビア・モンテネグロ・ルーマニアの三国が独立した。その後、オスマンでは国内で革命運動が起こり、一九〇八年には革命派が政権を奪取した（青年トルコ革命）。そしてこの革命の混乱に乗じて、イタリア（伊）がオスマンの支配していた北アフリカの割譲《かつじょう》を求めてオスマンに宣

大戦と欧州

戦布告し（「伊土戦争」）、さらには墺がボスニア・ヘルツェゴヴィナを併合するなど、トルコ革命の影響が欧州各地に波及した。

墺が強行したボスニア・ヘルツェゴヴィナ併合は、ボスニアの隣国であるセルビアの反発を招いた。ボスニアにはセルビア人も多くいたことから、セルビアはボスニアの編入を望んでいたのである。露も反発して、墺による併合を阻止しようと対抗姿勢を見せたが、そこに墺と同盟を組む独が介入し、露に圧力をかけた。日露戦争の負担から回復していなかった露は、独の威圧にやむなく屈し、墺のボスニア併合を黙認した。日本の行った戦争がバルカン問題にも影響していることが理解されよう。

独の介入によって戦争は回避されたが、以後のセルビアは墺への敵対意識を強めた。セルビアは露土戦争の結果にオスマンから独立した国で、露によって独立できた国と言え、以後も露の支援を受けて親露国になっていく。

この後も衰退していくオスマンに対して、セルビアを含めたバルカン諸国（モンテネグロ・ブルガリア・ギリシャ）は領土を拡張しようと争いを続発させた。オスマンに対して次々と宣戦布告し（バルカン戦争）、その背後には露の後ろ盾があった。露が日露戦争の傷から徐々に回復すると、バルカン諸国を支援することで墺に対抗し、露は自らもバルカン半島への進出を果たそうとしたのである。オスマンは、露の支援を得たバルカン諸国に勝てず、その結果イスタンブールを除くバルカン半島の全領土を喪失した。六〇〇年にわたって中東の覇権国であったオスマントルコは解体されていった。

バルカン諸国はオスマンから半島の全域を奪取した。ところが、その領土をめぐってはバルカン諸国同士での争いとなり、翌月には早くもバルカン諸国間での戦争が起きた。ブルガリアが広大な領土を取得することになったのに対して他の諸国が反発したのであった（第二次バルカン戦争）。今度は、ブルガリアvsバルカン諸国での戦争となったが、ブルガリアが孤立する様子を見たオスマンが失地回復を狙って参戦した。また露がバルカン諸国を支援していることから、墺がそれに対抗してブルガリアを支援した。結果としてはブルガリアが敗れ、先のバルカン戦争で得るはずだった予定の領土をほとんど失うことになった。

それまで支配国であったオスマン帝国は「欧州の瀕死の病人」と揶揄《やゆ》されるまでに衰退し、バルカン半島は宗教・民族問題を焦点に「欧州の火薬庫」となった。そして民族統一運動の激化する中で起きた墺の皇太子殺害事件をきっかけに世界大戦がはじまることになる。

2 「第一次世界大戦」―連鎖する軍事同盟

①大戦はどのように起きたか

一九一四年六月二八日、墺が併合していたボスニアの州都サラエボに皇太子夫妻が訪問すると、暗殺者集団によって殺害された（サラエボ事件）。暗殺者の中にはセルビア人がいたことから、墺はセルビアに犯人の引渡しと裁判を要求し、最後通牒を突き付けた。

墺がセルビアに出した要求の中には、事件の裁判を墺の裁判官が行うことが含まれており、それはセルビアの国内法に抵触したことからセルビアが墺の要求を断ると、墺は独の支持を得た上で、七月二八日にセルビアに宣戦を布告した。すると、これに対して露がセルビア支援ために国内に総動員令を発して戦争準備を開始した。独は露の総動員令の撤回を求めたが、露がそれを拒否すると、独は八月一日に露に対する宣戦布告を行った。

独が露と戦争する場合、露と同盟関係にある英仏も敵に回さねばならず、それを避けての戦争は行い得なかった。そして露仏に挟《はさ》まれている独は、戦争の開始から挟み撃ちされることになる。独としては分の悪い二正面作戦は避けたいので、まず仏軍をごく短期のうちに撃破して、その後に露軍へ全力で向かう作戦を立てた（「シュリーフェン・プラン」）。それは仏軍を早期に撃破するために、当時の永世中立国である隣国ベルギー（白）を侵犯することで仏軍の背後に回る作戦であった。つまり、国際的な中立の合意を破りでもして、敵の意表を突く奇襲作戦でも行わねば勝機が無かったのである。そのため独は仏に宣戦を布告すると、白にも宣戦布告せねばならなかった。

開戦すると、独軍一〇〇万の兵士が対仏戦線へと向かった。独軍の主力部隊はプラン通りに白に侵攻した（一部はオランダ領も通過。武装中立を宣言したオランダは独軍の通過を許可した）。国際条約に定められた中立を無視した軍事行動である（国際法上の中立条規では、中立国には交戦国のあらゆる物資を通過させることができない。従ってオランダが独軍に与えた通過許可も条約に抵触している）。独軍の他国侵犯は英に参戦の理由を与えた。戦場となった白

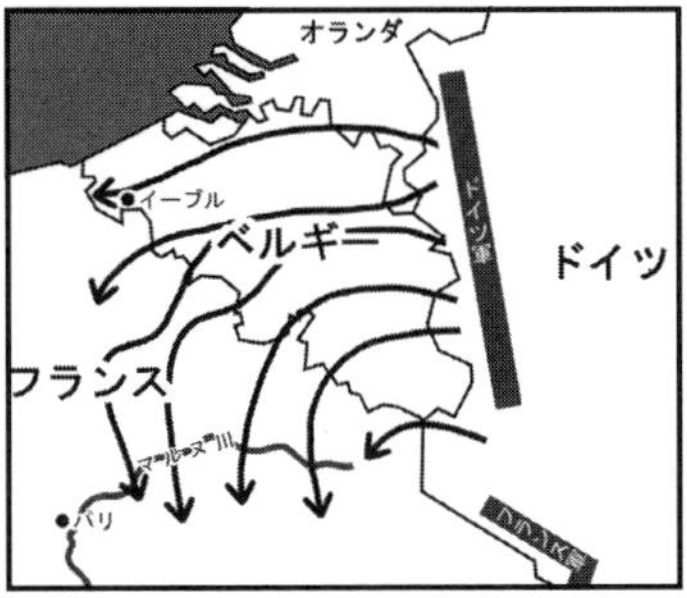

「シュリーフェン・プラン」

には一五〇万を越える難民が発生することになる。他方、独墺と三国同盟を組んでいた伊は、この開戦が同盟の想定外であるとして中立を表明し、三国同盟から離脱した。

②なぜ「大戦」になったのか

開戦当初、欧州では指導者から兵士に至るまで誰もが戦争は直ぐに終わると考えた。開戦からの一ヶ月で一千万人が動員され、大量の志願兵が戦場に向かった。多くは失業者など貧困階層の若者で、彼らは訓練不足のまま戦場に赴いた。兵士たちはクリスマスまでには帰ると口々にして戦場へ向かった。兵士を送る国民も戦争はその年のうちに終わるものと思い込んでいた。

独が宣戦布告した際には、独の市民は開戦に沸《わ》き立った。一四年八月二日のミュンヘンで開戦を祝う集会の中に、後の指導者となるアドルフ・ヒトラーの姿があった。それからちょうど二〇年後のまさにその日に、彼が人類史上に厄災をもたらす総統になろうとは当人すら知る由もなかった。

戦争が開始されると、その後にかけて欧州各国が軍事同盟を連鎖発動させた。列強各国がそれぞれの植民地からも兵士を集めたことから、アフリカ・インド・東南アジアからも動員され、また中国では労働力として人夫が募集されるなど、まさに世界中から参戦する「大戦」となった。支配国のために植民地の人々が海外にまで動員されたのである。ここには支配国の地位を一層安定させるために犠牲となった構造がある。

オスマントルコとブルガリアは独墺側として参戦し、セルビアや露と交戦することになる。その構図は「第二次バルカン戦争」における対立がそのまま反映されて敵味方に分かれたものだった。列強各国は諸利益をかけて参戦し、いずれかの列強と同盟や協商関係にあった各国も本意・不本意を問わず参戦したのである。そのことは、この戦争を仲裁できる第三国が存在しなくなったことも意味した。

戦争は参戦各国の誰もの予想を遥かに超えて、一八年一一月一一日までの四年三ヵ月に及ぶ大戦争となり、それは世界的な食糧不足を抱えながら、二千万人以上もの死者を出す前代未聞の大戦争へと発展するのである。

開戦に際して、独にはバルカン情勢に対する見通しに大きな誤りがあった。前節で見た通り、墺がボスニアの併合を強行した一九〇八年時にも墺と露の間には戦争の危機は起こったが、独が墺を支援して強気に露への最後通牒を送ると露はこれに譲歩してボスニア併合を黙認した。今度の大戦の発生時もその対立構図は変化しておらず、その対立関係がそのまま反映されたが故に、独は今回もまた露の譲歩を引き出すことが可能だと考えた。そのため独はサラエボ事件によって墺がセルビアと開戦するのを安易に支持した。ところが、独の露に対するそのような判断は全くの誤りであった。以前の露がボスニア併合を黙認したのは、未だ日露戦争の打撃から立ち直っていなかったためであり、独墺に対抗する軍事力を回復していなかったからである。しかし、その後の六年間で国力を回復させた今、露は親露国のセルビアを見捨てるような外交を見す見す行いはしなかった。

各国とも戦争の終結目的を明確にしないまま、長期戦争の展望や共同作戦の計画もなしに戦争に突入した。かくして墺とセルビアとの紛争から発したバルカン半島での戦争は、無計画に開始されたが故に世界大戦になるのであった。

③戦闘はどのように推移したか

作戦計画を実行した独軍は白の全土を占領し、仏領に侵攻してパリの目前にまでは迫ったが、次第に塹《ざん》壕《ごう》に立てこもる持久戦に落ち込み、仏軍の短期撃破はできなかった。しかも露軍が予想よりも早く戦線に到着し、結局は露仏から挟み撃ちされた。

他方、墺はセルビアへと侵攻したが、独が露を抑えてくれるものと想定していたところに露軍が早くも攻めて来てしまい、当初から混乱した。仏軍との決戦を優先した独軍との齟齬《そご》が生じたのである。墺は慌《あわ》てて対露戦線に兵力を割いたものの、その混乱が元でセルビア侵攻に失敗してしまった。初戦で小国セルビアに敗北した墺軍は軍事力の弱さを露呈《ろてい》し、その後の対露作戦にも戦果をあげられなかった。

しかしながら、露軍も独との戦いにおいては戦果をあげてはいなかった。露軍は少数の独軍を圧倒していたにも拘《かか》わらず、部隊間の相互連携が上手くできず、情報を漏洩《ろうえい》させるなど準備不足や不備が目立った。開戦から間もない八月末、独領内に侵攻してきた露軍に対し、無線を傍受《ぼうじゅ》した独軍が鉄道輸送を駆使して露軍を包囲すると、一五万の兵力をもって二三万の露軍を殲滅《せんめつ》した。露軍は兵力で勝っていたにも拘わらず退路も断たれた状態で一方的な砲撃を受け、死傷者七万人・捕虜九万人以上の大損害を出した（タンネンベルクの殲滅戦）。独軍の被害は一万人強に過ぎなかった。この戦いは歴史的逆転勝利とされ、戦いを指揮したヒンデンブルク（Paul von Hindenburg）は独の英雄となった。但し独軍は戦争の当初において既にシュリーフェン計画とは全く異なる戦いを展開していたのである。

また露は、露土戦争以来の確執があったオスマントルコ（土）とも戦わねばならなかった。両国の戦いはコーカサス山脈（黒海とカスピ海の間）で行われた。土軍は三千メートルの真冬の山に一二万の大軍を送り、多量の戦死者を出して惨敗《ざんぱい》した。そのうちの一万以上が凍死だった。しかし、土は黒海と地中海に面する地の利から、露の貿易ルートを封鎖し続けた。英仏が土の地中海封鎖を解こうとして、土領への上陸作戦を強行したが、土軍は独の支援を受けてこれを阻止した。上陸作戦の強行と失敗は連合国に大被害をもたらした（ガリポリ作戦‐決行した英海軍の大臣はW・チャーチル。／英仏軍の上陸を阻止した土軍の司令官はケマル・パシャ）。欧州側の通商ルートを喪失した露は、戦時体制を維持するための通商を太平洋側のウラジオストック港で支えることになり、それは日本への経済依存を発生させることになる。

バルカン半島では、ブルガリア（勃）が独の説得によって同盟国側に付いたことで、独墺‐勃‐土が陸路で接続された。独は、勃が「第二次バルカン戦争」でセルビアなどに奪われた領土を提供することを条件に参戦を求めた。独墺勃の三国はセルビアを三方から攻撃し、一五年一一月までにセルビアを制圧した。

他方、独墺との三国同盟を抜けていた伊は一五年四月に連合国側に付いた。英仏は伊を味方につけるために墺の領土を割譲させる条件で伊を引き入れたのであった。墺の領土を狙う伊は宣戦布告した。伊と墺は約六〇〇㎞にわたって国境を接しており、そのほとんどが山岳地帯であった。山岳戦は膠着《こうちゃく》しがちで伊軍は正面突破を繰り返したが、損害を重ねるだけだった。

露と交戦していた墺は、一六年四月に開始された露の攻勢で疲弊し再起不能に陥った。すると八月には中立していたルーマニア（羅）も墺の領土を狙って参戦した。羅はかつては独墺の同盟国であったが、墺が瓦解する様子を見ると、露の誘いもあって参戦したのであった。しかし、羅軍は実戦経験の乏しい旧式軍であったため、独墺勃の反撃に遭うと四ヵ月で敗北し、逆に大半の領土を占領されてしまった。

一方で、露も墺と相打ち状態となって大損害を出していた。そのため翌一七年三月には戦争の負担を背景に国内でロシア革命が起こり、戦線を維持できなくなる。露の離脱後には、連合国が独を孤立させるために、極秘に墺と単独講和を結ぼうとする動きもあった。墺を引き抜いてしまい同盟を瓦解させようとの画策である。これは事前に独に発覚して失敗したが、その頃からは墺自身も戦線から離脱したいと望むようになった。

④戦争はいかに変わったか

未曾有《みぞう》の大戦は、戦争の形態を新たな段階へと進めていった。後に「国家総力戦」と呼ばれるようになる全国民の動員体制の創出である。大戦は、戦闘機・戦車・潜水艦・重砲・機関銃・毒ガスなど新たな兵器・技術を登場させた機械化戦争となった。航空機と潜水艦の登場によって、それまで地平線・水平線の上で行われてきた戦争が、空中・海中へと三次元的に拡大した。機関銃や重砲が大量配備され、大砲の威力も格段に向上していたことから、それまでの戦争での死傷率とは比較にならないほど砲撃での被害が拡大した。現在においてなお不発弾が多量に残されているほど砲弾を大量に消費する物量戦となった（全ての不発弾処理には三〇〇年かかる）。

それまでの決戦兵器は騎馬であったが、大戦では新式機関銃や重火器が威力を発揮した。英のビッカース社が開発した最新の機関銃は一分間に七四五発を発射し、従来の戦法を葬り去った。砲撃を避けるために塹壕《ざんごう》戦が展開され、戦闘は長期化していったが、塹壕にはシラミがあふれ、長期化すれば伝染病が蔓延《まんえん》した。出征前の志願兵が夢想した華々しさなど戦場にはなかった。

独は兵力で連合国を上回ることができないため、国民を稼働して兵器を増産しようと計画し、占領地の住民を強制移動させて労働力を増強した。国内では男性に兵役か軍需工場での労働を義務づけ、社会全体を軍事体制に移行させた。砲弾・弾薬の大量消費は各国にも起こり、またその上に食糧不足も世界的に起きたことから、全国民を戦争のために稼働させて戦線を維持する体制が各国で打ち出された。

戦場だけでなく工場にも大量動員が行われたことで、社会の諸領域に影響が及んだ。英では一〇〇万人の女性が動員され、弾丸製造など危険作業にも従事した。女性の部隊も結成され、輸送トラックの運転手や通信兵として従軍しており、露では戦争で夫を亡くした未亡人らの志願兵部隊がつくられた。これら女性の戦争参加は、戦後に女性の参政権獲得の前提となる。

従来の戦争では日露戦争の時のように、戦費を銀行・外債によってどこまで借入できるかが重要な鍵となったが、今やどれほどの労力（人的物資）を稼働できるかが重要となった。この「国家総力戦」の影響から、前線と銃後は一体化し、戦場でも国内でも大量の住民を巻き込み、占領地では大量の難民を発生させた。そして、軍人と一般市民、前線と銃後とに区別がなくなったことから、戦略目標が敵国の殲滅に定められるようになっていく。名のある将軍が指揮を採って、自ら前線で戦う時代は終わり、大量殺戮兵器によって女子供も見境なく一般市民を際限なく殺戮する時代に変わったのである。

3　大戦の転換点―「ロシア革命」と米国の参戦

大戦の渦中には帝政ロシアが崩壊する大変転が起きた。「ロシア革命」は国際情勢を変転させる一大事件となる。

①ドイツの陰謀としてのロシア革命

工業生産力が低かった露は、開戦直後から武器弾薬が不足した。食糧の支給も滞《とどこお》り、革命が起きる直前には百万人以上の兵士が逃亡するほどであった。一七年の三月、パンの配給を待つ女性労働者のデモをきっかけに、群衆が皇帝ニコライ二世の責任を求める大規模暴動を展開した。戦争によって発生した食糧問題は皇帝の権威を失墜させていた。軍の逃亡者や労働者が合流したことで、暴動は民主制を目指す反帝政の革命運動となり、数千の被害者を出しながらも軍隊に対抗して、ついには軍を打倒した。ニコライとその家族はシベリアに幽閉された。三〇〇年続いたロマノフ王朝は滅亡し、臨時政府が樹立された（「二月革命」‐革命は三月に起きたが露が採用するユリウス暦では二月）。

臨時政府は、大戦後には他民族を抑圧することのない世界を実現するとして、賠償金を求めたり、領土を併合したりしないことを声明した。大戦の原因になったバルカン半島をめぐる領土問題の中心にいた露が「無賠償・無併合」を自ら約束し、野心的姿勢を一転させたわけである。

しかし革命はこれに留まらなかった。革命後になおも戦争を継続する臨時政府に対して、レーニン（Vladimir Ul'yanov／レーニンは筆名）率いるボルシェビキ（革命主流派）が、戦争の即時停止を求めて大規模なデモを展開した。臨時政府は英仏など連合各国に配慮して戦争を直ちに停止することができなかった。露は戦争を起こした当事国の一つだったのであり、革命が成功しても諸外国の承認を得なければ、その後の国際関係を築いていけないためである。レーニンらのデモは、それでも戦争を停止するとの決意から行われた。「労働者にパンを！」と訴え、一一月には武装蜂起し、社会主義の成立を目指す第二弾の革命を起こしたのであった（「一〇月革命」）。

レーニンは日露戦争時に皇帝の支配に反対する「血の日曜日事件」に加わったことから露を追われ、スイスに亡命していた。そのレーニンを大戦の渦中に露に戻したのは独である。劣勢に窮《きゅう》した独は、食糧難で軍隊が崩壊しつつある露をさらに追い込むために革命家レーニンを帰還させ、内部崩壊に導こうとしたのであった。

独はレーニンを露に送るための専用列車を用意して、レーニンは独兵に護衛されながら帰国を果たした。そして、兵を組織して臨時政府を崩壊させると「ソヴィエト共和国」を樹立した（ソヴィエトとは「評議会」のこと。各地の評議会による連合体がソヴィエト連邦であるが「ソ連」の成立は一九二二年となる）。初の社会主義政権を打ち立てると同時に、レーニンは国内外に対して戦争の中止を訴えた。露は大戦からは離脱したが、その後も二二年まで革命軍（赤軍）と露軍（白軍）の間で内戦が続いていく。

独はロシア革命によって挟み撃ちから解放され、西部戦線に集中するとの思惑を遂げた。

②なぜアメリカが参戦したか

では、独の陰謀は成功したのであろうか。大戦は欧州大陸での陸戦を主に展開されていたため、海軍力はそれぞれの根拠地を防備するに留まっていた。英が北海と大西洋の水域を、仏が地中海を、そして独はバルト海の制海権を保持したまま膠着《こうちゃく》状態になっていた。独海軍は、建艦競争では英の海軍力に追い付くことはできなかったため、劣勢のまま英海軍と対峙することになり、そのため英の艦隊を奇襲攻撃しては直ぐに離脱する戦法によって英艦隊を徐々に削っていこうとした。味方艦の損害はなくして英艦隊を漸減《ぜんげん》していき、最後に艦隊決戦をしかけるという戦術である。しかし英海軍は、独のこの戦法に乗ることはなく、主力艦隊を温存させていた。

そこで独は戦況の打開を求めて、新たに英を屈服させるための作戦を立てた。英は食料を輸入に依存していたので、これを絶つために貿易輸送船を潜水艦で沈めて兵糧《ひょうろう》攻めにする「対英封鎖」作戦である（独語では潜水艦をUnterseebootと言うことから「Uボート」と呼ばれた）。独は北海を航行する商船を攻撃対象にすることを声明し、航行する船に対する無制限・無警告の潜水艦攻撃を開始した。しかし、英に物資を輸送する船とは第三国の商船などであり、独は中立していた米国の船までも撃沈させた。

貿易の封鎖は英が独に対して先に行っていたため、今度は独が反対に英を封鎖しようとしたものであったのだが、英が臨検や拿《だ》捕によって封鎖を行っていたのに対し、独は潜水艦で無警告に攻撃をしかけ始めたのである（実は英が行った独への封鎖も中立国の自由貿易を侵害した点で当時の海洋法に違反していたが、チャーチル海相により実施されていた。独の国内では七六万人もの餓死者が出る）。

永世中立国ベルギーへの侵攻に続いて、またも国際法に違反する独軍に対し、米は一七年四月に自らも参戦することを表明した。米はこの大戦が民主主義を守る正義の戦いであるとして宣戦を布告した。革命により脱落した露に代わって、資力・工業力のある米が参戦したことは連合国側を活気づけた。独の無制限潜水艦作戦は、打開策となるよりむしろ敵を増やしてしまった。

これによりロシア革命が推移する中、米が参戦したのであるが、その裏には米のウォール街の財閥が英仏へ巨額の戦費を貸し付けていたことがあった。その回収のために米側には英仏を勝利させる必要があったのである。既に英仏の経済は破綻状態にあった。ウィルソン大統領（Woodrow Wilson）は中立を保持していたがウォール街は参戦を要求して圧力をかけた。中立していた米は、それまで英仏に兵器や鉄・食糧を輸出したことで貿易量が四倍にも膨れ上がり、世界一の軍需景気に沸いていた。そして参戦を決定すると、圧倒的な物量で対独戦線に迫る。

4　日本の参戦―大戦景気と領土問題

①日本の参戦がどのように影響したか

独と交戦する英は、香港をはじめとするアジア権益の防衛も行う必要があった。独は三国干渉によって租借《そしゃく》した膠州湾《こうしゅうわん》に小規模ながら艦隊を配備しており、港や商船を攻撃する可能性があった（租借：一定の期間を定めて他国が土地を借りること。領有権は貸す側の国にあるため割譲とは異なる）。極東にまで手が回らない英は、日本に英商船を守るよう要請した。

これに対して、日本では大隈重信内閣の外務大臣・加藤高明が積極的に参戦を進めた。加藤は英への留学中に陸奥宗光《むつむねみつ》の知遇を得たことから外交官となった人物で、帰国してからは三菱財閥の創業者・岩崎弥太郎の長女と結婚した。大隈が外相として条約改正を担うと、秘書官としてそれを補佐した。以来、大隈の人脈（改進党系）に位置する外交家となり、その経緯から立憲同志会の党首となった。大隈内閣は加藤の同志会を基盤に成立した内閣であった。

大戦に際し、加藤外相は一四年八月七日の夜に早稲田にある大隈の私邸で開かれた臨時閣議において以下のように述べた。「日本は今日同盟条約の義務に依って参戦せねばならぬ立場に居ない」、「たゞ一は英

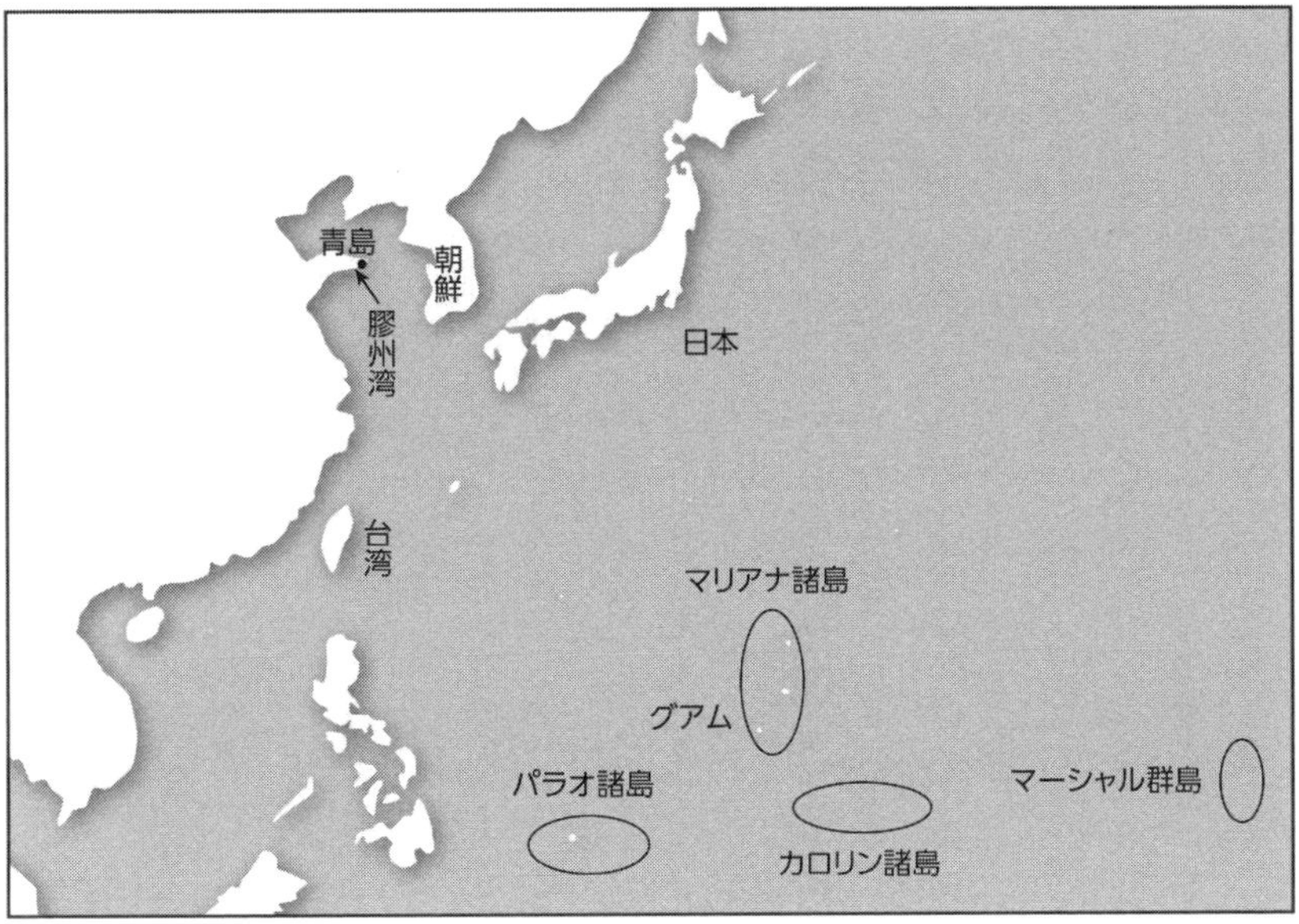

膠州湾と南洋諸島

国からの依頼に基く同盟の情誼と、一は帝国が此機会に独逸の根拠地を東洋から一掃して国際上に一段と地位を高めるの利益と、この二点から参戦を断行するのが機宜の良策と信ずる」。

つまり、日本には参戦の必要はないが、「良策」であるので参戦すると言うのである。この翌朝には大正天皇に上奏して裁可を得た。この間の加藤外相は他の機関での審議などを一切経ることなく、閣議のみで参戦を決定した。

英留学を機に外交家となった加藤は英流の外交を規範とした。外交方針についても英との同盟を基軸に定めようとしており、参戦も英側の視点から独の抑制を計算したものだったとされる（桂太郎による同志会に入党したのも日英同盟を推進した桂の外交姿勢に共感したためである）。こうした英を基軸とする加藤の方針は、露とも友好関係を築こうとする他の外交的立場との対立を内包していた。

英の要請は参戦ではなく、あくまでアジアでの通商を守るための防御措置であった。それは日英同盟の枠内において日本に援助を依頼したものだったが、大隈内閣は要請を根拠に参戦までしようと乗り出したわけである。日本の積極的な参戦の意向に対して、米は日本が中国での領土拡大を狙っているのではないかと懸念して、英が日本に軍事行動の機会を与えたことを危険視した。英も日本の過剰反応に対して、独の領有する南洋諸島を狙っているのではないかと心配しはじめていたので、英は日本へ出した要請を撤回することにした。しかし、加藤は参戦の正式決定を後から覆すことはできないとして英の制止を振り切り、独へ最後通牒を送った。日英同盟を理由にしながらも、英との合意がないまま参戦したのである。

日本の強引な参戦に対しては、オランダ（蘭）も自国の領有する東南アジアの植民地に被害が及ぶことを警戒した（蘭は大戦に中立しつつ英独両国と関係を保っており、インドネシア貿易を続けていた）。そのため日本は、米・仏・露・蘭・中の公使らに対し、日本には領土拡大の野心はないとの表明を行い、参戦するのは独が中国・山東省に持つ権益を日本が中国に代わって奪い返すためであるとした。政府は八月二三日に対独宣戦布告を行い、日本が参戦したことで大戦はアジアへも拡大したのである。

②なぜ参戦したのか―何が「天佑」だったのか

加藤外相と内閣がかくも積極的に参戦したのは、大戦の機会を利用して、満洲（中国東北部）の権益の問題を解決しようとしたためであった。日本は日露戦争によって遼東半島の租借権と鉄道の経営権を得ていたが、それには一九二三年までとの期限があり、九年後に迫っていた。主たる権益の南満州鉄道（「満鉄」）も三九年には中国側が買い取ることになっていた。日本側はこの租借期限を延長することを課題としていたが、何らかの交換条件なしには交渉の見込みがなかった。そこへ大戦が起きたために、これを機会とすることが「機宜の良策」であると言っていたわけである。

こうした見方は内閣だけでなく、当時の政治家や活動家など多数の意見でもあった。例えば、井上馨も大戦を好機と捉えて「今回欧州の大禍乱は、日本国運の発展に対する大正新時代の天佑」として大隈内閣の参戦決定を支持したことがよく知られている。それは、欧州が大戦で手一杯となっているうちに、日本は他の干渉を受けることなしに満洲権益の延長を図れるとの意味だった。

世論でも軍需景気による経済の活性に期待がかかり、財界から好戦的な主張がなされるようになった。新聞の多くも、かつて三国干渉に加わった独への報復戦であると交戦を煽《あお》る報道を行った。その影響から多くの国民が参戦を支持した。政党も世論が参戦に沸き立てばそれを批判することはできず、むしろ強硬な意見が台頭するようになった。

そして、実際に景気は飛躍的に伸びていくことになる。欧州では物価が高騰し、只でさえ日本商品の輸出が有利な状況となった上に、欧州各国がアジア・アフリカ貿易から撤退したため、この間の貿易を日本が独占的に担える状況が生まれた。欧州各国へも兵器・軍需品・食料などを輸出して戦時下の需要を担った。特に海運業と生糸貿易では顕著に利益が上がり、造船や海運業では「船成金」と呼ばれる利得者が生まれた。他にも、沖縄の「砂糖成金」など日本商品の輸出急増による「大戦景気」の受益者を発生させた。米国でも同様に好景気が発生したが、それは日本の対米輸出をさらに拡大し、両国の好景気が支え合う連鎖反応を起こすと、日本はオーストラリア（豪州）や南米などの未開拓市場へも輸出を拡大した。

③大戦景気はどれほどの好景気か

日本の主要な輸出品である生糸の輸出は四倍に拡大した。保有する金貨は五倍にもなり、米国に次いで利益を上げていた。一九一四年時には一二億円以上の債務があったのが、二〇年には二七億円以上の債権を保有していた。借金国から一転して巨額の債権を持つ国となったのである。

戦闘においては独の有する各権益《けんえき》を奪取した。山東半島の鉄道と鉱山採掘、膠州湾の租借、南洋諸島の領有である。大戦に際し中華民国の袁世凱《えんせいがい》政権は中立を表明したが、日本はそれを無視して膠州湾を攻略した。袁は列強の後ろ盾で政権を維持していたので、大戦勃発で列強諸国が欧州に集中している間に日本が中国に介入したのである。

日本軍は独が膠州湾に建設した青島《チンタオ》要塞を攻撃した。英軍との共同作戦として実施されたが、それは体裁だけの共闘で、日本はもはや日英同盟とは無関係に軍事作戦を展開していた。青島攻略を指揮した神尾光臣陸軍中将が戦勝の報告のために帰国する際、横浜から列車で東京に入ったが、折しも辰野金吾の設計した東京駅が完成しており、祝勝に合わせて東京駅の開業式を行った。凱旋将軍として駅に降り立った神尾が東京駅の最初の利用者となった。

膠州湾に配備されていた独の艦隊に対しては、海軍が攻撃した。独の艦隊はほとんどが事前に湾を脱しており、さしたる戦闘力がなかった。海軍は一〇月には独の領有する南洋諸島のうちの赤道以北の島々を占領した。膠州湾を脱した独の艦隊は、南太平洋やインド洋で通商破壊を行うようになるが、日本に全面的に依拠しなければ太平洋・インド洋の安全を確保することができなかった。英は、インド洋や地中海でも商船を護衛するよう日本に要請するようになった。このような英の態度を見た海軍は、南洋諸島の占領を決意した。その結果、海軍が赤道以北の独領を占領し、赤道以南については英にともなって参戦した豪州とニュージーランド（新西蘭）が占領した（当時の豪と新は自治領であったが外交上の主権は英が保持した）。日本はこの行動についても、領土的野心はなく、南洋諸島の占領は講和会議までの一時的な占領であると説明したが、その二ヵ月後には加藤外相が英に対して南洋諸島を永久に保持したいとの意向を秘密裏に伝えている。

5 「対華二十一ヵ条要求」—帝国主義外交の岐路

①中国と列国の駆け引き

加藤外相は中国側と山東省の権益について交渉した。独は膠州湾を一九九七年までの九九ヵ年の間租借するとしていたので、この山東権益を奪い返して中国に返還するのと引き換えに、期限が迫っている満洲の権益の延長を認めさせようとの交渉である。

加藤は袁世凱政権に対して、日本は山東省を中国に返還させるために独と戦ったのであるから、その負担した費用について何らかの見返りを求めたいとして、非公式外交で代償を要求した。ところが加藤の要求は、山東省や満蒙（満洲・内モンゴル）の権益についての交渉だけでなく、中国の内政をも含んだ要求で、帝国主義的な野心をむき出しにしたものに見えた。それが「対華二十一ヵ条要求」（一五年一月一八日）と呼ばれる一連の要求である。その内容は

第一号：独の山東省の権益の譲渡について（四ヵ条）

第二号：南満洲と内蒙古の東部における日本の特殊な権益について（七ヵ条）
（旅順・大連の租借を九九ヵ年延長することを含む）

第三号：漢冶萍公司（八幡製鉄所に鉄資源を供給してきた製鉄会社）の日中共同経営および鉱山採掘権の取得について（二ヵ条）

第四号：福建省の港湾・島嶼を他国に譲渡しないこと（一ヵ条）

第五号：政治・軍事・財政および警察官庁に日本人顧問を招聘すること／揚子江中流域に日本の鉄道敷設権を認めること（七ヵ条）

以上の計二一ヵ条であった。

このうち、日本人顧問の任用を含んだ「第五号」は、中国だけでなく欧米列強からの反発を招くことが予想された。実際に日本人顧問を送り込めば、中国の主権をも侵害するのであり、それは列強間で合意されていたはずの門戸開放や機会均等の原則をも無視することになる。そのため加藤は列国の干渉を防ごうと、「第五号」の内容だけは秘匿《ひとく》して交渉内容を公表した。しかし、袁世凱は列強の干渉を招くことで日本の要求を挫折させようと考え、「第五号」の内容をリークした。そのために「第五号」の存在が発覚すると、列国からは強い反発が起きた。

米は通商の機会均等と門戸開放を守るように主張し、英・露・仏を引き入れて反対を表明した。英は「第五号」にあった揚子江での鉄道敷設が英の権益に抵触するとして強く反対し、日英同盟の破棄までほのめかした。日本の過大な要求は国際問題化し、列国から不信を抱かれたのである。

②なぜ「二十一ヵ条要求」を出したのか

日本の強硬な外交姿勢は、一九一一年の辛亥革命以後の中国の政情が安定しなかったことで誘発された。辛亥革命では、清朝の軍閥の長であった袁世凱が、清朝を見限って革命派に通じ、皇帝を退位に追い込んで清朝を滅亡させた。袁は水面下で革命派と連絡をとり、自らが中華民国の大総統に就任することを条件として革命派と妥協したのである。その状況下において大戦が発生し、中国は中立を表明していた。

加藤の強硬な外交は中国国内で反日運動を呼び起こした。辛亥革命後の中国では主権回復が目指されるようになっており、列強に奪われた権益を取り戻していこうとしていたのである。そのような中で日本が求めた満洲の租借期限延長は、中国が目指す方向性と正反対の要求だった。しかし、大隈内閣は三月に総選挙を控えており、権益拡張に高揚する世論の期待に応える必要があったことから、参戦した以上は権益を拡張せずには収拾をつけられなかった。

加藤は予《かね》てから外交は外交官が担うべきものとして、外交官の主導性を強く求めていた。そのため大戦中の外交でも陸軍を抑制しようとしていたが、陸軍は独自に交渉案を作成して加藤に建言するなどして介入してきた。一部の議員や、「支那通《シナつう》」と呼ばれた中国問題の運動家などからも権益拡張が強く訴えられた。与党の内部にも強硬派の党員が多く存在した。

また、日本は「第三次日露協約」で内モンゴル（内蒙：現在の中国・内モンゴル自治区。モンゴルは辛亥革命を機に内蒙・外蒙に分裂した）の東部を勢力圏とする約定を露との間で結んだが、それには中国の了承があったわけではなく、実際の利権も何ら有していなかったので、この機に内蒙古の東部における日本の地位を中国側に認めさせたいとの希望もあった。そのため国内では、辛亥革命の時には既に、中国の混乱に乗じて出兵してでも満洲・蒙古の権益を拡張すべきとの強硬な意見が噴出していた。日本にとっての大戦は、そうした満蒙問題の解決に打開策が必要とされていた中でもたらされた機会なのであった。大戦に参戦してからも各勢力から満蒙問題解決のための献策が外務省に殺到していた。

加藤は外交の主導権を得るためには、それらの意見を集約した総論の上に自らが立たねばならないと考えた。そのために強気な姿勢を示させねばならなくなっていたのである（加藤は中国との交渉に臨んであえて第五号を入れておき、後からこれを取り下げることで他の要求を通し易くする「交渉カード」にしようとしていたとの見方もあったがその見方は見直されつつある。これについても前著を参照されたい）。しかし最後には、英から第五号の削除を求める厳しい通牒を受けることになった。

列国からの抗議を受けた加藤は、部分的に諸要求を撤回・変更しながら交渉を進め、結局は第五号を棚上げする形で袁世凱に最後通牒を発した。列強が袁世凱に対して日本と軍事的衝突を起こさないよう忠告すると、袁世凱は列強の干渉を呼び込んで日本に圧力をかける方法に見込みを失い、屈服した。袁世凱は日本の要求を受け入れた五月九日を「国恥記念日」として以後の反日世論を高揚させる象徴とした。

③「二十一ヵ条要求」の影響は何か

袁世凱は「二十一ヵ条要求」を受け入れたことで中国国内から激しい批判を受けた。すると、自らの政治権威の巻き返しを図るために自身が皇帝になろうと画策した。中国国内では袁世凱の皇帝即位に反対する「第三革命」が起こった。国際的にも非難を浴びた袁は一六年一月に帝政の延期を発表したが、それから僅《わず》か三ヵ月後の六月に病死した。袁世凱の後継には、北洋軍閥に属していた段祺瑞《だんきずい》が就いた（北洋軍閥は義和団事件後の近代化改革で創設された軍隊。袁世凱の権力は北洋軍閥を基盤に成立していた）。

一方、日本国内では諸外国からの批難をあびた「二十一ヵ条要求」が外交上の失策であったとして内閣の責任が追及され、加藤は辞任に追い込まれた。その後も陸軍の軍備拡張をめぐる予算問題が起きると、大隈内閣は政権の続投が困難となって辞職した。大隈内閣の後には陸軍の寺内正毅《てらうちまさたけ》を首班とした内閣が登場する。

他方で、米は領土保全と門戸開放を外交の原則にしようと中国外交の主導を試みた。日本が帝国主義外交を貫徹しようとしたのに対して、米は中華民国（袁世凱政府）に対しても早くから承認を与えて借款《しゃっかん》を提供した（借款：他国に資金を貸すこと）。袁世凱も日本の権益拡張を抑えるために、米を対日問題に関与させようと接近を図った。米は植民地や租借を求めることはせず、中国に米国系の銀行を設立するなど良好な関係の上で経済進出を展開した。日本とは正反対の進出方法を進めていくのである。

6　中国の南北分裂と参戦

一六年六月に袁世凱が死去した後、中国では軍事クーデターが頻発し、各地に「軍閥」が割拠する状況が生まれた。「軍閥」とは、各地の有力者が私兵として形成した軍団が独立化して勢力をなしたもので、主には清朝が衰退する間に北洋軍閥が分裂して割拠したものである。

①「西原借款」とは何か―大戦と日露関係

袁世凱の死去後の北洋軍閥は内部分裂を起こし、覇権をめぐる派閥争いが起きたが、それを平定した段祺瑞が北京で実権を掌握した。段の軍閥は「安徽《あんき》派」といった。

他方、袁世凱に追放されていた孫文《そんぶん》が、軍閥争いと北京の混乱を見て、一七年九月に広州で独立政権を樹立した。孫文は袁世凱と提携することで辛亥革命をなしたが、その後に独裁を目論《もくろ》んだ袁世凱に排除された（「第二革命」）。孫文は日本に亡命し、東京で協力者を得るなどして再起を図っていたが、帰国した後に広東の軍閥を利用して政府を樹立したのであった。ここから、段祺瑞を中心とする「北京政府」（北方派軍閥）と、孫文を中心とする「広東政府」の二つの政権が成立し、中国は南北に分裂した。

一方、日本国内では寺内正毅内閣が段祺瑞の「北京政府」を援助する「援段政策」を採用した。寺内内閣の主要閣僚には、朝鮮支配を重視した人物が挙げられる。朝鮮総督を務めた陸軍中央の軍人である寺内を頂点に、内務大臣には台湾での植民地官僚としての実績が評価された後藤新平が就任し、大蔵大臣には大蔵省の官僚で朝鮮銀行総裁も務めて「朝鮮組」と呼ばれた勝田主計《しょうだかずえ》が就任した。また、外務大臣には一〇年にわたって駐露大使を務め、ロシア通として知られた本野一郎《もとのいちろう》が就任したが、「日露同盟論者」として知られていた本野の起用は、日露関係を良好に保ちながら満蒙権益の保護を図り、そこから朝鮮支配を安定させようとの意向によるものであった。

日露戦争後に接近することになった日本と露は、満洲と蒙古の権益を「日露協約」によって分け合うことで確保しようとした（それまでに三度結ばれた「日露協約」の締結はいずれも本野が全権を務めた）。また両国は、米が中国に進出するのを阻止したい点でも利害が一致した。日露戦争後の露の経済は独からの輸入

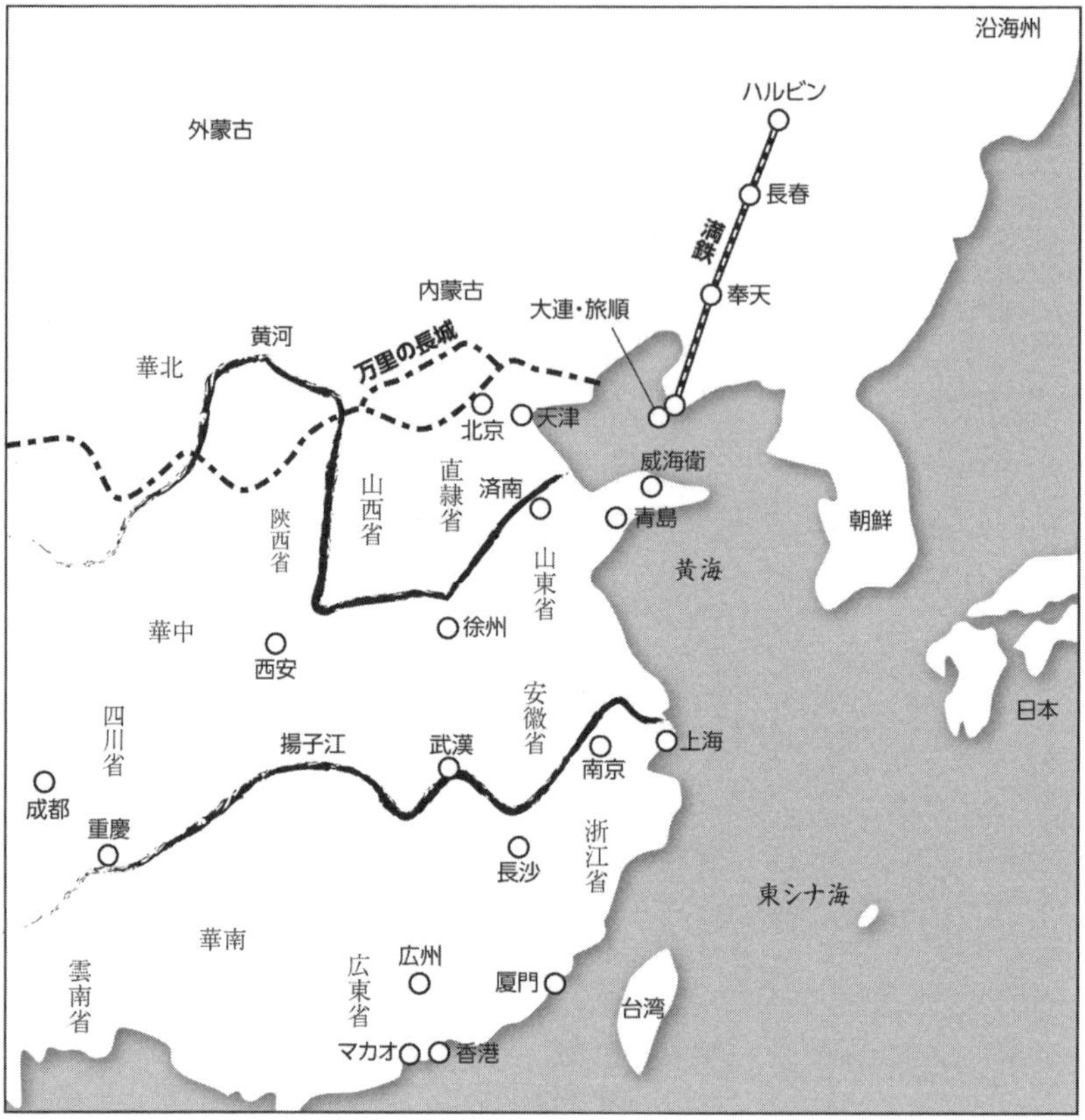

中国大陸

に依存するようになり、輸入額の半分を独が占めていたほどであったが、大戦によってそれが途絶えたため、日本からの輸入に依存した。それは日本にとっては大戦景気の要因になったが、露にとっては日本の軍需物資の輸入なしには戦線を維持することができなくなることを意味した。

その状況を背景として、寺内内閣の成立前の一六年七月に、朝鮮総督であった寺内が主体となり「第四次日露協約」が結ばれた。露への武器・軍事物資の援助を約し、満蒙権益の相互承認を再確認した上で、第三国による中国支配を阻止しようとの秘密協定であった。大戦を背景としたこの協約はそれまでの日露協約とは異なり、対象の範囲を中国全土に広げた。さらに秘密協定部分で第三国と交戦する場合の相互防衛を約束しており、今や日露協約は中国全土の権益を分け合うための攻守同盟となった。そうして組閣を迎えた寺内内閣の外交・「援段政策」に代表されるのが、寺内の私設秘書役であった西原亀三による「西原借款」である。

寺内内閣は、段祺瑞の政権に対して一億四五〇〇万円の無担保融資を内容とする軍事経済援助を行った（一六年度の日本の国家予算が六億円弱）。西原は一七年一月に寺内首相と勝田蔵相の私的な使節として派遣され、段祺瑞が分裂した中国を統一できるように援助した。大戦景気によって輸出超過が発生していたため、その資本を供与して、将来の親日的政府による中国統一を促そうとしたのである。要するに「西原借款」とは、段祺瑞に対する先行投資であった。そしてそれは外務省や横浜正金銀行など正規の外交ルートを経ることなくして行われた。

②戦勝国となった中国

西原の派遣と同じ一七年一月には、英の海軍省から地中海に駆逐艦《くちくかん》を派遣するよう要請があった。地中海で独の無制限潜水艦攻撃が始まったために、それへの対応が求められたのである。寺内内閣は、日本が山東省と南洋群島を領有することを英が承認するとの交換条件で応ずることとし、二月一〇日の閣議で派遣を決定した。地中海およびアフリカへ艦隊を派遣することになり、英はそれと引き換えに日本が独の権益を引き継ぐことを認めた。

日本は「対華二十一ヵ条要求」によって連合諸国との間に溝ができていたことから、関係改善を図る機会としても艦隊派遣を引き受け、また改めて米の主張する領土開放の原則を承認する意向も示した。派遣された艦隊は終戦まで輸送船の護衛に当たった。それは、最小限の負担しか負わずに利益を獲れるだけ獲ろうとしたそれまでの姿勢を改めざるを得なかったということである。

結局日本は領土的野心がないとの表明が単なる口実でしかなかったことを自ら明らかにしていった。そのことを最も嫌ったのは米だったのだが、ところがその米も一七年四月に参戦することになったので、連合国の一員同士として日本との提携が必要になった。それまで米は、寺内内閣の西原借款が中国の自主的な成長の妨げになると批判していたが、対独戦争を遂行するために中国問題を一時的に棚上げし、一一月には日本との間に「石井・ランシング協定」を締結した。特使として派遣した石井菊次郎とランシング国務長官（Robert Lansing）との間で結ばれた中国権益に関する協定で、中国の独立・門戸開放・機会均等の原則を前提にしつつも、山東省と満洲については特殊な権益として日本の優位性を認めるとの内容であった。それは米の外交原則と、日本の求める中国権益との間に妥協点を定めたものであり、また米が欧州戦線に傾注するための手続きであった。

この間の一七年八月一四日には、段祺瑞の北京政府が独・墺に対して宣戦布告し、参戦を表明した。独墺への宣戦布告によって国交を断絶すれば、北京政府は義和団事件以来続いている賠償金の支払いを破棄することができるという利点があった（義和団戦争で連合軍の指揮をとった独への賠償金額が最も多かった）。これにより北京政府は戦後に戦勝国に位置づくことになる。

＊本文に登場していない参戦国（参戦を表明した国）

南ア連邦・インド帝国・カナダ・ニューファンドランド（いずれも英連邦として参戦）／ギリシャ王国／モンテネグロ王国（大戦中にセルビアに事実上吸収される）／ポルトガル／リベリア／ボリビア／シャム王国（タイ：一九三九年に改称）／キューバ／ハイチ／グアテマラ／ホンジュラス／ニカラグア／コスタリカ／パナマ／ペルー／ブラジル（いずれも連合国側として参戦）

第２章

国際連盟の創設と「理想主義」

―国際秩序の転換

世界大戦は、帝国主義外交の産物である軍事同盟網によって極大化した戦争であった。参戦の連鎖が戦争を拡大させたが、その連鎖の原因は軍事力に依拠する「現実主義」の世界観に他ならず、世界に帝国主義の限界を痛感させた。そして大戦後には、大規模戦争が繰り返されることのないように国際秩序の転換を図る動きが表れる。国際社会は予想を超えた戦争の惨禍を顧《かえり》みて、軍事同盟の連鎖や軍拡競争を必然とする現実主義そのものの転換を求めるようになるのである。

１　「ロシア革命」と暴かれる謀略

①「社会主義」は何を目指したのか

「一〇月革命」によってレーニンが政府を樹立したのは、日本が米との間に「石井・ランシング協定」を締結した五日前のことであった。

レーニンらの掲げた「社会主義」とは、産業革命以降に蔓延した貧富の格差を解決して平等な社会の実現を目指す政治思想である。独のユダヤ人思想家・マルクス（Karl Marx）によって唱えられた。資本主義には、はじめから資本に恵まれた者だけしか豊かになれないような構造があり、しかもその富は貧しい労働者からの搾取《さくしゅ》によって成立していることを指摘した。富める者は、貧しい者の労働によって生産を拡大するが、それによってどれほど利益が上がったとしても労働者の所得が増えるわけではないので、生産するほど貧富の差を拡大する構造となる。その構造を変えようとするのが社会主義で、具体的には、土地や工場などの富の生産手段を社会全体で所有・管理することで、計画的な生産と平等な分配を実現しようとするものである。生産過剰による恐慌や不況を防ぎ、皆が等しく富む世界を理念とする。つまり社会主義とは、経済格差を生み出し、それをさらに助長していく資本主義の構造的な問題を解決するために登場した思想で、社会の構造によって貧しさを押し付けられている貧困層を救い、不平等を是正するための変革であった（レーニンの解釈によれば、社会主義では生産物の分配は各人の能力に応じて実施する。その社会主義の段階を経て、やがては資本家と労働者の区別をなくし一切の平等分配を行うのが共産主義段階で、最終的には政府の存在も必要でなくなるとした。現在は社会主義と共産主義が同一であるとの見方もある）。それは資本主義とは別のもう一つの世界の進路を示す思想であった。

レーニンはソヴィエト政権樹立の翌日に「平和に関する布告」を決議し、交戦する各国に即時平和を実現するよう呼びかけた。それは各国の労働者に革命を促す呼びかけでもある。敗戦国に対して賠償金を請求せず、領土も奪うべきではないとした「無賠償・無併合」を改めて唱えるとともに、民族の自決権を主張して、永久的な平和構築を表明した。

露の領内では、地主から土地（生産手段）を没収して農民に分配し、国内に居住する全民族に領土権を認めた（「土地に関する布告」）。それだけではなく、露が獲得していた他国への賠償金の請求を放棄し、さらに秘密外交の否定を声明して、露がそれまでに結んでいた各国との「秘密協定」を全て暴露した。

②「サイクスピコ協定」とパレスチナ問題の発端

秘密協定の暴露によって、列強が露と密かに約束していた内容が白日の下にさらされた。その中には日本との「日露協約」も含まれた。日露間で秘密裏に満蒙を分割しようとした協約は御破算となった。日本は、英米が中国に進出するのを露と共同で阻止しようとの密約を交わしていたことを暴露された上で、日英同盟と並ぶ外交の基軸を失ったのであった。

また、英仏もこの大戦中の一六年五月に秘密協定を結んでいたことが明らかとなった。しかもそれは、大戦に勝利した後に英仏露の三国でオスマンを分割しようとの内容であった（「サイクスピコ協定」）。英は、オスマン領内の民族独立を焚き付けてオスマンを内部崩壊させようとアラブ人の独立を支援していた（アラブ人の国を約束するとして反乱軍を組織させた。砂漠の英雄アラビアのロレンスと呼ばれた英の情報将校による謀略）。しかし実際には列強の間で現地を分け合う計画を立てていたのであった。その狙いはオスマン領内の油田である。さらに英はユダヤ人にもパレスチナに居住地を確保すると約束していた。アラブ（ムスリム）とユダヤは対立していたにも拘わらず、英はその両者に領土を与える約束をしていた。そのうえ実際には自らもその地を得ようとしていたのである。英の「三枚舌外交」が暴かれることになったが、これこそが現在に続くパレスチナ問題の発端となる。

２　ロシアの脱落とシベリア情勢

秘密協定の暴露は各国に様々な衝撃を与えたが、革命の影響はそれだけではなく、兵数一四〇〇万人を超える露軍が独との戦争から撤退することも意味した。挟み撃ちから解放された独は息を吹き返し、露軍の捕虜にされていた独軍の兵士が帰還したことで兵力も増強された。これによって独は短期的ではあったが再び英仏に大攻勢をしかけた。

連合国の一翼である露を崩壊させたソヴィエト政権の登場に対して、英仏を主とした諸国はパリで連合国会議を開催してその対応を協議した。そして、ソヴィエト政権を承認せず、革命を阻止するために干渉すべきとの方針が定められた。社会主義による革命は、工業化の進んだ国にほど労働者による政府転覆の危機をもたらした。また、再び独を挟撃できるように、離脱した露軍に代わって独を東側から攻撃する部隊を送り込もうとした。

独とソヴィエトの間で休戦協定が成立し、講和交渉が開始されると、挟撃作戦は急がれた。しかし、英仏軍には独の東側にまで兵力を送り込む余裕がないため、日本と米にこれを依頼する案が出された。シベリアへの派兵要請である。シベリアには日本と米が露の支援のために送った軍需物資が大量に集積しており、それがソヴィエトと講和した独軍に渡るようになってしまうことも危惧された。

日本は、英仏からの出兵依頼より前から、居留民保護を目的としてウラジオに軍艦二隻を派遣していた。しかし、ロシア革命への干渉や欧州戦線への合流（挟撃作戦）については米が強く反対していたため、英仏の依頼は断わることにした。政府内では本野外相が積極的に出兵を請け負おうとしていたのだが、閣内で米の同意がないことが問題視され、結局は取り止めとなったのである。また独を挟撃するために欧州へ派兵することには日本の利益が見出せなかった。

英仏による革命への干渉を認めなかった米のウィルソン大統領は、一月一八日に大戦が終結した後の世界構想として「一四ヵ条の平和原則」を発表した。各民族は自身の同意によって支配・統治されるべきであり、他の民族や国家からの如何なる支配も強要されるべきではないとの主張であった。これはレーニンが「平和に関する布告」において唱えた民族自決権を受けて出されたものである。これには米がロシア革命を妨害しようとする英仏とは別個に、単独で戦争目的を再定義した意味がある。但し、ウィルソンも露の戦線離脱を単に傍観《ぼうかん》するつもりだったわけではなく、革命後も連合国に協力してくれることを望んでいた。つまり、露の離脱を引き留めたいとの思いもあったが故に、レーニンと民族自決の理念を共有しているとのアピールをしたのである。

しかし、レーニンはこの一月に革命軍（赤軍）を組織し、露国内の反革命勢力や列強の干渉と戦う構えを見せた。そして三月には英仏の懸念した通り、独ソ間での講和条約が成立した（「ブレスト・リトフスク条約」）。これによってソヴィエトは、大戦の最中に単独で独と講和して戦線から抜け出してしまった。

露国内では、ボルシェビキを共産党に改め、他の党派はすべて追放して独裁体制を築くと、首都をモスクワに移転した（赤軍：社会主義・共産主義勢力は赤色で表された。古来、支配者に反抗する際に赤旗が使用された例があるとされ、「自己の権利を訴える革命旗」との意味があった。ロシア革命からは世界の労働者・人民の戦いの象徴となった）。

四月にウラジオで日本人居留民が殺害される強盗事件が起きたため、日本はそれを背景に海軍の陸戦隊（海軍の歩兵部隊）五〇〇名を上陸させた。海軍ではウラジオの占領を密かに企図したが、英仏の求めたような大規模派兵による独への挟撃や革命干渉を行うことはなく、なお単独で小規模の上陸を行うに留めた。そしてこの四月には本野が病のために辞職した。後任の外相には後藤新平が就いた。

他方、陸軍は五月に段祺瑞政権との間で東北アジアの安全を共同で防衛するとした「日支共同防敵軍事協定」を締結した。この協定によって、日本軍が中国領を通過することが認められたことから、日本は満洲以北への軍事行動を起こせるようになっていた。この協定は、陸軍が「西原借款」を背景に、シベリア問題への対応として結んだ協定であるが、それは寺内内閣の下で陸軍が独自外交を展開しはじめたことを意味していた。

3 「シベリア出兵」―ロシア革命への妨害

英仏の求めた革命干渉は日米の容れるところにならなかったが、翌五月になると一度は中止となった出兵問題が再燃することになる。

①なぜシベリアが焦点となったか

長期化する戦争の影響から露は全土で食糧不足を深刻化させていた。革命運動はシベリアにも拡大し、シベリア地方にもソヴィエト政権が誕生した。そして、食料不足の解決のために余剰《よじょう》生産物を統制しようと、土地の国有化を断行した。

独と講和した後も、英仏の干渉や国内の反革命勢力と戦わなければならなかったレーニンは「戦時共産主義」と称して、地方から中央へ食料を集めようと、余剰な農作物を強制的に供出させる政策を採った（「穀物独裁」）。「すべてを戦場に」と謳い、統制に反対する市民は軍事警察力で取り締まった。市民の食料は配給制となり、工場も全て国有化された。これらは革命を貫徹するための緊急措置ではあったが、人民の福祉を充実するはずの社会主義の理念を歪《ゆが》めており、余剰作物を取り上げられたことで却って貧しくなった農民や労働者の期待を著しく減退させた。

そうした中で、シベリア・ソヴィエトは食糧確保のために中国領の北満洲一帯をソヴィエトの勢力地域と見なして、北満の国有化をも進めようとした（北満が露の勢力圏に含まれると見なすのは、ソヴィエトが破棄したはずの「日露協約」による認識と言える）。

ソヴィエトの動向に対して北京政府の段祺瑞は鉄道を遮断して農作物の輸送を停止し、満洲と露の国境線を封鎖した。これによって満洲からの食料供給に頼っていたシベリア一帯の食料危機は一層深刻化した。そこへ英仏から改めて革命干渉のための出兵の依頼がきた。それは露の領内で孤軍奮闘するチェコ・スロバキア軍を救済して欲しいとの依頼であった。

②「チェコ軍」の救済とは何か

中世から墺の支配下にあったチェコとスロバキア地域では、大戦に際して現地に住むチェコ人とスロバキア人（双方ともスラブ系人種・独立国をもてずに東欧州・バルカン地域・露などに分布する民族になっていた）が墺軍に動員された。彼らは露軍と戦闘したが、露軍にも露に在住していたチェコ人らが動員されていた。チェコ人やスロバキア人同士で戦う意欲など湧かず、特に墺軍側では自身らを支配してきた墺のために戦おうとする兵士などはほとんどいなかったため、露軍へと投降していった。

墺のチェコ兵・スロバキア兵（以下、「チェコ軍」と記す）を捕虜にした露軍は彼らに対して、今度は露側に付いて戦えばその見返りに墺から独立させると持ちかけた。これによってチェコ軍は露軍の一部として墺と戦うようになり、露を後ろ盾に墺からの独立を勝ち取るための戦いを始めた。連合国側に付いて戦えば独立できるとの希望は、約四〇〇年間も自身らを支配してきた墺へ反旗を翻《ひるがえ》すのに十分な動機であった。ところが戦争中に露が革命で崩壊し、革命派は戦争を停止してしまったため、独立のための戦場は消滅してしまった。それでも戦争の継続を望んだチェコ軍は、一八年五月に反ソヴィエトの軍事行動を起こし、反革命の旗手となった。

チェコ軍は独立戦争を継続しようと、英仏軍に合流することを望んだ。しかし、そのためには独墺軍を突貫してその西側に出なければならない。チェコ軍は五万人規模の部隊に膨らんではいたものの、独墺を突き抜けてその向こうに出ることは不可能なため、シベリア鉄道でウラジオまで移動することにした。そこから日本や米の協力を得て太平洋を横断し、さらに北米大陸と大西洋をも横断して英仏軍に合流しようと考えたのである。つまり、独墺の向こうにいる英仏軍と合流するために世界を一周してたどり着こうとの計画であった。

かくしてチェコ軍はシベリア鉄道で東へと移動を開始した。鉄道の利用はソヴィエトの了解を得ていたが、地方ソヴィエトには必ずしもその連絡が届いておらず、ウラジオに向かう沿線の各駅で行軍の停止や武器の放棄が要求された。そこに、ある駅で露軍の捕虜になっていた独軍の兵士が居合わせ、チェコ軍と揉めはじめると、チェコ軍とソヴィエトとの間でも武器の引き渡しをめぐって紛争に発展してしまい、ついには鉄道沿線の各地でチェコ軍とソヴィエト革命軍（赤軍）との全面衝突へ発展した。チェコ軍は各地で奮戦して赤軍との戦いに勝利し、各都市を制圧しながらウラジオへ向かった。英仏はチェコ軍の戦果を喜び、彼らが占拠した都市に、革命に反対する露国人による反革命政権を立てていった。チェコ軍は英仏の革命干渉の役割を担って行軍したのであった。

チェコ軍がシベリアまで到着すると、革命に反対していた露の政府軍（白軍）と赤軍との間で戦闘が続いていた。赤軍が優勢を占めていたが、食糧統制によって却って食糧不足に陥ったシベリアの現地農民たちがソヴィエトに対する反感を募らせていた。食糧問題が深刻化する渦中に到着したチェコ軍はここでも奮戦し、シベリア一体の革命派の拠点であったウラジオストック・ソヴィエトを崩壊させたが、次第に赤軍に包囲され、ついには完全に孤立した。

こうした経緯から、シベリアで孤軍奮闘するチェコ軍を救済する必要があるとして、英仏は改めて日米両国に出兵を打診したわけである。今度は「挟撃作戦」をしたいがためではなく、民族独立を目指すチェコ軍の人道的救済としての依頼であるとした。それは民主主義を守るためとして参戦し、民族自決の実現を戦争目的に掲げたウィルソンの声明に合致したため、米もチェコ軍を見殺しにすることには大義が立たなかった。さらに革命に反対する露国人からの要請もあり、それらの事情から米は干渉の方針に転じて、一八年七月に米側から日本への共同出兵を提案した。

③二重外交はどのように始まるのか―「日露協約」の代価

寺内内閣が出兵を宣言すると、先の「日支共同防敵軍事協定」で満洲での軍事行動を段祺瑞に認めさせていた陸軍は、北満洲を事実上占領した。それは、失われた「日露協約」で得ていたはずの満洲の権益を取り戻そうとする行いであった。即ち、「日支共同防敵軍事協定」は「日露協約」の代替戦略だったわけである。そればかりか、陸軍の一部では日露協約が消滅したことは、むしろ日本が北満にまで勢力を拡張できる好機と捉えられていた。北満を露の勢力圏としていた日露協約の拘束から解除され、日本が満洲全土、さらにはシベリアまでをも勢力圏にできる機会が出来《しゅったい》したと、日露協約の消滅を前向きに捉える立場まであった。陸軍が独自に外交までを行おうとする二重外交の傾向が表れている。

シベリア出兵は、日米を主力に英仏軍も加わった連合国の共同出兵として開始された。米は自ら日本に共同出兵を打診したものの、シベリアへの軍事行動を起こせば、日本がその機会を利用してシベリアの支配に乗り出すのではないかと警戒し、ウラジオに限定した小規模の出兵を提案した。ところが一度米側からの打診を得た寺内内閣は、その裏で段祺瑞との軍事協定も発動させて、七万人強の大兵力を派遣した。米と合意した兵数の一〇倍もの規模であった。北満を占領し、その上ウラジオだけでなく沿海州やさらに西方へと兵力を展開した。陸軍の独自外交の上に実施された大規模派兵はチェコ軍の救済から逸脱しており、米との間に摩擦を生んだ。

欧州ではこの直後の一一月に独の降服によって大戦が終結した。結局チェコ軍はウラジオから各国の船で欧州に輸送され、戦線に合流することはなかったが、チェコ軍がシベリアに至るまでに目覚ましく活躍したことから、連合国の承認の下に「チェコスロバキア国民会議」が臨時政府として承認された（チェコ軍の活躍を背景に白軍が盛り返すことを恐れたレーニンは幽閉していたニコライ二世を処刑した）。

日本国内では、シベリア出兵によって兵隊の兵糧としてのコメが国外に持ち出されたために米価が高騰し、それに対する抗議デモが起きた（「米騒動」）。コメの輸出反対運動は瞬く間に全国に広まった。各地で暴動が起きると、寺内内閣はこのデモに対し軍隊を動員して武力鎮圧を図った。国民に銃を向けた政府の措置はマスコミその他に強く批難され、寺内内閣は支持を失い退陣を余儀なくされた。

その後のシベリアでは、二〇年の初頭にかけて連合軍が赤軍と各地で交戦したもののその多くは敗退していった。日本軍の七万強の兵力もシベリア各地に散開して配置させると、広大なシベリアを抑えるには不足であった。シベリア各地に点在する日本軍に対し、赤軍は兵力を集中させて局所的に攻撃した。日本軍は零下三〇度の極寒の地での戦闘に苦しんだが、それに対して赤軍は実戦の過程で戦闘能力を高めていき、次第には住民の支持も得ていった。

こうした状況を見た英仏両国は二〇年一月に革命への干渉を諦《あきら》め、露への封鎖解除を宣言した。米も出兵を打ち切ったが、その中で日本だけは兵を撤退させなかった。シベリアにいる日本人居留民の生命財産が保証されず、革命派の勢力が朝鮮・満洲に波及するおそれがあると主張して戦闘を継続したのである。陸軍は列強各国の意向を無視してシベリアに残存したのであった。二〇年五月に日本軍の将兵と居留民の約七三〇名余りが赤軍に殺害される「尼港事件」が起こると、日本は事件の賠償を求めるために北樺太にも部隊を派遣し保障占領を行った。こうして日本はロシア革命への干渉戦争をひとり継続していくのである。

４　パリ講和会議と「ヴェルサイユ体制」

大戦は三千万人以上の死傷者を出しながら、露・独・墺の帝国を崩壊させて世界を変転させた。世界は「現実主義」の限界を認め、それを否定する「理想主義」の国際秩序が目指される。

①「ヴェルサイユ条約」とは何か―国際連盟規約の誕生

米の参戦は独の敗北を決定づけた。英仏軍の損耗は米軍から補充できたのに対し、独軍はもはや補充ができなかった。米は陸海軍の戦力を多量に欧州に送るようになり、連合軍が物量において優位に立ったのである。

独は英仏戦線に集中するために他の戦線から戦力を引き抜くようになっており、手薄となった他の戦線が崩れ始めると、同盟国側の諸国は次々に脱落していった。一八年一〇月には墺が、独との同盟を破棄して単独での講和を求めた。それに前後して独でも講和が模索されるようになり、一一月には休戦協定が結ばれた。休戦に際しては、独の交戦能力を奪う厳しい条件が附されたが、ロシア革命の影響から独の国内でも革命運動が起きようとする気配があったため、独は講和を急いだ。

講和会議は、一九年一月よりパリで行われることになった。翌二〇年八月にかけて開かれたこの会議の中で、大戦処理と戦後の世界秩序を再構築する「ヴェルサイユ体制」が築かれることになる。独は大戦の責任を求められ、その処理が会議の焦点となった。

世界大戦は帝国主義の頂点としての性格をもっていた。とりわけ独は大戦までに「世界政策」によって植民地を広げていたため、アフリカでも太平洋でも戦闘が起きた。独の植民地は列強が分割して統治し、独墺の支配下にあったバルカン半島や東欧地域（主にスラブ人の領土）は独立することになった。

独が普仏戦争で獲得したアルザス・ロレーヌ地方は仏に返還され、ポーランド人の居住区も独立国家のポーランドとして建国された。バルカン半島ではセルビア・クロアチア・スロベニアの独立が決まった。この三地域は後にユーゴスラビアになる。他にはバルト三国とフィンランドが露から独立している。

また独には軍備制限と賠償が求められた。独の陸軍は一〇万人に制限された。参謀本部も廃止されたことで対外作戦を行う能力を失った。海軍も軍艦の保有が制限され、潜水艦や航空戦力の保有は一切禁止された。

多額の賠償金が請求され、当初の総額は一三二〇億マルクとされたが、それは通常の方法では一〇〇年かけても払いきれないほどの額であった。そのため、以後の独のあらゆる歳入は賠償金の支払いに当てねばならなかった。輸出をすればその二六%は賠償支払いに向けられ、他にも船舶や石炭など物資も提供することが義務づけられた。

これらを定めた講和条約が一九年六月二八日にヴェルサイユ宮殿で、独と連合国二八ヵ国との間に調印された〔独以外の敗戦国もそれぞれが連合国側と講和条約を締結した／「サンジェルマン条約」(墺)、「ヌイイ条約」(ブルガリア)、「トリアノン条約」(ハンガリー)、「セーブル条約」(トルコ)。これらの総称として「ヴェルサイユ条約」と呼ぶ場合もある〕。

大戦以前の世界では、講和の際には敗戦国も会議に参加して、賠償の額などの講和条件を交渉するのが通例だったのだが、今次の講和では独の意向を含むことなく巨額の賠償が義務づけられた。

パリ講和会議には三二ヵ国が参加していたが、実質的には米英仏の三国によって主導されていた。ウィルソンが「一四ヵ条の平和原則」で提唱した「以後の世界において秘密外交を廃止すること」・「経済と海洋における自由」・「軍備縮小」・「独に侵略された各国の主権回復」・「民族自決」などの平和原則を基調としており、この会議から外交上の共通語として英語が用いられるようになったことは米の影響力の高まりを示している（欧州ではラテン語が外交上の共通語で、各国の宮廷用語であった仏語も用いられたが、ヴェルサイユ条約で英語と仏語の双方を正文に使用できると規定され、現在に至る）。

また平和原則では、その第一四条で新たな世界秩序を構築する国際平和機構の創設が呼びかけられていた。平和維持のための国際機構を創設しようとの考えは、英仏伊の間でも共有されており、講和会議の準備段階として行われていた連合国の総会議で既に議論されていた。そのためパリ講和会議が開催される段階では、国際機関の創設は既定方針となっており、「ヴェルサイユ講和条約」の第一章に「国際連盟規約」（憲章）として明文化されることになった。

②不誠実な正義―新しい植民地

講和において、米が平和構築の理念を押し出そうとしたのに対し、英仏は損害を取り戻そうとの意識が強く、独に対する報復の性格はぬぐい切れなかった。独への制裁に見る通り「無賠償・無併合」の理念は実現されず、また民族自決や国際協調の理念を掲げながらもソヴィエト政権の参加は認められなかった。そればかりか講和会議の開催から一年後の二〇年一月まで、ロシア革命への干渉戦争が続けられた。戦勝国は賠償金で経済復興を図り、列強の植民地はほぼそのまま残された。民族自決も東欧の他ではほとんど実現しなかった（しかも東欧の自治独立もソ連の革命に対する防波堤として英仏に認められた性格がある）。

墺ではチェコの独立を契機に墺帝国内の諸民族が独立を宣言した。墺の降服直後には帝政を否定する革命が起こり、盟邦であったハンガリーも完全な分離独立を宣言した。領土の大半を失った墺帝国は、オーストリア共和国へと再編された。

大戦後の世界を構築しようとするパリ講和会議は、日本にとってはじめて参加する大規模な国際会議であった。首席全権は西園寺公望《さいおんじきんもち》、牧野伸顕《のぶあき》、珍田捨巳《ちんだすてみ》（駐英大使）の他、駐仏大使や駐伊大使らを全権とした約六〇名が派遣された。

日本代表は会議において山東省の権利取得を強く主張した。中国代表の顧維鈞《こいきん》が日本への権益譲渡に反対する演説を行うと、牧野はこれに強く反論し、米が仲裁しようと山東省の国際管理を提案したのに対しても、山東権益の譲渡はすでに段祺瑞との間で決していると主張した（山東密約）。日本が権益を獲ることは英仏との密約においても容認されていたため、米だけが中国を擁護する形となったが、珍田大使が権益譲渡を認めないのであれば日本は会議を脱退するとほのめかすと、国際連盟の創設を優先したい米は日本との妥協を選択した。結局、日本は山東省の領土については将来的に返還するとの条件で、独が保持していた経済的特権を得ることになった。

中国では、段祺瑞が日本に権益を譲渡するとの「山東密約」を結んでいたことが発覚すると、北京でデモが起こり「五《ご》・四《し》運動」として全国に広がった（一九年五月四日）。デモの様子を知ったパリの顧維鈞は講和条約の調印を拒否することにした。段祺瑞は運動を取り締まったが、この事件を背景に失脚することになる。

日本は山東省の権益の他に、独が領有していた南洋諸島を実質的に領有することになった。赤道以北の南洋諸島のうち、米領のグアムを除いた、パラオ・ヤップ・サイパン・テニアン・トラックの各諸島を得た。これらは理想主義の理念からは否定されるはずの領土拡大であった。

講和会議において、英仏は基本的には理想主義の理念を支持しながらも、自国の植民地を解放する考えはなかった。民族自決は、既に行われている植民地支配を除外するとの条件つきで唱えられていた。そのため、敗戦国の植民地を戦勝国で分け合うことについても、民族自決との折り合いがつくように、「委任統治領」という新たな支配の形が考え出された。

委任統治とは、その地域の行政と教育に責任を負うという意味で、軍事利用ができないなどの条件の下にその地を管理することを指すが、それは新たな植民地支配を覆い隠すための口実でもあった。日本の他、英・仏・白・豪・新（ニュージーランド）によって敗戦国の植民地を分け合った結果であり、植民地獲得を目的に参戦した各国への配当なのである。こうして大戦の講和会議は、民族自決が適用されない地域を発生させたのであった。支配と差別の撤廃を理念とする正義の講和は、実に不誠実な取引を許していた。

③「民族自決」は誰のための理念か

レーニンが唱えた民族自決の理念は、植民地各国に民族運動を喚起した。それは日本の支配を受けていた朝鮮も例外ではない。一九年一月に講和会議が開催されることが知られると、朝鮮の主権を回復したいとの機運が高まり、朝鮮半島の各地で抗日デモが起きた（「三・一独立運動」）。各都市に波及したデモを日本の憲兵と警官隊が弾圧したが、以後の韓国支配において、もはやナショナリズムを無視することはできなくなった。

かくして日本は自ら植民地支配を行い、また戦勝国の支配構造に加担したのであったが、その一方で講和会議での日本代表は、人種差別を解決するための問題提起を行っていた。連盟の規約に差別の撤廃条項を入れるべきと提案したのである。米との間に移民問題が起きていたため、その改善を狙って人種平等条項の規定を提案したものだった。

日本の提案は、チェコスロバキア・ルーマニア・ブラジル・中国の賛同を得た。当初は米英も反対しなかったのだが、豪の首相が反対すると英も反対に回り、米も不採択を宣言した。豪の反対は国内で予定されていた総選挙を気にしたものであったが、豪は人種平等が採択されるなら会議から脱退すると訴えた。

山東権益に拘《こだわ》る日本も、人種差別を是とする豪も、講和会議からの脱退をカードにして各国に妥協を迫ったことが指摘されよう。結局、人種平等の提案は否決され、日本にとっては移民問題が改善しないばかりか、後の二四年に米で制定された移民法では、日系人が米に帰化することが禁じられ、新たな移民の入国も全面禁止となった。潜在的に悪化していた日米関係にまた影を落とすことになる。

日本も人種平等を提案しながら、朝鮮への差別を行っていたのであるが、連盟は人道主義を重んじるとしながらも一部の人種差別には向き合おうとはしなかった。日本が提案した動機はともかく、その主張自体は正論であったはずが、連盟創設への合意形成が優先され、連盟の規約は差別問題を解決する性格ではなくなった。

5 国際連盟の世界史的な意義

「ヴェルサイユ体制」は、戦勝国が敗戦国や植民地を抑圧する世界を再形成した。「民族自決」は不徹底で、人種問題には不正義が付きまとった。それでは、大戦への反省や教訓がまったく活かされなかったのかと言えば、決してそうではない。世界では帝国主義を否定する世界秩序の大変革が起きようとしていた。

ヴェルサイユ講和条約に含まれた「国際連盟」の創設は、四二ヵ国の加盟国を得て、二〇年一月一〇日に果たされた。英米が協同で起草した案を骨子に、英・仏・伊・日の各国を中心とした委員によって規約が作成された。日本の委員は、牧野と珍田である。「国際連盟規約」の前文には、加盟国は「戦争に訴えざるの義務を受諾」することが記され、もしも国交断絶に至るような紛争が起きたとしても武力解決には依拠しないという理念が掲げられた（第一二条）。これは、以後の紛争は連盟の審査に付さなければならないとの規定であり、戦争を法律によって禁じようとする世界的な試みの第一歩であった。

それまでの帝国主義世界において、戦争はむしろ国家の権利であった。しかし、軍事同盟の連鎖でしか非戦争状態を生み出せないとする緊張した世界観は、世界大戦の大惨事をもたらした。その反省から、世界を潜在的な戦争状態と見なす現実主義に対して、国家間の経済的な相互依存性に着目することで世界を一つの共同体と見る世界観「理想主義」が登場した。国際連盟創設の世界史的な意義は、まさにこの理想主義へと世界のルールを書き換えたことである。それにより弱肉強食の世界観は否定され、もはや世界は潜在的戦争状態の中にはなくなった。即ち、帝国主義が否定されて、国際協調を秩序とするルール転換がなされたのである。

世界は帝国主義を否定したことで潜在的戦争状態から脱した。連盟に参加する各国が規約により集団で安全を保障し、違反した国があった場合には全加盟国が協力して擁護や制裁を行う「集団安全保障」の原理がつくられた。従来、国家の主要な関心は軍事力の拡大であったが、以後は軍事力の強弱に拘わらず、いずれの国家も平等に主権が守られる世界が目指されようとした。

このことは牧野伸顕の意見書からも知ることができる。牧野は講和会議へ出発する直前の意見書で、講和会議に臨むにあたって、日本はまず国際協調主義へと転換されつつある世界の潮流を理解せねばならないと述べている。欧州では人道思想が発達し、「戦争反対」が主流となっており、国家は「世界一大経済組織の一部分に過ぎず」とする理想主義の観念が発生している。講和会議では永久平和のための国際組織の創設が主要な議題となることが明らかであるとした。そして、日本はその国際組織に、率先して賛同するようでなければならないと、時流を理解する必要を訴えた。牧野が世界秩序の転換の意味を理解していたことが分かる。

こうした理解は牧野だけではなく、日本社会では連盟の創設と理想主義の到来を歓喜をもって迎える言説が知識人層や財界に沸き起こった。連盟の活動を支援しようとの民間団体まで設立されたほどで、他にも実に多くの団体が賛同した。

しかしながら、かく言う牧野も講和会議で山東権益を譲らなかったことに見るように、領土的拡張を全て放棄するべきと考えたわけでなかったし、新外交の秩序についても理念そのものに共感したというよりは、経済的利益を得られるとした判断が強かった。だが、それでも世界の秩序転換の意味は広く認知されていた。かくして創設された連盟で、日本は英・仏・伊と並ぶ常任理事国となり、平和組織の中核としての役割を担う立場となった。

しかし、人類史上初の国際平和機構としての連盟は、発足当初より大きな矛盾を抱えた。創設を主導した米と、新たな大国として登場しようとするソヴィエト政権、そして敗戦国の独の参加がなかったことである。

米には他国への不干渉を主義とする保守的な勢力（共和党）があり、「モンロー主義」と呼ばれた立場（米の国益にならない負担は一切拒否する「他国不干渉」主義）を伝統的な外交方針としていた。共和党からは連盟参加に反対する意見が出され、民主党のウィルソンは議会の上院において賛成を得ることができなかった。米では議会が宣戦布告権を有するため、連盟に加盟することで将来の戦争に参戦するような場合には、議会の承認なく参戦することになるとの問題もあった（連盟規約には「侵略阻止のための共同行動」が規定されている）。上院は新外交の理念よりも伝統外交を守り、米は提唱国でありながらも自らが連盟に参加することができなくなった。そして、連盟への加盟は講和条約に含まれたため、米はヴェルサイユ講和条約自体に調印することもできなくなったのである。そのため米は二一年に独との条約を個別に締結することになる。

また、講和会議に参加できなかったソヴィエト政権と独も連盟への参加を認められなかった。国際連盟はレーニンの声明を発端として、ウィルソンが提唱したにも拘わらず、その主要な二大国が不在のままに創設されたのであった。しかし、そうした欠点を抱えながらも、弱肉強食を当然とした帝国主義時代から、戦争を法概念によって禁止しようとする「戦争違法化」の時代へ向けて国際社会を前進させた。それは帝国主義を終焉させる「新外交」として、近代から現代への時代の転換を意義付けるものであった。国際社会はウィルソンの行動を高く評価し、ノーベル平和賞を授与した。

６　日本と「新外交」―「小さな連盟」の創出

連盟に参加できなかった米は、日本が大戦で経済成長を遂げた上に、結局は山東権益まで得たことを憂慮していた。そこで米は、中国での機会均等を実現できるように日・英・仏へ呼びかけて、中国に対する共同での借款を提案した。この提案は、「西原借款」による日本の権益独占を阻止しようと、一八年七月の時点で提案されていたものであったが、改めて米英仏日の四ヵ国による国際借款団を形成しようとするものであった。四国が歩調を合わせて均等に権益を得ながらも、中国の主権保護と領土保全の原則を守ろうとする案である。

日本国内では寺内内閣の退陣後、九月に原敬《はらたかし》内閣（立憲政友会）が成立しており、原は英米との協調外交を基本方針とした。米の目的は、中国での日本の地位を覆し、満洲への進出をも狙ったものであったが、原内閣はそれでも積極的に借款団へ参加することを選んだ。国際借款団は、競合や独占を排して、各国が協同することで中国の需要を一層拡大させるのであり、帝国主義外交が否定された今後の世界においては経済的な外交（借款外交）が原則になると考えたためである。さらに原は、欧米の資本をアジアに投下させることで経済発展に利そうとした。各国の資金が中国に投資されることは、アジアの発展に資するのであり、欧米の資金力を利用することこそが得策であるとしたのである。また、列国が計画している鉄道の規模は雄大で、日本には単独でそれに対抗できるほどの資金などないため、競合するよりもむしろ進んで借款団に加わることが望ましいと判断したのであった。

武力による収奪ではなく、経済進出によって国家の発展を図る「理想主義」の外交は、かつての帝国主義外交（旧外交）に対する「新外交」（理念外交）として、国際的な原則になろうとしていた。その中で国際借款団による借款外交の実現は、機能不全をかかえた国際連盟の役割を補完した意味がある。連盟に参加できなかった米にはアジアにおいて日本を抑制する手段がなかったが、日本と横並びの借款団で共同歩調をとることで、日本の独走を抑制できるからである。それは、連盟に影響力をもてない米が、中国問題において国際協調の合意を形成するために、「小さな連盟」を構築したと言えるものであった。そしてまた日本はその提案を積極的に選択したのである。

第３章 「ワシントン体制」と「国共合作」

人類が平和構築のために国際連盟を創設したことは、まさに時代の変化を意味づける画期と評価できる。しかし、ヴェルサイユ講和条約では中国が調印を拒否したままとなり、機能不全を抱えた連盟の行く末も不確かであった。そのため、アジアでは改めて中国問題の解決が図られ、欧州では戦後体制から排除された独の復興問題の解決が図られようとした。それはヴェルサイユ体制を補完する動きであったが、その背後では新たな対立基軸が生み出されることになる。

１　「ワシントン体制」―日本封じ込め戦略

パリ講和会議では中国問題を解決し切れなかった。それを背景に日本との関係が悪化した米は、太平洋に海軍力を集中させるようになった。日本と英は新艦隊の建造を発表し、国際的にも海軍力を競って増強させようとする建艦競争が発生した。軍縮を目指すはずの理想主義による国際秩序は早速にも危ぶまれた。

こうした傾向を憂慮した米は懸案解決のため、また新たに国際会議を提唱する。それが一九二一年の「ワシントン会議」であった。

①「ワシントン会議」とはどのような会議か

米では二〇年の大統領選挙で民主党のウィルソンの後任候補が敗れ、共和党のハーディング（Warren Harding）が大統領になっていた。従って、米が独墺との講和条約を締結したのはこのハーディング政権においてである。ハーディングは共和党の保守系候補としてモンロー主義への回帰を訴え、連盟への参加も拒んでいたが、平和維持を目的に世界的な海軍の軍縮を実施しようとした。但し、ウィルソンの協調外交のように理想主義の理念を世界に広めようとするものではなく、米の安定のために敵のいない環境をつくろうとの保守的外交である。「ワシントン会議」を呼びかけたのにはそうした目的があった。

会議には米・英・日・仏・伊・白・蘭・葡・中（北京政府）の九ヵ国が参加した。中国や環太平洋地域に権益をもつ列国会議である。葡（ポルトガル）はマカオを領有しており、他はアヘン戦争や義和団事件によって租界《そかい》を得た国で、いずれも中国に権益を有した（租界：中国が外国に警察・行政権を認めた特別居留地。植民地ではないが治外法権区域で、中国側に地代を支払うものの永借契約とされた。／独墺の租界は大戦時に中国が接収している）。

北京政府からはパリ講和会議にも出席した顧維鈞など一三〇名以上の代表団が送られた。代表団には欧米の大学への留学経験があり英語に長けた者が多かった。日本では、七月の閣議において新外交の一般原則に賛同する方針を決定し、原敬内閣の海軍大臣・加藤友三郎《ともさぶろう》を首席全権として、徳川家達《とくがわいえさと》（貴族院議長）、幣原喜重郎《しではらきじゅうろう》（駐米大使）、埴原正直《はにはらまさなお》（外務次官）らを全権委員として派遣した。外務省は会議に先立ち旧来の外交を改めるとして、門戸開放の徹底や、シベリアからの撤兵を方針化した。この会議を「新外交」への転換点にして、諸外国の猜疑《さいぎ》を招いてきた問題を解決するとしたのであった。また同時に陸軍による二重外交を廃す機会にしようとの意図があり、外務省は会議を前向きに捉えた。そうして会議を迎えようとしていた開催直前の一一月、原敬が東京駅で刺殺された。会議は一一月から翌年二月にかけて開催され、中国問題と海軍力の競争的拡大問題の解決が図られた。

②「ワシントン会議」で何が決まったか

会議ではじめに成立したのは、米・英・日・仏の四国で調印された「四ヵ国条約」である。太平洋地域における権益を相互に尊重するとして、領土の現状維持を約した。また以後に太平洋地域で外交上の問題が起きた際には、この四国で共同会議を開くことが取り決められた。これによって「日英同盟」は破棄されることになった。「新外交」の理念の下で、軍事同盟を意味する旧条約は否定されたのである。

続いて、史上初の海軍軍縮条約となる「五ヵ国条約」（ワシントン海軍軍縮条約）が英・米・日・仏・伊の間で調印された。戦艦の保有に制限を設ける条約で、戦艦の保有率（総トン数）を英米の五に対して、日本が三、仏伊が一・六七の割合とした。これにより日本は英米に対して六割までしか戦艦を保有できなくなった。

日本の保有が制限されたのは、米が大西洋と太平洋の両洋を守備する必要があるのに比べて、日本が海軍力で防護すべきなのは太平洋のみであるため、米の六割でよいはずだとの理屈であった。英は既に取得しているインドやアジア権益のために米と同数の保有が認められた。但し、英にとって海軍力を米と同率にすることは、覇権を維持できなくなったことを意味する（「二国標準主義」の放棄／前著『明日のための近代史』95頁参照）。

日本は、米がフィリピンやグアムの海軍根拠地を増強しないこと（要塞化の禁止）を条件に保有制限を受け容れた。太平洋諸島に軍事拠点がなければ米の艦隊は日本を来襲できなくなるので、それが日本の国防の保証となるのである。

保有比率を超える戦艦は破棄せねばならず、建造中の場合も建艦を停止するものとされた。戦艦・空母は一〇年間建造停止となったことから、日本海軍は新艦隊の建造計画を中止し、戦艦の赤城・加賀をそれぞれ空母に改造することになった（両艦は後の真珠湾攻撃の主力空母となる）。「五ヵ国条約」の規定以後に保有された超弩級の大型戦艦は、世界において、米が保有する三艦（コロラド、メリーランド、ウェスト・バージニア）と、英の二艦（ネルソン、ロドニー）、そして日本の二艦（長門、陸奥）の七艦のみとなった。これらは「ビッグ・セブン」と呼ばれるようになる。

そして、最大の焦点である中国問題の平和的解決を目的とした「九ヵ国条約」が、全参加国の間で調印された。門戸開放・機会均等・領土保全の三原則を前提に、中国権益の独占禁止が合意された。「清国分割」以来、列強が中国に勢力範囲として築いた縄張りを打破する意味である。

この中で、日本はパリ講和会議で先送りされた山東省の権益問題をめぐって中国と争った。そもそも日本は今回の会議において中国問題まで扱う予定ではなかった。英米が妥結を求めて調停した結果、山東省の鉄道の利権を中国が代償金で償却することになり、領土については全て返還することになった。日本は代償金を得た他には、山東省の鉄道沿線の鉱山の採掘権のみ認められた（「山東還付条約」）。

英も一八九八年以来租借していた威海衛《いかいえい》（山東半島北東岸の海港）の返還を決定し、山東省全域が中国領として返還されることになった。英の威海衛返還は日本に返還を認めさせる材料でもあった。この会議において領土解放を原則とした秩序構築が目指された。また日本はシベリアからの撤兵も決定した。こうした環太平洋の調整が図られたのであった。

③国際会議の副産物

ワシントン会議の席上では、かつての三国干渉の裏側で、露が日本に虚偽の約束をしていたことが暴露された。即ち一八九六年の「露清密約」の全貌が中国の代表から初めて明らかにされたのである。前著に見た通り、日清戦争に勝利した日本は、露の主導する三国干渉によって遼東半島の租借を諦めた。その後の日本は露に接近することで国防の安定を図ろうとした。

九六年五月に、「朝鮮軍の訓練に干渉しないこと」と、「朝鮮国内の電信架設の権利を相互に確認すること」を取り決めた（「山縣・ロバノフ協定」）。朝鮮での権益取得について日露がお互いの対等関係を認め合うことを意味した約束である。

この後の九八年三月、露は日本に返還させた遼東半島の旅順・大連を清から強引に租借した。東洋の平和のためとして日本には返還させておきながら、自らがこれを租借したのであった。

日本はこの問題を協議するため、その翌月にまた協定を締結した。日露両国が朝鮮の独立を認めて、朝鮮の内政には干渉しないとの約束である（「西・ローゼン協定」）。これは、朝鮮における今後の日本の経済活動を露が妨害しないことを暗に承認したもので、露が旅順・大連の租借を日本に認めさせるために、朝鮮支配については日本に譲歩した格好になっている。日本は、朝鮮を勢力範囲にできるのであれば、それと引き換えに露が遼東

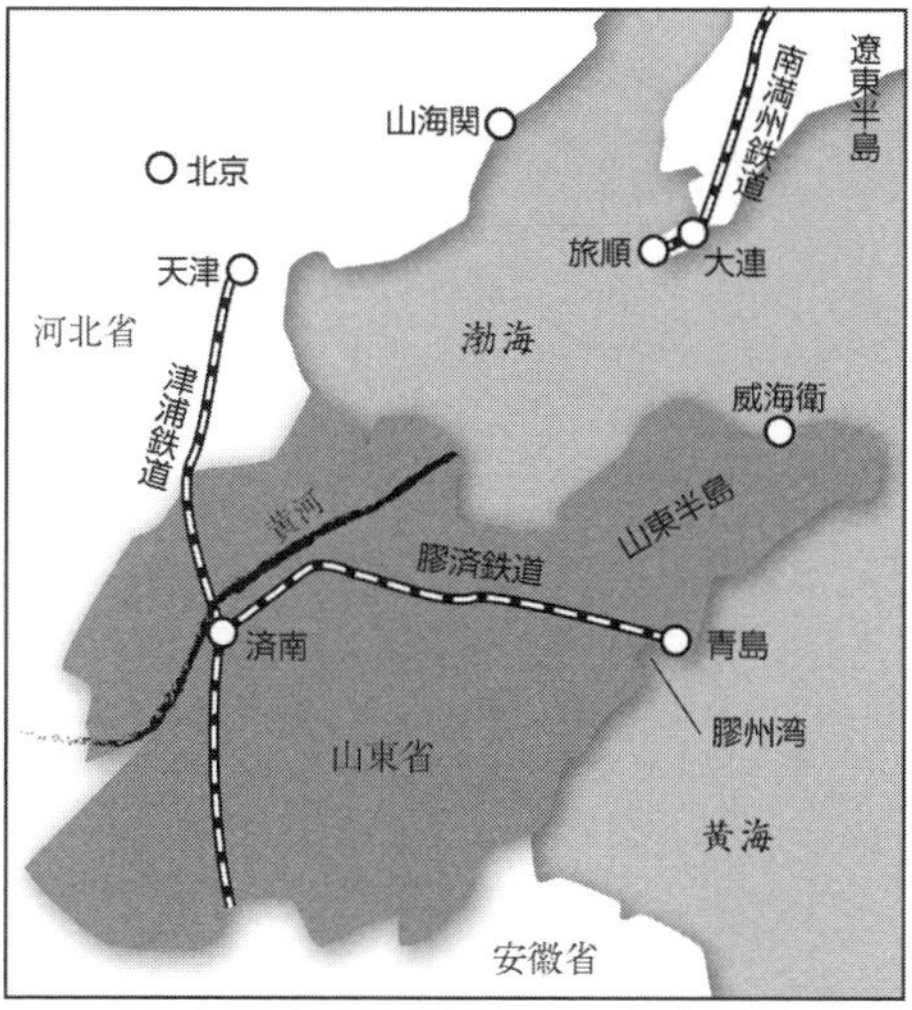

山東省と遼東半島

半島を租借したことを黙認しても構わないと判断した。しかし、実際には、露は朝鮮問題において何ら日本に譲歩などしてはいなかった。

露は、九六年の「山縣・ロバノフ協定」締結の裏で、清と密約を交わしており、満洲に鉄道を敷設する権利を得ていた（「露清密約」）。そもそも露が日本の遼東半島の租借を阻害したのは、自らが不凍港である旅順と大連を狙っていたためであり、またシベリアからその不凍港に接続する鉄道を満洲に敷設したいとの意図からであった。露は密約によって鉄道の敷設を先ず確約させ、その上で旅順・大連の租借も認めさせたのである。

清との密約は、日本の軍事的脅威を口実に結ばれており、つまり日本をダシにして鉄道計画を進めていたのである。日本はまるで露の鉄道計画を手伝うために協定を結んでしまっていた。さらに露は日本との間では「朝鮮軍の訓練に干渉しないこと」と約していながらも、実際には朝鮮との間で露が朝鮮軍の軍事訓練を行うとした秘密協定まで締結していた。日本はそれとは知らずに、露が日本の朝鮮支配を容認したものと思い込んでいたが、二〇余年を経たワシントン会議の場で、三国干渉後の露との協調方針（「山縣・ロバノフ協定」・「西・ローゼン協定」）や、日露戦争前の「日露協商論」の立場が全く成立していなかったことが解ったのであった。

2　アメリカの外交戦略から見た「ワシントン体制」

ハーディングの主導する「ワシントン会議」は、理想主義の実現のために開催されたわけではなかったが、しかし権益の相互尊重を図る「四ヵ国条約」や、中国への侵略を禁止する「九ヵ国条約」には、理想主義の潮流が反映されていることは指摘できる。軍事同盟（旧外交）の連鎖が大戦の惨禍を生んだとの認識を前提に、世界初の海軍軍縮が達成されたのであり、会議には軍事同盟としての旧条約を否定した意味があった。

①好景気は日本をどう変えたか

海軍の軍縮は、近隣国とのバランスのみで行い得る陸軍の軍縮よりも実現が難しいと考えられていた。国際的なバランスをとらずに自国のみが軍艦を減らすことは困難であるため、世界的な合意が必要となる。とは言え、建艦競争は次の戦争の温床となるばかりでなく、その経済負担が各国の重荷になっていた。海軍軍縮は大戦後の厳しい経済状況を背景に成立していた。しかし、この会議にはそれ以上に米が日本を抑え込もうとした戦略的な意味があった。

日米はともに大戦によって好景気を迎えたが、日本の景気は大戦時の特殊な条件がなくなると一転して不振となった。各国が戦時の需要を賄うために拡大してきた生産は、戦争の終結によってその必要を失い、すぐに生産過剰の状態になった。各国が「物の造り過ぎ」状態となったが、日本の場合には戦時中の好景気によって購買力が上がったことから輸入が拡大しており、それは戦後に輸出が伸びなくなった後にも落ちることがなかった。そのため輸入超過が続いていき、日本円が海外に多量に流れたことで不景気になったのである。

日本の大戦景気は米国市場が支えていたところも大きかったため、米との関係なしには日本の国際協調路線も成り立たなかった。そのような中での「ワシントン体制」の形成は、日本の勢力を減退させること自体を目的にしていたが、それは米の戦略上どのような意味をもったのかを確認する必要がある。

②各条約は何を規制したのか

米は日本の中国権益の拡張を危険視したが、そうした日本の行動を「日英同盟」が擁護する可能性を憂慮していた。実際のところは、英が日本を擁護するのは、英の権益に抵触しない限りにおいてのことであるが、事実これまでの英は日本の行動を黙認してきた。今後の中国問題で米が日本と衝突することになった際、日英同盟が妨げになる可能性があると思われたのである。

日本はアジアで唯一の常任理事国であったので、連盟はアジア問題において日本を抑制できるのか定かではなかった。その日本が南洋諸島も得たことで太平洋にも勢力を拡張したので、連盟には中国または環太平洋の問題に調整能力がないことが一層懸念された。連盟を主導するのは英であるため、英が日本を擁護した場合には、米は英と対立することはできないのであり、その際には日英同盟が障害となり得た。そのため米は日英同盟の解体を狙ったのである。

「四ヶ国条約」では共同会議の規定を設けたため、以後のアジア・環太平洋情勢は特定の二国間のみによる取り決めでは何事も変更できなくなった。これによって二国間同盟の役割はなくなり、日英間の特殊な関係は消滅した。日英関係の疎遠化が図られたのである。

また、軍縮条約では日本の海軍力を抑え込むのと同時に英米の戦力の均等化が図られていたが、米の海軍力が英と同等になるのは、米が世界第一位の海軍国に並ぶほど海軍力を保持することでもある。実は米はこの会議において、日本政府が代表団に向けて発していた暗号電を傍受していた。米は日本が保有比率をどこまで譲歩するのかを予め把握した上で交渉していたのである。日本側がなるべく比率を引き上げようとする交渉は徒労に終わり、米は日本から最大限の譲歩を引き出した。後にこのことが分かると、日本海軍は暗号機の開発に精力を注ぐことになる。

そして「九ヶ国条約」では、機会均等を原則にすることで、中国での各国の縄張りを打破した。門戸開放がはじめて国際的な文書の中で明文化された。これによって、大戦中に日米間で合意した「石井・ランシング協定」は破棄され、日本が満洲の権益において優先されるとした米との合意は消滅した。
会議では中国代表が、日本が「二十一ヵ条要求」によって延長した関東州の租借権の返還も求めたが、日本は既に承認された権利であるとして拒否した。中国は「二十一ヵ条要求」自体が不当であると訴えたが、列国は日本との協調に配慮して、中国の要求を取り上げなかった。日本が会議から脱退して条約が不成立となることを懸念したのである。各条約を成立させるために、日本が拘る満洲の権益を棚上げにして、中国の訴えを聞き届けようとはしなかった。日本に権益を放棄させるためなら中国に負担があろうと構わなかった。「九ヵ国条約」は中国の領土的主権を回復するものではあっても、中国のために形成されるのではなかったのである。

このように、アジアにおける各勢力の現状変更を認めない新秩序として「ワシントン体制」が成立したが、それは「ヴェルサイユ体制」のアジア版を構築することを意味していた。日本は国際協調外交を方針に諸問題を受け入れたが、米にとっては日本を抑制することが「新外交」をアジア秩序の原則にする要件となっていたわけである。（＊会議において参加国は必ずしも新外交による体制構築を目指したわけではなく、新たな体制をつくろうとの計画が共有されたのではなかった。そのため「ワシントン体制」の呼称を問題視する研究もある。）

３　「ワシントン体制」への反対基軸―「国共合作」と「日ソ基本条約」

会議において日本はシベリアからの撤兵も約束した。その後もソヴィエトとの関係を断絶したまま、北樺太の駐兵は継続したが、二二年の一〇月までには沿海州からの撤兵を決定し、その後は予定通り撤兵を開始した。

①日ソ関係はどう始まったか—「日ソ基本条約」と対米関係

ソヴィエト共和国は、二二年一二月に近隣のベラルーシ、ウクライナ、ザカフカースの共和国と合邦し、「ソヴィエト社会主義共和国」を成立させた。共産党を中枢として、ロシア人を中心としながらも八〇以上もの民族から構成される連邦国家「ソ連邦」となった。

民族自決を標榜したソヴィエトが他の共和国を取り込むのは困難であった。統合の過程では各共和国を対等な関係とするか、中央のソヴィエトが自治地域として取り込むかで論議となった。後者が採用されたことで、各共和国は独立国としながらも実際には共産党の各支部が統治する統合国家となった。多民族の中で圧倒的な数を占めたロシア人による中央の共産党が他を従属させたのである。社会主義の理念はねじ曲げられていった。また、共産主義思想が宗教を否定することから、ロシア正教の聖職者の処刑も行われた。かつての露帝国を支えたとして数千人が処刑され、共産党員には「科学的無神論」が求められた。

日本はシベリア出兵以来、ソヴィエト政権とは国交断絶の状態にあり、北樺太には依然として日本軍が駐留していたが、シベリアからの撤兵を決定した後、国際協調路線の上に対ソ関係の正常化を図った。二三年に着手し、翌二四年から正式な直接交渉に入ると、さらに翌二五年一月に日ソ間における初の外交条約が結ばれた。日本がソ連を承認し、両国の国交樹立と内政の相互不干渉を定めた「日ソ基本条約」である。

ソとの関係改善は後藤新平によって進められた。寺内内閣において満洲経営に携わった政治家である。後藤には米の台頭に対してユーラシア大陸ブロックを形成することで対抗しようとの「新旧大陸対峙論」という構想があり、米に対抗するカードとしてソとの関係を構築しようとしたと考えられる。

日ソ基本条約には北樺太占領の原因となった「尼港事件」の処理も含まれた。ソ側は条約の附属公文で日本に対する遺憾の意を表明し、日本は北樺太の天然資源の開発利権を得ることを条件に撤兵した。北樺太には石油や石炭が埋蔵されており、日本にとっては多額を投じて何も得るところがなかったシベリア出兵の代償を、この北樺太の資源の獲得によって多少なりとも回収した意味があった。

②「極東共和国」をめぐる日ソ関係

ソヴィエトはワシントン会議の会期中、シベリアや樺太から撤兵しない日本に対し、列国の非難が日本に向けられるように宣伝した。当時シベリアには「極東共和国」という民主主義を表明した独立国が存在していた。シベリアの一部（バイカル湖以東）を日本軍が占領していたため、そこにソヴィエトとの緩衝地帯として二〇年四月に建国を宣言したものである。中央ソヴィエトが日本との衝突を回避するため設置した性格から、民主主義を標榜しつつもソヴィエトとの密接な関係があった。

ソヴィエトと極東共和国は日本の孤立を図って、日本が「二十一ヵ条要求」の時と同様にシベリア対しても排他的に利益を求めているとの声明を出した。日本側は領土保全を尊重すると宣言したが、日本がワシントン会議やソとの関係において国際協調を守ることは、これまでの外交問題で失われていた信頼を取り戻すためにも行わざるを得ないところがあった。

中国では、五・四運動を背景に段祺瑞政権が崩壊したが、段が失脚した直接的な原因は英米が他の軍閥を支援したために政権争いに敗れたからであった。段は天津に逃亡したが、その失脚により「西原借款」は事実上全くの無駄となった。つまり、英米は段祺瑞の勢力拡大によって日本の影響力が高まることを阻止するために、段に敵対する軍閥を支援し、段を追い落とさせたのである。日本は満洲権益を独占する手立てを失った。

また他方では、世界各国が戦後の経済再建を必要とする観点から、ソ連市場の価値を見直しはじめていた。日本も英米も輸出の拡大を必須とし、政治的な主義主張や思想との相違があったとしても、ソとの通商上の交流を必要とするようになったのである。各国は、革命政府としてのソヴィエトに対し、ロシア国民を代表する政府であるとは認めないとしながらも、通商関係を回復しようと動き出しており、その中で日本だけがソ連市場に加われないことは損失であった。加えてそこに二三年九月の関東大震災によって不況に追い打ちがかかると（推定損害額は五五億円）、ソとの通商により実利を得ることは、財界やメディアからの強い要望としても表れたのであった（沿海州地方との貿易を求める関西財界の声と、オホーツク海の漁業関係者が対ソ関係悪化による経済的損失を訴えるなどしていた）。

極東共和国は、二二年から日本軍が撤兵すると、その年の暮れに成立したソ連邦に合流した。翌二三年から日本がソとの関係改善に向かうのはそうした前提からだったのである。

「共和制」とは何か

共和制とは、君主（王・皇帝）を否定する政体のことで、国民によって元首が選出される制度を指す。民主制と密接ではあるが、主権のあり方については必ずしも同一ではない。

民主主義では常に多数の人民の意思で決定を行うが、共和制では国民が選出した人物が権力を独占することもあり得る。そのため共和制では独裁があり得るが、民主制ではあり得ない。また皇族や王室の存在する現在の日本や英国などは民主国ではあるが共和国ではない。君主制に対立するのが共和制である（主権が君主以外にある）が、民主制は原理的にはどちらとも対立するわけではない。しかし、共和制が独裁や寡頭政治を認めた場合には民主制とは対立することになる。

③「国共合作」とは何か

ソ連は他方で中国との関係強化を図り、孫文の広東政府と提携した。孫文はそれまで北京政府との内戦に度々挑んでいたのだが、武力で勝つことができなかった。孫文が日本に留学していたことに見る通り、それまで目指してきたのはかつての日本が明治維新で行ったような「欧化」による近代化の推進である。ところが、世界大戦によって欧州は酷《ひど》く荒廃し、先進国であったはずの諸国は破綻《はたん》状態に陥《おちい》った。占領地では難民が大量に発生し、そうした状況が西洋文明の成れの果てに思われた。またパリ講和会議の結果、山東密約で日本に権益が譲渡され、主権の回復がなされなかったことも孫文を失望させたと言われる。惨状を呈す西欧は、もはや革命のモデルにはならなくなった。

そこへ新潮流として共産主義が現れた。「無賠償・無併合」を方針に、中国に対しても権益の返還や義和団事件の賠償金の免除を約束していたことから、新たな期待がかかるようになる。ソヴィエトは北京政府だけでなく、広東政府に向けても不平等条約の破棄や、権益の返還を声明した（「カラハン宣言」）。そして、中国人民が赤軍とともに戦うことを呼びかけた。パリ講和会議に失望していた中国では、ソヴィエトへの共感が一挙に湧き起こった。

「国民党」を基盤としていた孫文は、当初は五・四運動を背景に国民党を大衆政党にしようと目指したが、二三年一月からソへの接近を方針化した（「孫文・ヨッフェ宣言」―ソの外交官ヨッフェとの声明）。

ソ側も反帝国主義・反植民地主義を共有すべく国民党との提携を望んだ。中国ではレーニンの革命主流派をモデルとした「中国共産党」が二一年に陳独秀《ちんどくしゅう》や毛沢東《もうたくとう》らによって結成されており、中ソそれぞれの共産党が同志として世界的革命を目指そうとしていた。ソは当初は北京政府との交渉を試みたが成立しなかった（北京政府は後ろ盾であった英の反対により交渉しなかった）。そのため国民党との提携に切り替え、孫文の国民党と中国共産党とを連携させようと図った。そして二四年一月、孫文は共産主義を受容する「容共」の方針を打ち出した。北京政府に対抗する共同戦線として国民党と共産党が提携したのである。これを「国共合作」という。

この「国共合作」には、単にソと広東政府がお互いの政府を承認し合うこと以上の意味があった。それは、双方が「ヴェルサイユ体制」・「ワシントン体制」に排除された政府同士であったことである。孫文はワシントン会議への出席を求めたが広東政府が招かれることはなかった。米は広東政府が地方政権に過ぎず中国を代表する立場にないものとして扱った。

孫文はワシントン会議を批判し、また会議において中国の主権回復を強く主張しない北京政府の態度も批判した。毛沢東らの共産党に至っては、ワシントン会議は「日英両国が中国という盗品を分配し、米がそれに参加しようと画策するもの」で「盗品の山分けの会議」であると糾弾《きゅうだん》した。彼らにとってのワシントン体制は、列強が北京の軍閥と結託して中国を分割支配する体制なのである。国際借款団による新外交も、領土的主権は護っても経済的主権を奪って中国経済を管理下に置こうとしたものだった。

こうした中での「国共合作」は、「ワシントン体制」への反対基軸を創り出した意味があり、列強が構築した秩序への反発を意味していた。つまり、新しいアジア秩序としての「ワシントン体制」を揺るがす中ソの提携こそが「国共合作」だったのである。

④「王道」か「覇道」か—日本の選択肢

ソではレーニンが病床にあり既に引退状態であったが、後継者の一人であったスターリンが孫文との提携を推し進めた。レーニンは孫文が「国共合作」の方針を明示した翌日に死去した。翌二五年三月には孫文も病死するが、蒋介石を総司令官とする国民革命軍が後継し、北京政府の打倒を目指す「北伐」を継承することになる。

孫文は死去する前の二四年一一月に来日して、「大アジア主義」と題した講演を行った。折しも日本国内で米の「排日移民法」への批判が高まる中で、孫文は不平等条約の撤廃を果たした日本はアジア独立の先導者であると評価し、西欧の侵略的な「覇道」に対抗し得るアジアの団結を訴えた。さらに講演後に、日本が欧米による覇道の手先となるのか、仁義・道徳を重んじるアジアの「王道」の防壁となるのかは今後の選択にかかっていると呼びかけた。それには中ソ側に日本を引き入れようとの思いもあった。

日ソ間の国交樹立はこうした動きの中で行われていた。日本は経済的実利の獲得と、中国権益を保護するためにも、政治思想の違いに拘わらずソとの国交樹立を選択することにした。国内では共産主義の思想の流入に備えて、「国体」（天皇制）に対する反対運動を取り締まるための「治安維持法」が制定されることになるが、日本を抑圧するワシントン体制下において、その枠外にいるソとの国交は、抑圧される日本が国際協調を守りながらもバランス戦略をとる意味があった。とりわけ、「国共合作」がワシントン体制の反対基軸として成立した時、それは日本が米からの圧力や中国情勢とどのように向き合うのかの分岐点になっていた。現に、ソは英との対立を主として国際政治を分断する役割を負っていくことになる。

４　もう一つの反対基軸―独ソ提携

①「ジェノバ会議」と「ラパロ条約」―敗者の駆け引き

ワシントン会議の会期中に、欧州では独の多額の賠償金について合議するための国際会議が開催されていた。独の巨額の支払いが実質的に不可能であることは大戦後ほどなく明らかとなった。連合国側でもそれは認識され、特に英は独が共産主義化することを懸念して、独の賠償金の支払い方法を再検討する必要があると考えた。但し、大戦の経済負担から回復できずにいた英は一方でソヴィエト共和国との通商の回復を強く求めた。そのため二二年一月に連合国間で「カンヌ会議」を開催し、賠償問題とともにソとの国交回復を合議した。そして、続く四月の「ジェノバ会議」で連合国とソとの国交を樹立しようとした。

ジェノバ会議は、独が初めて各国と対等の席に着いて参加し、またソヴィエトにとっての初めての国際会議となった。会議の主題はソの国際的承認だったわけだが、独ソの二国はこの会議の裏で密かに連絡を取り、ジェノバ近郊のラパロにおいて極秘に提携を図った。独ソ両国もまた連盟に排除された国同士であった。

大戦中に独ソのみで講和した「ブレスト・リトフスク条約」は独の敗戦によって破棄されたが、その後の独ソ間では二〇年頃から軍事・経済両面での協力関係が密かに進められていた。独の軍部や重工業の資本家、また外務省「東方派」（親ソ派）と呼ばれる人脈はソとの協力を重視していた。ソも各国の労働者を決起させようとの「革命外交」が伸張せず、活動を続ける条件が次第に限られてきたことから独への接近を図った。両国の接近は、ヴェルサイユ体制から疎外されていた両国の協力関係を意味している。

独にしてみれば、ジェノバ会議において単にソが国際的に承認されるのであれば、ソへの賠償金の支払いまで増える可能性も懸念された。そこで両国は抜け駆けして国交を回復し、相互に賠償放棄を約した（「ラパロ条約」）。独がソを承認したことで独ソ間の国交が樹立され、独はソを承認した最初の国となった。こうして独ソは特別な関係を築いて、引き続きジェノバ会議に臨んだ。

会議では、共産主義国家として成立したソが、欧州の他の資本主義諸国とどのように関係を構築できるかが問われた。英のロイド・ジョージ首相（Lloyd George）は、ソを援助するための国際借款団の結成を含む広範な経済復興計画を構想していたのだが、仏と白がロシア時代の借款の完全返済や資産賠償を求めたことから、ソと衝突した。ソも英仏に対して、革命干渉による被害への賠償を請求して対抗した。

また会議では、かつての独が各国に有した資産も争点となった。しかし、独がソに対する請求権（帝政ロシア時代のシベリア鉄道建設を主とする対外債務）を放棄すると、ソも独に対する一切の賠償請求権を放棄してみせた。そこにこそ「ラパロ条約」の利点があった。それは独ソ両国が協力して、互いの地位を向上させようとした動きであった。結局ジェノバ会議は何ら合意に達せず終了し、独ソ接近の機会を与えただけに終わった。

②レーニンの誤算とドイツ軍

独ソ提携の背景には、二〇年にソがポーランド（波蘭）との戦争で大敗していた事情もあった。一八世紀以来、独・墺・露に分割支配されていた波蘭は、ヴェルサイユ体制の下で独立が認められたが、その後にソヴィエトとの間で国境線の画定が問題となった。革命後の不安定なソに対し、波蘭は一八世紀以前の旧領の回復を企図するが、それはバルト三国の他、ベラルーシとウクライナをも含む領土であった。そして波蘭はウクライナに侵攻した（ソヴィエト―ポーランド戦争）。赤軍が反撃に出て、国境付近まで押し返し、波蘭の領内へと進軍した。ソは進軍することで波蘭の社会主義勢力の蜂起を期待していたが、波蘭の労働者らは行動しなかった。赤軍は包囲戦に敗退し、波蘭から撤退した。

ソ軍は波蘭軍を国境まで押し返した際に講和を結ぶ機会があったにも拘わらず、レーニンは波蘭での革命が成功すると読んで進撃を選んだ。ところが、波蘭ではソ軍の侵攻に対する反対が起きた。波蘭の労働者は祖国防衛を求め、ソ軍になど味方しなかったのである。結果、波蘭はベラルーシとウクライナの一部を取得し、東部国境を画定させた（リガ条約）。ソはこの敗戦から赤軍の強化が重要な課題となった。

一方で、当時の独の軍部は秘密裏に再軍備を図っていた。そのためラパロ条約には、ソ連領内における独軍の軍事訓練を認める秘密条項も後に追加調印された。これにより、独はヴェルサイユ条約で一切の保有を禁止された航空兵力や戦車の開発訓練、毒ガスの実験場などをソから提供されることになった。そして独軍の将校がソの将校の教育を行うことで、ソが求めていた赤軍強化に貢献した。

独軍将校による外国軍の訓練活動は、独による兵器輸出を可能にしていくことになる。後の日中戦争期において日本軍と交戦する蒋介石軍に対して、独が軍事協力（「中独合作」・本書200頁に後述）を行うのはこれが背景になっている。こうしたラパロ条約は、独ソ両国がヴェルサイユ体制に暗に対抗しつつ国際的地位を高めていこうとする策略であった。

③ソ連はなぜ独裁国家になるのか

ソは世界革命を目指して、一九年に各国での革命を指導する機関「コミンテルン」を創設した。コミンテルンはソの出先機関として各国に結成されると、現地での共産党の結党や運動資金を提供するなどの活動をした。現地政府の転覆を狙っての活動である。二二年一月には、コミンテルンによってワシントン会議に対抗した「極東勤労者大会」が開催され、帝国主義の打破を唱えた。これを機に日本と朝鮮でも共産党が結党されるなどした（堺利彦・金在鳳により非合法組織として結党）。

レーニンは共産党を統制する役職として書記長を新設し、二二年四月にスターリン（Joseph Stalin）をその地位に任命した。翌月にレーニンが脳梗塞で倒れると、この間に両者は経済政策をめぐる方法論や、地方の自治問題において対立するようになり、レーニンはスターリンを書記長の座から下ろすべきと主張するに至った。レーニンは各地のソヴィエトの自治を認めるべきとしたが、スターリンは中央政府が他地方ソヴィエトを統制し、ロシア人が他民族に対し特権的立場をとる「大ロシア主義」を主張した。またスターリンは、レーニンが戦時共産主義による疲弊から回復するために一時的に自由市場を認める「ネップ」政策を行ったのを、社会主義と矛盾する政策として否定した（英がソの国際承認を認めようと「カンヌ会議」を催したのは、「ネップ」で自由市場を容認したためであった）。レーニンの容態はその後も回復せず、身体の自由も効かなくなった。

スターリンは人事の任免権を利用して、次第に自らの派閥で中央の委員を構成していった。二四年一月にレーニンが死去すると、スターリンがレーニンの葬儀を取り仕切った（レーニンの希望により遺体は防腐処理され現存する）。レーニンは遺書において、スターリンを書記長の地位から外すよう記していたのだが、スターリンと中央委員が隠蔽し、その後は政敵の排除を開始した。

そしてスターリンは、従来の革命理論である「世界革命」を放棄し、一国で共産主義を貫徹する「一国社会主義」政策を提唱する。これは、伊で軍国主義政権が成立したことが背景となっている。二八年からは「五ヵ年計画」を開始し、工業化を押し進めた。コミンテルンの役割はソの外交を各国において支援することになった。そして三六年から行われた大粛清によって、三八年までには絶対的な権力を掌握した（スターリン体制）。

5　中国の軍閥と抗争―中国から見たアジア情勢

段祺瑞政権の崩壊からその後に至る中国の情勢は複雑で、特に北京政府の派閥抗争による政権交代は難解である。年表化すれば次の通りに概観できるが、軍閥ごとの主体的な目線と、時系列で見る視点とを併せなければ把握し難い。ここでは北京政府の掌握をめぐる軍閥の争いを整理したい。

一九一二～一六年　袁世凱政権：宣統帝を退位させ、孫文から臨時大総統を移譲
一九一六～二〇年　段祺瑞政権：袁の死後に日本の後援を得て政権掌握（安徽派）
　　　　　　　　　←「張勲復辟」（一九一七年）
一九二〇～二四年　直隷派政権：英米の後援を背景に段政権を打倒（「安直戦争」）

←「奉直戦争」（二二年・二四年）

一九二四〜二六年　馮玉祥政権：「北京政変」による政権奪取（奉天特務機関の謀略）

一九二六〜二八年　張作霖政権：「郭松齢事件」を経て北京を掌握
　←溥儀追放／段祺瑞・孫文らによる「委員制政府」構想
一九二六〜二八年　蒋介石による「北伐」開始

①「北京政府」（北洋軍閥の政府）

北京政府は、袁世凱が北洋軍閥を基に成立させたが、一六年に袁が死去すると、地域ごとの派閥に分裂した。以後は各派が対立して政権を奪い合う関係に陥る。

袁世凱は、清の皇帝・溥儀《ふぎ》（宣統帝）を退位させて、孫文から臨時大総統の地位を譲らせた。溥儀ら皇族に対しては、命と生活を保障するとの優待条件を約束することで政権を放棄させた。それにより溥儀は退位後も尊号としての皇帝を名乗り、政治的な力を一切失いながらも、北京の紫禁城《しきんじょう》で在位中と変わらぬ生活を送った。

辛亥革命は清の王朝を打倒したというより、袁世凱が妥協を図り、各地が清朝の統制を嫌って独立し始めたことでやっと成立したものであった。そうした状況の中で、孫文ら革命派に組織的な統一軍がなかったことは、その後の治安維持を正規軍たる北洋軍閥に頼らざるを得ないことを意味した。治安維持を担う軍事力が無いことは、政権を維持する力も無いに等しかった。また孫文には政権運営の実績もなかったため、清軍の協力を得ねば政権維持は難しいと思われた。

そうした背景から、袁世凱による帝政復活が行われたのであった。袁が皇帝に就こうとしたのも、空虚な権力機構としての政府を作っても中国統一は困難であると見て、独裁形式による強力な統制を試みたためだった。袁は南京に移された中華民国の首都を、袁の地盤である北京へと戻した。

袁の死後に実権を掌握したのが、その後継者の一人であった段祺瑞である。段は北洋軍閥の中の「安徽《あんき》派」の領袖《りょうしゅう》だったが、袁世凱の後継者は他にも存在しており、後継者争いが起きた。例えば、袁世凱の下で副総統の地位にいた黎元洪《れいげんこう》は影響力がないながらも地位としては段より高位であったし、他にも北京周辺の直隷省《ちょくれい》を地盤とする「直隷派」を率いた馮国璋《ふうこくしょう》も、段と同じく袁世凱の腹心であったことから特に有力な後継者となり得た。

後継争いにおいては、段の排除を狙った黎元洪が、段と不仲だった張勲《ちょうくん》を政権へ引き入れた。地方軍長であった張勲は自派の軍隊を率いて北京に入るのだが、この張勲はかつての清国軍の武将として中華皇帝への忠誠を誓う人物で、清朝崩壊後も辮髪《べんぱつ》（清時代の特有の髪型）を崩さずに清朝への恭順《きょうじゅん》を示していたほどであった。そうした張勲が北京入城の機会を得ると、北京政府そのものを否定して、宣統帝を皇帝として復活させようとの宣言を行う（「張勲復辟《ふくへき》」）。黎元洪は張勲を利用するはずが、辛亥革命以前の中華体制にまで逆行させようとする時代錯誤の政変未遂事件が起きてしまった。結果としては、張勲は段祺瑞に討伐され、黎元洪は大総統を辞任することになった。

こうした争いに介入して親日的な軍閥をつくろうとする日本や、それを阻止しようとする英米が他の軍閥を後援するなどして混沌としていくのである。さらに中国の南では孫文の国民党が広東政府の樹立を図り、またソが中国共産党を通じて介入しようとするわけである。

②日本と英米の応酬

日本の支援を受けていた段祺瑞が政治状況を安定させると、直隷派はしばらく段の安徽派の影響下にあった。一九年に馮国璋が死去して曹錕《そうこん》が直隷派の首領となったが、英米は日本が後援する段祺瑞政権を倒壊させようとこの直隷派を支援するようになった。安徽派と直隷派の実力は拮抗していたが、ここに第三勢力として参戦したのが満洲の「奉天派」を率いる張作霖《ちょうさくりん》である。

直隷派は英米の支援の下で、張作霖の協力をも取り付けて、安徽派を破った（「安直戦争」）。段の失脚は五・四運動も背景だったが、直接的にはこの安直戦争がもたらしたものである。段は下野を表明し、直隷派政権が樹立された。日本政府（原内閣）は不干渉方針の下に軍事行動をとらなかったのだが、英米が直隷派を支援する中で、親日政権としての段祺瑞を見す見す失脚させたことは陸軍に強く不満をもたせることになった。

政権を掌握した直隷派は、大戦で荒廃した西洋文明への懐疑的な見方から、袁世凱時代の「北京政府」の状態への復古的な回復を図ろうとした。ワシントン会議に出席した北京政府とはこの直隷派政権である。顧維鈞らが中国代表となっていたが、外交官らは特定の派閥に肩入れすることなく、一定の距離を保ったまま専門官として外交を担当したため、政権担当者が変化する過程でも北京政府は外交の連続性を保った。

その一方、直隷派の政権運営においては、段祺瑞の追い落としに貢献した張作霖を大事にしないばかりか、むしろ権力から遠ざけようとした。そのため張の奉天軍閥との抗争が起きた。折しも、孫文らの勢力（広東政府に協力する南方軍閥）が北上してきたので、張作霖はこれに乗じて北京を狙い、二二年に「奉直戦争」を起こした。しかし、装備に勝った直隷派が張作霖に勝利し、曹錕が大総統に就いた。その後の政権運営では奉直戦争で戦功をあげた呉佩孚《ごはいふ》が曹錕を凌ぐほど実権を握るようになった。

敗れた張作霖は一旦は奉天に退去したが、奉天省の独立を宣言し、二四年九月には巻き返しを図って「第二次奉直戦争」を起こした。今度の戦いでは、戦闘の最中に直隷派の有力な将軍の馮玉祥《ふうぎょくしょう》（馮国璋と同姓であるが血縁者ではない）がクーデターを起こして曹錕を捕縛するという「北京政変」が発生し、直隷派政権は内部崩壊した。呉佩孚も敗走し、張・馮が勝利した。

張作霖に勝利をもたらしたこの「北京政変」は、日本陸軍の奉天特務機関による謀略によるものであった。特務機関とは諜報《ちょうほう》（情報収集）・謀略を担う軍の組織である。

英米は呉佩孚に鉄道や水利の借款を供与して直隷派を支援していた。それによって英の権益の中心地であった揚子江一帯の勢力圏を確保しようとした。日本はこれに対して張作霖を支援することで呉佩孚の排除を試みたのである。陸軍は出先の天津軍（義和団事件をきっかけに設置した「清国駐屯《ちゅうとん》軍」／「支那駐屯軍」。天津に司令部を置いたため「天津軍」とも呼ばれた）を通じて独自に干渉し、張作霖に百万円の工作資金を提供して、馮にクーデターを起こさせることで張を勝たせた。

日本の外務省は陸軍の謀略を把握できなかった。こうした背景を要因に、中国に駐屯する部隊を直接・単独で指揮する陸軍によって、二重外交が継続されていくことになる。

クーデターを起こした馮はキリスト教の信仰があり、その信念から万民平等の共和制を求めた異色の将であった。張とともに政権を奪取すると、馮は北京から溥儀ら皇族を追放し、段祺瑞を呼び戻して「委員制」による統一政権をつくろうとした。さらにその委員には孫文も招いて、真の中国統一政権を築こうとの構想を抱いた。この構想も信仰を基にしたものであった。

馮は共和制を実現するためには孫文を大総統にすべきと考え、そのための国民会議を準備して、孫文に出席を求めた。そして打診された孫文も、会議へ参加して北京政府に合流する意思を見せた。孫文は北京への旅程において、中国各地や日本へも寄って講演を行うと、各地で熱狂的に迎え入れられた。先に述べた「大アジア主義」が講演されたのはこの時である。

③「ワシントン体制」の護衛者

かくして張作霖も奉天軍を率いて北京に進出し、段祺瑞を擁立した。二四年一一月には、段を臨時執政とする政権が成立する。しかし、段祺瑞を復権させようとする馮玉祥の「委員制政府」の運営は派閥対立で早くも行き詰まった。共和制の構想など軍閥の誰とも全く共有できようはずがなかったのである。

張とも確執を抱えるようになった馮は、孫文と連携することで張を打倒しようと目論んだ。しかし、馮玉祥が孫文と提携しようとすることは英の警戒を呼び起こした。孫文はソと結んで「反帝国主義」を標榜していたからである。馮の動向に対して、英は張作霖および段祺瑞政権を支援するようになり、また日本の協力も要請した。事実、孫文の大総統就任を企図する馮に対してソが接触してきていた。その結果、英から「列国七ヵ国による段政権支援の共同通牒」が出された。それは段政権を事実上の政府として国際的に承認し、段政権は列強の既得権益を尊重するとの約定《やくじょう》であった。

ここから段祺瑞政権は、中国分割を前提としたワシントン体制の護衛者として、その後の約一年半の間、列強の支援を受けつつ政権を維持していった。それは、列強が特定の軍閥と提携する内政干渉を基礎にワシントン体制を維持するものであり、こうした動向からも、ワシントン体制が帝国主義時代の権益を護るための体制であったことが解かる。その目的は既得権益の維持にあったからこそ英も日本も条件を附しつつ合意していた。ワシントン体制は中国の主権を侵害しないとのルールを立てたが、同時に門戸開放によって外国資本が流入すると中国資本を圧迫していった（先に「ワシントン体制」の用語の問題を指摘したが、中国にとっては圧迫の「体制」構築であったことも指摘されるべき点である）。国民生活は窮乏したが、ワシントン会議のメンバーであった北京政府は列強との協調を優先して、国民生活の改善に積極的に取り組むことはなかった。そして、当時の日本の「国際協調外交」（幣原外交）もその上に展開されていた（幣原の外交については次章に述べる）。

段祺瑞政権は馮の勢力の掃討を図ったが、反撃に遭い敗退した。段祺瑞は天津に逃亡して下野《げや》し、北京では張作霖が実権を握るようになった。

張作霖は北京政府の代表となったが、翌二五年には張の奉天軍閥の内でもクーデターが起きた。「郭《かく》松齢《しょうれい》事件」である。郭松齢は張作霖の長男である張学良の指導役も務めた部下であったが、北京での張作霖の専横的な振る舞いに不満を持つようになっていった。そこに政府内で孤立していた馮玉祥が接触した。郭と馮はともに反張作霖で一致すると反乱を起こし、一二月に張作霖の本拠地である満洲に攻め込んで主要都市の錦州を占領した。張作霖は自害に及ぼうとするほど追い詰められたが、そこに日本の関東軍が介入した。「関東軍」とは、満鉄の守備のため満洲に駐屯した部隊である（詳細については114頁を参照）。

当時の外務大臣の幣原喜重郎は不干渉を唱えると、陸相の宇垣一成《うかきかずしげ》も慎重論をとった。しかし、関東軍は郭が満洲にソを誘致するとの見方から、クーデターを共産化運動と見做《みな》し、郭を妨害して張作霖を勝利に導いた。実際にも馮はソ軍の支援を得ていた。日本が張への支援と引き換えに得ていた満洲権益はソの利益に抵触したので、ソは張作霖の排除を望んでいた。また馮が孫文と協力したことも関東軍が介入した要因になった。

関東軍の支援によって張は窮地を脱し、敗れた郭は下野した。馮はモスクワに亡命し、後に蔣介石の国民党に従うが、その下でも度々反乱し、「中原大戦」などの反蔣戦争を起こすことになる。

6　「広東政府」と蔣介石の国民党軍

孫文は二一年五月に「広東政府」を樹立した。孫文は二五年に死去するものの、国民党は蔣介石に引き継がれ、北京政府とそれを擁護する列強との闘争に向かう。

蔣介石はかつて清の軍学校から日本に留学し、日本軍に入隊した経験のある軍人で、孫文との出会いも東京でのことであった。以来、孫文に師事してその後の革命運動に参加することになる。

国民党の弱点は強い軍事組織がないことだったが、国共合作が採られると、孫文は蒋介石をソに派遣して赤軍を視察させ、二四年には赤軍をモデルに軍学校を設立した。「黄埔《こうほ》軍官学校」（広東省広州市黄埔区）である。

蒋介石は主力軍を育成するため、赤軍のノウハウだけでなく、日本軍から学んだ絶対服従の勇猛な兵士を育成しようとした。共産党と合同し、農村の青年らを集めて革命軍をつくった。一部には共産党組織から送り込まれたインドシナの青年も参加した。

孫文は既述の通り、北京での国民会議へ出席しようと入京したものの、大総統になる前に死去したため、蒋介石が国民党軍の総司令官となり、中国統一を目指して北京へと進軍する「北伐」を行うことになる。

第４章　「戦争違法化」の世界とアジア情勢

「戦争違法化」は近代以前の価値観を大きく転換した点に何より意義をもつ。それは従来の弱肉強食の世界観を非道・残虐・罪悪とし、人道・自由・正義の価値を対置することで帝国主義を否定したのであった。戦争の悔恨《かいこん》から理想主義の理念が共有されたが、但し、「新外交」は直ちに国際政治の原則となったわけではなかった。

１　戦争違法化の時代―「不戦条約」の成立

①ドイツはいかに賠償金を払ったか

大戦の責任を問われた独は民主的憲法を定め、男女平等の普通選挙で選ばれた大統領の下に内閣を組織する半大統領制の「ドイツ共和国」（ワイマール共和国）として再建された。ワイマール憲法では世界で初めて「生存権」を含めた「社会権」が制定され、当時の最も民主的な憲法となった。しかし経済においては、懲罰的な賠償金の支払いのために無理に紙幣を増刷し、ハイパーインフレを引き起こした（当時の世界経済は「金本位制」のため紙幣が価値をもつにはその裏付けとなる金の保有が必要であったが、独の中央銀行は支払いのために金の保有がないまま紙幣を増刷した。但し独の中央銀行は連合国の管理下にあったため、連合国が無理な増刷をさせていたとの見方もある）。戦時に発行した国債が無価値となったこともあり、独のマルクの価値は戦時に比べて一兆分の一にまで下落した。現金の価値がなくなり、貨幣経済は麻痺した。

このような戦後の独で首相となったシュトレーゼマン（Gustav Stresemann）は、賠償金の支払いを履行した上で、独の平和的な国際復帰を目指した。しかし、途方もない賠償金額の支払いは実質的には不可能であった。支払いができない独に対し、仏は責任を求めて白とともにルール地方を保障占領した。そもそも無理な支払いである上に、工業地帯を取り上げられては支払い能力はさらに低下する。それは独の支払い意欲を減退させ、経済もさらに悪化させた。独は紙幣の増刷で乗り切ろうとしたために壮絶なインフレが起こり、マルクの下落によって国民生活は破綻した。

こうした事態に対し、米は新たな賠償金の支払い方法を提案した。独の支払い可能な額を再設定し、米が借款を与えた（「ドーズ案」）。独は米の資金を借りて英仏に賠償を支払い、英仏が米からの借入れを支払う循環構造をつくった。

シュトレーゼマンは賠償金の支払いを誠実に履行する姿勢を見せ、新マルクへの切り下げ実施や（デノミネーション／一兆マルク＝一ライヒスマルクへ切替）、協調外交を堅持することでさらなる減額の交渉を試みた。仏や白は賠償について厳しい態度で臨んだが、それに対しても協調姿勢を守り、その後に米の資本の投下を促したことで工業生産を劇的に回復させることになる。

しかし、国際社会に対するシュトレーゼマンの低姿勢は、国内での反発も生んでいた。二三年一一月には右翼活動を展開していたナチス党がインフレを理由に共和国政府を打倒しようとクーデターを決行した。

講和条約が屈辱的であるとして批判し、賠償金によって苦しめられている状況を打開しようとする反動的な排外運動であった。これを指揮していたのがアドルフ・ヒトラー（Adolf Hitler）である。クーデターは軍部や警察によって鎮圧されたが、シュトレーゼマンは騒乱の責任をとって首相を辞任した。一方のヒトラーはクーデターに失敗した反省から、その後は選挙による合法政権の樹立を目指すようになる。

②ドイツはなぜ国際復帰できたのか―平和と協調の自己演出

シュトレーゼマンは辞任に追い込まれたが、その後に大戦の英雄・ヒンデンブルクが大統領となると、その下の内閣で外相を務めることになった。協調外交は継続され、独は「ヴェルサイユ体制」への参加を求めるようになるが、諸国の独に対する不信や反感はなかなか払拭されなかった。

そこでシュトレーゼマンは、独の国際的地位を改善するために仏のブリアン外相（Aristide Briand）との友好関係を築きながら、独が国際連盟に加盟するための会議を提案した。これを受けて、英・仏・伊・白・波・チェコスロバキアの七ヵ国による会議がスイスのロカルノにおいて開催された。そして独はこの会議を通して、独を抑え込むための倫理的な根拠になっていた平和や人権の価値を自ら前面に押し出すことで信頼の獲得を図ろうとする。

独はヴェルサイユ条約の定めた領土の規定を遵守することを前提に、改めて仏・白に対する軍事的な敵対行動を行わないことを誓約し、その上で参加七ヵ国の間で安全保障条約を締結することを提唱した。連盟が築いた集団安全保障体制の中に、さらに地域的集団安全保障をつくろうとの提案である。これは独が国際協調の手法に則って新外交を展開していることを示しており、ヴェルサイユ条約を補強する意味があった。そして英仏との合意を基に、その提案を具体化させる「ロカルノ条約」を締結する。

独が自ら集団安全保障を打ち出したことには、独が地位の回復を勝ち取る上で大きな意味があった。独は単に理性的な国に再生されただけでなく、倫理的価値を理解しており、諸国と協調して平和秩序を担っていくことができる国家になったと自己演出をしたのである。また万が一の保証として、紛争が起きた場合でも国際仲裁裁判所または国際連盟理事会へ付託するとの規定も付した。そして、独は誓約との引き換えに、自らの国際連盟への加盟をこの「ロカルノ条約」発効の条件としたのである。

独の連盟への加盟は翌年に満場一致で承認され、常任理事国にまでなった。つまり、本来的には独を抑え込むための集団安全保障の価値を独が自ら評価して、さらに率先して理念に掲げることで、反対にこれを利用したのである。そうすることで独は平和秩序の共同保証者となり、国際的地位を自己回復した。そして、この独の行動は戦争違法化の世界的取り組みを促進させもした。

③「戦争違法化」に正義はあったのか—「不戦条約」の成立背景

二七年に仏のブリアン外相が米との間で、戦争違法化を正式に明文化することを発案した。これに対して米のケロッグ国務長官（Frank Kellogg）は、それを多国間による条約にしようと各国へ呼びかけた。それは翌二八年に、戦争放棄を誓って本格的な戦争違法化を具現化した「パリ不戦条約」（ケロッグ・ブリアン協定）として形となる。その第一条では、「戦争に訴えることを非とし」「国家の政策の手段としての戦争を放棄すること」を厳粛に宣言するとされており、続く第二条では以後の世界はいかなる原因によるとしても戦争を問題解決の手段にはしないことを約すとされた。戦争それ自体を否定することが公言されたのである。

「不戦条約」は日本を含む一五ヵ国の原加盟国が調印し、その後は六三ヵ国にまで拡大された。戦争を法概念で禁止する戦争違法化の国際的な合意が形成されたのである。但し、不戦条約は「自衛のための戦争」は認めるとした。そのため以後の戦争は現在に至るまで「自衛戦争」の名の下に行われている。

さて、戦争違法化を明文化する「不戦条約」は、ロカルノ条約の成立が背景となったが、それは仏が独を信頼したり、連盟加入を歓迎した結果ではなかった。

実際には、仏の独に対する疑念はロカルノ条約を経ても未だ消えはしなかった。そのため仏は、欧州の地域的安全保障の中に、米も関与させたいと考えた。一方、米はブリアンの提案に対して多国間協定への逆提案を行ったわけだが、それはまた米が仏との二国間条約に縛られることを嫌ったためである。崇高な「不戦条約」はこうした米と仏との駆け引きの産物でもあった。ここには「戦争違法化」をめぐる米と欧州との理念の相違がある。

大戦の深刻な被害と後遺症に悩む英仏にとって、今後の安全に軍事力の存在は不可欠であった。連盟は相互援助によって集団安全保障を生み出すが、それと言うのは、再び独が侵略国となった時に全加盟国が制裁を与える体制である。つまり仏や白だけが独の侵略に向き合わねばならないのではなく、欧州全体が安全保障を請け負うのであり、仏の認識はそうした保障の上にあった。

これに対して米は、欧州の安全保障に拘束されることを避けた。米国内では、兵士や遺族に対する年金・補償金の支出が負担とされ、戦争自体が忌避《きひ》された。そのため大戦後の米には戦争違法化への取り組みを真に進めようとする動きが実際にあった。連盟への参加を拒否した上院においてさえも、不戦の意義を認める議員が少なからずおり、戦争違法化の決議案が度々提出されていた。そこには戦争の性格を問わず禁止したいとの希望があり、米にとっては遠く海を隔てた他国との交戦は否定し得るものであった。

即ち、武力制裁を前提とする欧州の安全保障観と、できれば戦争の一切を根絶したい米の理念との相違であり、米では集団安全保障（連盟）には反対するが、不戦条約には賛同したことがわかる。但し米の理想主義においても、「民主党」（理想主義を世界に拡大したい・ウィルソン）と「共和党」（米の利益追求・ハーディング）の外交理念が同じでないのは先に見た通りである。帝国主義は否定されても、理想主義外交が直ちに貫徹されたのではなかった。

④「不戦条約」の価値はどこにあるのか

近代国家は法治概念によって権利を尊重する制度を築いてきた。しかし、国家が保障するのは領土内にいる国民の権利であり、国境の外の存在である他者に対しては保障を行う一切の義務はない。そのため各国が法治を秩序に据えながらも、国際社会は無秩序の弱肉強食が支配的慣行であった。人類はその段階を経て、国境を越えて法治概念を世界的に拡大し、戦争を違法化する時代へと移行させた。「不戦条約」は「国際連盟規約」・「ロカルノ条約」との三鼎《みつがなえ》の関係にあり、非人道的な罪を訴追された独がその立場から自ら脱して、平和構築に寄与した意義があった。シュトレーゼマンとブリアンはともにノーベル平和賞を受賞した。

戦争そのものを世界から根絶しようとしたのが「戦争違法化」の理念であり、「不戦条約」は理想主義の到達点として評価できる。他者を武力で抑圧して権益を拡張することを国益とした価値観は、平和の実現こそを国益とする価値観へと変わろうとしていた。「自衛戦争という抜け道」が残されたにしても、戦争の時代であった「近代」は、平和・人道を普遍的価値とする時代へと変わったのであり、「現代」への移行は人類の道義的成長を示している。

2 「国際協調」の振幅

原敬内閣は国際協調外交の基本路線を定めた。そしてその施策を理由に原は刺殺された。その後、国内の政権は政党政治を求める闘争を経て、国際協調の進路を行く。話が前後するが、原内閣後の国内情勢をやや遡《さかのぼ》って振り返りたい。

①「護憲運動」から何が始まったのか

原の死後、与党・政友会の総裁は高橋是清《これきよ》に引き継がれるが、高橋は党内の意見をまとめることができず、政友会は海軍の加藤友三郎を擁立して次の内閣を組閣させた。加藤は海軍大臣も兼任し、「ワシントン条約」に従って海軍の軍縮を実行するなどしたが、在任中に死去したため、同じく海軍の山本権兵衛が後継内閣を組織した。山本内閣が成立したのは二三年九月二日であるが、その前日には「関東大震災」が起きている。震災の混乱の中で成立した内閣は「震災内閣」とも呼ばれた。

罹災中の東京や横浜では、朝鮮人が「井戸に毒を入れた」・「放火して回っている」などの流言飛語が蔓延し、各所で朝鮮人の虐殺が起きた。自警を称する民衆の暴行によって罪のない朝鮮人、それに巻き込まれた日本人・中国人までが殺害された。実際の朝鮮人による暴動もあったが、日本人による暴行事件に際し、政府や軍部は暴行を見逃すだけでなく、むしろ助長したところもあった（ちなみに筆者の祖父も横浜で罹災し、虐殺事件を目撃している）。

実際には危険性などないにも拘わらず、民衆が朝鮮人を虐殺したのは全くの偏見からであるが、それを政府が強いて止めようとしなかったことには、治安を担当した内務大臣（水野錬太郎）と警視総監（赤池濃）の経歴が影響したのではないかと言われている。彼らはそれぞれ朝鮮総督府に在任しており、しかもその在任中に「三・一独立運動」に遭遇していたことから、朝鮮人を過度に警戒したとする評価がある。

その後の一二月二七日には皇太子・摂政宮裕仁親王《せっしょうみやひろひと》（後の昭和天皇）に対する狙撃未遂事件・「虎ノ門事件」が発生し、山本首相は引責辞任した。

内閣は枢密院《すうみついん》議長の清浦奎吾《きようらけいご》（枢密院：憲法制定のために明治天皇の諮問機関として設置され、憲法成立後は内閣から独立して、政党に対抗する保守的官僚の政治基盤となった機関）によって組閣されることになるが、清浦は国民を基盤とする政党からは閣僚を選ばず、貴族院の議員で内閣を組織した。それは清浦が政友会に協力要請したのを高橋総裁が断った結果でもあったのだが、政党や新聞は特権階級による組閣であるとして批難した。政党勢力によるその批判は次第に衆議院における組織的な倒閣運動に発展し、「護憲運動」と言われる大規模な内閣反対闘争になった。

清浦内閣の「貴族性」・「特権性」を批判する各政党は、普通選挙の即時決行を求めて運動を展開すると、内閣は対抗手段として衆議院の解散を行い、総選挙を迎えた。選挙の結果、政党側が約三分の二の議席を占め、清浦は内閣を総辞職した。

護憲運動を展開したのは、憲政会・政友会・革新倶楽部の三つの政党で、「護憲三派」と呼ばれた。憲政会とは、加藤高明の同志会が拡大された政党である（大隈内閣の末期に結成。大隈の後継内閣を企図したが元老に拒否された）。そして護憲運動で指導的役割を果たしたこの憲政会を中心に、三派の連立内閣が組閣された。

加藤は第一次大戦時の大隈内閣で外相を務め、「二十一ヵ条要求」を打ち出した。それが失策とされたのは第一章に見た通りである。それから一〇年の間、政権に就くことはできなかったが、野党としての役割を拡大させながら政党政治の実現を目指していた。加藤は自らが率いる憲政会においては、党の公約を明確に打ち出すことで国民の理解を得ようと努めた。つまりマニュフェストによって有権者の支持を得たわけである。それは結果的に、選挙において看板政策をぶつけて戦う二大政党制の幕開けとなる。

②「国際協調」とは何をすることか

加藤内閣は、外相に外交官の幣原喜重郎を起用し、英米との協調と、中国への不干渉を方針に外交を展開した。それはワシントン体制に沿った新時代の国際協調外交として「幣原外交」と呼ばれる。ソとの国交を築いた「日ソ基本条約」を結んだのも加藤内閣においてである（二五年一月調印）。

ソとの関係においては、国内への共産主義の政治的影響を排除するため、商業的な交流に限定し、政治領域での交流は決して認めなかった。ワシントン体制の反対基軸を形成していたソとの国交を正常化させたことには、英米とのバランス外交を展開し得る意味があったが、「幣原外交」においてはもっぱら英米との関係が重視された。それは幣原自身が全権の一人としてワシントン条約を締結していたためであり、自身が参与した九ヵ国条約による中国での秩序を軸にしたためである。

また護憲三派は普通選挙の即時実施（「普選即行」）を求めて総選挙に勝ったため「普通選挙法」（男子普通選挙）を成立させ、さらにまた翌月には「治安維持法」を成立させた。治安維持法は普選への対応として見られがちだが、それ以上にソとの国交を意識したもので、そのための「国体変革」の取り締まり法なのである（天皇制に対する変革運動の禁止の意／同法は当初は「過激社会主運動取締法案」として議会に提出された）。

そしてまた加藤内閣は、陸軍の大規模軍縮も実施した（「宇垣軍縮」）。加藤はもともと陸軍の軍縮を考察しており、日清戦争後には既に軍縮への言及が見られる。島国では大規模な陸軍は必要ないとして、兵士の現役期間の短縮や部隊の縮小など具体的に構想していた。これは英が海軍力を背景に覇権を維持していたことを根拠にしており、英を模範とする加藤の考えが表れている。

陸軍の軍縮は、海軍の軍縮に煽《あお》られてのものだった。当時の近隣情勢は、中国が未統一の状態で、ソも革命後の混乱を収拾し切れていなかったため、陸軍には差し当たっての脅威がないと思われた。海軍軍縮がなされた以上、陸軍も軍縮が可能であるはずと考えられ、陸軍は海軍軍縮に巻き込まれる形で軍縮の要求を議会・国民から突き付けられた。陸相の宇垣一成は大規模軍縮を実施した。世論の予想を上回る軍縮を陸軍が率先して行うことで、陸軍に対する国民理解を得ようとの方策でもあった。

護憲三派内閣は、政友会の高橋が引退すると憲政会との提携を放棄するようになった。分裂した三派内閣は総辞職した後に、憲政会が単独で加藤内閣を組閣し直した。

③「幣原外交」とはどのような外交であったか

外交官としての幣原は、加藤高明と同様に英の外交を模範とし、また外交官による外交の自主性を強く求めていた（幣原の妻も岩崎家の娘で加藤とは姻戚関係であった）。幣原の考えでは、一国の外交に継続性をもたせるには、政権交代に左右されない外交官が主導せねばならなかった。継続性があるから諸外国に信用されるのであり、そのために外交官の自主性や主導性が必要であった。同時に幣原は官僚が内政に関わることを良しとせず、そのため自身も政党から距離をとった。加藤内閣には外相として入閣したが、憲政会には入党していない。幣原にとって外交は超党派であるべきだった。

以後、四つの内閣において外相となる幣原の人脈は、外務省において主流派を形成し、それは欧米派とも言われるようになる。とりわけ幣原の外交はワシントン体制を軸にするが、米に対してははじめから同調していたわけではなく、ウィルソンの平和原則によって国際連盟の構想が出された時などは、連盟が国家間の直接交渉の機会を奪うものと解釈し、「円卓会議」の場で日本の外交が決められるのは「迷惑至極」とまで述べて連盟に反対した。直接交渉を重視するのも、やはり幣原が英流の外交を学習したためである。しかし、ワシントン条約以降は英米への協調を方針とした。

そうした幣原外交は中国に対する不干渉を原則としたが、但し中国権益を拡張することには力を入れていた。ワシントン体制とは、列強の既得権益を護るための体制であり、その中で列強は北京のいずれかの軍閥を擁護して権益の保護・拡大を図った。日本の場合は満洲権益を何よりも重視し、幣原も満洲権益については決して譲ろうとはしなかった。必要があれば四国借款団の合意も無視した。こうした態度であっても「国際協調の幣原外交」は、中国支配の本質的な解消を避けたワシントン体制と矛盾はしなかった。そうした幣原外交の性格が表される事件が上海の共同租界で起こる。

当時、上海租界は英仏米露など各国の文化が混在し、東洋のパリと呼ばれた。それは中国人労働者に対する不平等の上に成り立つ特異な空間であった。その上海において日本人の経営する工場でストが起った。そのストの弾圧のために中国人指導者が射殺されると、抗議として青島でも日本の工場に対するデモが起きた。

青島を勢力下に収めていたのは張作霖軍閥であったため、日本は張軍閥とともにデモを取り締まると、またも労働者が射殺された。デモは一挙に一万人規模に拡大し、次第には「上海人の上海を」・「租界を回収せよ」と訴える租界回収・不平等条約改正の運動へと拡大した（「五・三〇事件」）。このデモ隊に対し、今度は英の租界警官隊が発砲し、さらなる死者が出た。日英米伊は弾圧に乗り出すが、ストは英に対する帝国主義支配の打倒を掲げた運動として香港にも広がり、一〇月まで続いた。

不平等条約撤廃を求める中国の国民的要求を無視することが困難となった列強は、一〇月に北京で関税についての会議を開いた。条約改正に向けての動きである。

幣原は、英米が中国側の関税自主権を認めようとしたのに対して当初は一人反対を表明した。中国の主権回復を認めなかったのである。しかし、北京での関税会議が始まると、一転して関税自主権を承認すると述べたが、幣原が承認に転じた理由として、中国国民が求める不平等条約を改正しなければ段祺瑞政権が崩壊してしまうからとの説明をしている。幣原の判断はワシントン体制の護衛者たる段を後援して、権益の確保を最優先にした結果であった。また、中国の関税を主題とするはずのこの会議で、幣原が最も関心を払ったのは対日借款の返済についてであった。結局のところ、段祺瑞政権（委員制政府）はこの会議の最中に倒壊し、条約改正も頓挫した。しかし、この後の中国では反英デモや衝突事件が多発していったため、英は条約改正や租界の返還などを認めるようになる。こうした英の妥協的態度は、中国の国権回復運動を勢いづかせていく。

ワシントン体制は、ソを排除しながら列強間で共同して中国の民族運動を抑制するのであり、中国の「民族自決」を犠牲にする枠組みであった。「幣原外交」での国際協調とはこのワシントン体制の枠内での協調であり、理想主義外交を指すわけではなかったのである。

3 「北伐」と「上海クーデター」

二六年一月に加藤首相が肺炎のために急逝した。閣僚の中から若槻礼次郎が後継に選出された（第一次若槻内閣）。そしてその年の暮れには大正天皇が死去した。裕仁親王が践祚し、年号は昭和に改められた。

一方、中国では国内統一を目指す蒋介石が、自らが育成した軍を起こして北京へ攻め上がる「北伐」を敢行した。広東から進撃を開始した蒋介石の北伐軍は二七年一月には武漢に到達し、政府機関を移した（「武漢政府」）。次第に南京・上海にも迫ったが、これらの武漢・南京・上海はいずれも揚子江（長江）流域の大都市である。その途上の南京では北伐軍の一部が暴動を起こし、日本の領事館を襲撃する事件を起こした。

①もう一つの「南京事件」—日本の被害事件

二七年三月二四日、北伐軍の兵士が日米英それぞれの領事館に乱入して暴行事件を起こした（「南京事件」）。日本の領事館には、国民党の旗「青天白日旗」を掲げた五〇名ほどの兵士が押し入り、「日本人が奪った資産を獲り返す」と叫んで、三時間にわたる略奪・暴行を行った。日本を含めた列国は北伐軍を警戒して軍艦や陸上部隊を派兵していたが、通信設備が破壊されたことから領事館とは連絡がとれなかった。領事の夫人が陵辱されるなどの被害を受け、領事館員ら邦人は上海に避難した。

さらに、北伐軍は四月三日に漢口の日本租界でも暴行事件を起こした（「漢口事件」）。これらの襲撃・略奪に対して日本側は抵抗しなかったが、英米は報復のために停泊中の軍艦から砲撃を加えた上で、賠償を求める通牒を発した。英米の通牒は期限つきの要求で、蔣介石がこれを容れなかった場合には武力に訴えるとした。英は報復攻撃に際して日本とも共同派兵を行いたいと打診してきたが、幣原はこれに同調せず、期限付きの通牒を出すことにも反対した。

幣原は、蔣介石が英米の要求を拒否すれば国際的に孤立することになるが、反対に要求に従っても英米に屈したとして中国国内で批判されることになると予測した。幣原は、国民党内部では国共合作における提携が上手くいっておらず、南京事件は共産党が蔣介石を陥れるための策動による事件で、蔣介石軍の仕業ではないと断定した。そのため各国が圧力を与えるほど共産派の陰謀を成功させてしまうとして、蔣介石への配慮を求めた。事実、国民党と共産党の間には亀裂が生じており、幣原はその内部分裂を認識していた。

南京での事件がソの策動によるものとの判断は列国にもあった。とりわけ英はソの陰謀を主張し、五月にはソに対して国交断絶を通告した。その中で幣原は不干渉の態度を貫いたのであるが、それは日本の権益への直接的な脅威がない限り内政に干渉すべきではなく、英米が行ったような報復攻撃は却って反日ナショナリズムを醸成すると考えたためであった。結果的には幣原の判断が暴動の拡大を防いだ。しかし、この後も満洲や中国各地では排日運動が噴出するようになる。

②「上海クーデター」と「国共合作」の破綻

国共合作によって中国共産党は国民党に合流したが、蒋介石は共産党や共産主義を評価していなかった。ソに派遣された際に、ソ連政府が中国を共産主義化の対象としてか見ておらず、国民党の理念（三民主義）などは無視していると感じ取り、国共合作にも反対したほどであった。蒋介石にとっての国共合作は、ソの共産党の分派が中国を乗っ取ろうとしているに他ならないのであった。

さらに、蒋介石の妻である宋美齢は孫文の妻の宋慶齢の妹であるが、彼女らは中国最大の財閥たる浙江《せっこう》財閥の令嬢で資本家の一族だった。浙江財閥は蒋介石の財政的な後ろ盾となったが、巨大な資本家としての財閥は労働者の権利を求める共産主義を危険視するのであり、その立場から蒋介石は共産主義を否定するようになった。また蒋はクリスチャンであったことからも、宗教や信仰を否定する共産主義とは相容れなかった。しかし武漢政府の中では、「容共」派と共産党が勢力を強めつつあった。双方は北伐についても意見を分かち、蒋介石は北伐の実施を求めたが、共産派は時期尚早として反対した。蒋介石が黄埔軍官学校でのソの軍事教官の台頭を警戒するようになると、二六年三月には蒋をソに連れ去ろうとする事件が起きた（中山艦事件）。分裂は避けがたい段階に達した。

そして二七年四月一二日、蒋はついに上海において共産党の弾圧を開始した（「上海クーデター」）。「国共合作」の破棄である。蒋は財閥の要望も背景に共産党と決別し、自軍のみで北伐を完遂するとした（この二日前にソと北京政府が国交を断絶したことも背景となっているが、それは第5章2で説明する）。そして南京に新たな国民政府を立ち上げた。国民政府は「南京国民政府」（蒋介石派）と、「武漢国民政府」（容共派・共産党）に分裂したのである。

4　「二大政党制」の時代

①「金融恐慌」と「軟弱外交」

蒋介石軍が南京から北上して山東省に接近すると、山東省の済南にあった日本総領事館から政府に居留民保護の対処を求める要請があった。南京事件・漢口事件からほどなくのことであったため、総領事は居留民を青島まで引き上げるよう求めたのである。これに対し幣原は、居留民の引き上げは北京や満洲の日本人を動揺させるとして、様子を見守るとした。邦人の被害事件に強く対処しない幣原の外交は、無為無策にして軟弱と批判された。そしてその批判を元に内閣は倒壊することになる。

中国で「上海クーデター」が始まった翌日の四月一三日、国内では枢密院の審議により若槻内閣の総辞職が決定付いていた。前月の議会において、片岡直温《かたおかなおはる》大蔵大臣が、震災の被害による経営不振から不良債権が発生しており、或る銀行は破綻したと発言した。政友会による猛烈な内閣批判への答弁でのことだった。その銀行は実際には破綻はしていなかったのだが、預金者が一斉に口座を解約する「取り付け騒ぎ」が起きたために、本当に破綻してしまった。他の銀行でも取り付けが起こり、対応できずに倒産する銀行が現れると、その融資に依存する企業も倒産し、さらには銀行に貸し付けを行う中央銀行の一つである台湾銀行（円と同価値の台湾銀行券を発券する特殊銀行で、台湾経済を担っていた）にまで波及した。日本銀行は資金を急増刷して対応しようとしたところ、インフレ化が進み恐慌にまで発展した（「金融恐慌」）。

内閣は台湾銀行を救済するために緊急勅令（議会の閉会中に出される天皇の命令）による「支払い猶予令」の発令を求めて、枢密院の審議にかけた。ところが、枢密院議長の伊東巳代治《いとうみよじ》は幣原の「軟弱外交」に批判的であったため、発令を阻止した。恐慌により日本円の信用は落ち、円安と貿易不振に陥った。手詰まりとなった若槻内閣は一七日に総辞職した。

元老の西園寺公望は、次期内閣について立憲政友会による組閣を推薦し、陸軍の田中義一を擁した政友会内閣が成立する。伊東巳代治が発令を拒否したのは、政友会内閣の成立を期待してのことだった。伊東は政友会に親和的で、田中内閣においては「支払い猶予令」を認め、金融恐慌の混乱も次第に沈静化した。若槻の憲政会内閣から、政友会へ政権交代が起きたが、政党から政党へ政権が移ったのはこれが初めのことであった。以後は衆議院の第一党が組閣することがルール化された（「憲政の常道」）。

戦前の日本の首相は天皇の相談役である元老の推薦によって選定される。天皇は推薦に基づいて組閣命令を下す（「大命降下」）。元老とは明治維新の功労者であり、昭和期には最後の元老となっていた西園寺を一人残すのみであった。自身も政友会の党首を務めた西園寺は「憲政の常道」を護ろうとした。

一方、野党に落ちた憲政会は、他の反政友会の勢力と合同して「立憲民政党」を結成する。これによって二大政党制が始まるのである。

②二大政党制とはどのような制度か

陸軍の田中が政友会の総裁となったことや、その後の二大政党制をめぐる政治傾向は、いずれも普選を原因にしている。

前回の総選挙（二四年五月実施）において勝利したのは護憲三派内閣であったため、田中が政権を獲った時の議会では、旧憲政会の議席が多数（一五四議席）で、政友会が少数（一〇一議席）であった（他二一三）。与党政府と国会の「ねじれ状態」である。田中は解散総選挙に打って出た。これにより二八年二月に初の普通選挙が実施されることになるが、田中が政友会に迎えられたのは、選挙に勝てると思われたからこそであった。

当時の有権者（男子二五歳以上）は国民の二〇％強程度であったが、普選以前の有権者数に比せば四倍の急増であった（三〇〇票から一二〇〇票への増大）。この急増した新規の有権者の票をめぐって、政友・民政の二大政党は選挙において熾烈《しれつ》な批判合戦（ネガティブ・キャンペーン）を行うことになる。

両党は、相反するそれぞれの看板政策を掲げて争った。総選挙時の主要政策を見てみると、政友会は、積極外交・産業立国・地方分権・地租移譲・農漁山村の振興など、自主外交（強硬外交）と工業の保護育成（「産業立国主義」）を主として謳い、工業の国産化を重視しつつ、農村に対しては地方分権・地租移譲を給付することで支持を得ようとしていた。「自主外交」は幣原外交への批判である。

普選が前提となってからは、選挙資金がそれまで以上に不可欠となり、資金集めができない者を党首にすることは不可能となった。原敬の没後から党内の統制ができなかった政友会が田中を擁立したのは、田中に生前の原との交流があったこともあるが、それ以上に出身地の長州を地盤とする財閥との金脈があったためである。田中も今後の陸軍には国民の支持や理解が必要と考え、政界に転身した。

田中の下で、政友会は強気な外交によって中国権益を護ることを主張した。協調外交路線の起点は原内閣に求め得るので、本来的には政友会に国際協調の実績がある。ヴェルサイユ会議も、ワシントン会議も政友会の内閣期に成立している。しかし、英米との関係に抵触しない限りにおいて中国への干渉を行い、権益を拡張しようとするのは原内閣においても方針化されていた。元より不干渉を遵守する性格ではなかった政友会の「国際協調」は、普選を迎えると、幣原外交の弱腰を攻撃するための批判材料となった。

それに対して民政党の看板政策は、協調路線を維持し、緊縮財政（デフレ）によって不況を乗り切ることであった。民政党は、軍備縮小・財政整理などで財政規模を縮小し、国内物価を下げることで国際競争力を高める健全財政を標榜した。外交では、対英米協調と中国不干渉を「国際正義」として、政友会を批判した。

民政党の総裁には大蔵官僚の浜口雄幸《はまぐちおさち》が選出された。浜口は幣原と同郷（高知県）の同級生であった。

民政党は、桂太郎内閣・大隈内閣の基盤となった党（立憲同志会→憲政会）を源流にしており、外交官出身の加藤が主導した英モデルの外交を評価する傾向が引き継がれていると言える（但し党人ではない幣原の起用は党内に外交経験のある人材がなかったためである）。それが、二大政党制を前提に反政友を標榜して登場したのであった。

こうして正反対の政策をぶつけ合い、選挙キャンペーンが行われた。「憲政の常道」により、選挙に勝利することが組閣の条件となったわけだが、それは普選によって急増した新規有権者の支持を急遽獲得しなければならなくなったことを意味した。是が非でも総選挙に勝たねばならない両党は、新聞・ポスター・レコードなどによる熾烈なメディア戦略を展開するとともに、双方が激しい批判をし合う「ネガティブ・キャンペーン」が行われた。相手のスキャンダルや失政を非難することで蹴落とすという稚拙な戦法に陥っていくのである。

そしてその選挙の結果は、政友会が二一七議席、民政党が二一六議席の獲得という真っ二つに割れる結果になった。当時の国民がどちらとも選び難かった様子が見て取れよう。一票差ではあれ、田中内閣の続投が決まった。

③「東方会議」の問題とは何か

政友会は選挙公約の通り、蒋介石の北伐への対応を迫られることになる。田中内閣は幣原外交が中国に対して無策に過ぎたとして糾弾したが、但し田中自身は中国への武力行使については慎重に考えていた。上海クーデター後に国民政府が分裂した状態では、蒋介石が北伐を完遂できない可能性もあったし、もしも北伐軍が北京まで到達しても、満洲はそれと分離して、張作霖を介して権益を維持できれば良いと考えた。

北伐軍が山東省・済南に迫ると、田中は居留民保護のためにやむなく陸軍を派遣することになったが、それでもなお慎重な姿勢を崩さなかった。列国との協議の上で出兵し、派兵してからも先ずは青島に部隊を留め、済南までは前進しないとの方針を立てた（63頁地図参照）。

万が一、居留民に危険が及んで済南へ前進する際にも、必ず田中首相の了承を必要とするとの制限まで設けており、田中はあくまで北伐への武力干渉を避けようとしていた。そして五月三一日に部隊の一部の二千名が青島に到着した（「山東出兵」）。

しかし、武漢政府とも戦いながら北伐を実施した蒋介石は徐州での北京政府軍（奉天軍閥）との戦いに勝利できず、その影響から下野することになった。北伐も停止されたため、山東出兵は武力紛争に至ることなく撤兵となった。

蒋と対立した武漢政府の内部でも対立は起きており、共産党は七月には武漢政府を離脱した。武漢政府には国民党の容共派（代表は汪兆銘）のみとなったことから、蒋介石の下野に伴い南京政府に合流することになった。

国内では、陸軍や政友会の一部から北伐に対する強硬論が出ていたため、対中方針を一致させるための「東方会議」（二七年六月二七日〜七月七日）を開催した。外相を兼任する田中首相を議長に、軍部・外務省の代表者のほか、関東軍司令官（武藤信義）や在中国公使らも参加して協議した。

その結果、満蒙を中国本土から分離して日本が支配的地位に立つとして、居留民や既得権の保護のためには積極的に行動するとした（「対支政策綱領」）。会議に先立ち、関東軍が満洲を分離して自治を行わせ、日本の特殊権益を認めさせるとの案を陸軍中央に提出しており、またそのためには武力行使も辞さないと訴えていた。それは山東出兵を背景とした強硬論であったが、田中は会議においては関東軍にも配慮して積極方針を採る姿勢を見せた。但し、それと同時に親日的協力者には最大限の同情と協力を与えるとしており、田中は張作霖を現地の協力者として、張との関係の上に日本の権益を保持しようとしていた。九ヵ国条約で棚上げされた満洲の特殊権益問題についての対応は政府の間で揺れ動いていた。

しかし東方会議が問題だったのは、問題解決のための具体的方策は何ら定まっていないにも拘わらず、各機関に問題を解決するよう促したため、各機関が独自の裁量で中国問題に対処する余地を与えたことである。結果的に、東方会議は田中の意図とは裏腹に、関東軍が満洲支配のために張作霖を排除して直接支配に向かう機会となってしまう。

5 「アジア主義」――「国日合作」の可能性

「東方会議」後の九月末、下野した蒋介石が来日してきた。旅行のための来日としたが、田中の意向を探ることも考慮していた。蒋の動向を懸念した田中の側は容易に会おうとしなかった。その間の蒋は犬養《いぬかい》毅《つよし》や宮崎滔天《とうてん》、頭山満《とうやまみつる》など中国革命を支援してくれる「アジア主義者」らと交流して過ごした。孫文の後継者を名乗りながらも国共合作を否定した蒋介石には中国国内での批判も多かった。そのため蒋を認めて支援してくれる日本の人脈は大切な後ろ盾の一つであった。

①「アジア主義」とは何か

アジア主義とは、アジア諸民族が連帯して列強の圧迫に対抗しようと主張する立場である。西洋と地理的・文化的・人種的に異なるアジアは、西洋列強の支配を受けるべきではないとして、民族的価値を訴えながら伝統文化の保護を主張して西欧化に反対した。犬養毅や頭山満を発起人としてアジア諸民族の連帯を目指すための「亜細亜会議」が一九〇九年に組織され、その後には大連・インド・トルコにまで支部を組織するようになった。白人種の侵略からアジアを護るために団結すべきとの思想が共有され、明治維新を目指した孫文らの辛亥革命を支援したのである。こうしたアジア主義は移民問題や人種問題が起こる度に拡散した。

蒋介石が田中と会談できたのは一一月五日のことであった。会談で、田中は北伐を急がないよう説得し、共産勢力の排除については援助すると述べた。蒋は日本が張作霖の支援を止めて革命を支持するならば、排日運動はなくなり満蒙問題も解決すると述べた。それは日本と国民政府との関係がつくれれば、日本の満蒙権益を認めても構わないとの提案を含んだ申し出であった。もともと蒋は満洲の領土的主権が保持できるなら日本の権益を認めて構わないと考えていた。ところが、張作霖の支持を考えていた田中は、蒋との議論を進めようとはしなかった。そしてその態度を見た蒋も日本との提携には望みがないと判断するようになる。

その後帰国した蒋介石はほどなく国民党軍の総司令に復帰し、二八年四月には北伐を再開した。それにともない日本では、また居留民に被害が出るのではないかと懸念する声があがった。

南京政府が統一されていたこともあり、蒋介石の下で今度の北伐は順調に進められた。そのため陸軍が出兵を求め、田中はまたも出兵を望まなかったが、閣議は再び出兵を決定した（「第二次山東出兵」）。そして、北伐軍が奉天軍を敗走させて済南を占拠すると、五月三日に日本軍とも衝突が起きた。

日本軍との交戦が発生すると、蒋介石は部隊に停戦を命令したが、命令が末端にまでは届かずに交戦が続いてしまった。満洲と日本の内地から増援が送られると、派遣部隊は強硬な態度で北伐軍に和解条件を突きつけた。日本側の条件は暴動の責任者の処罰と武装解除で、それは交渉ではなく最後通告であるとした。政府内では第三次出兵も決定された。

中国側は要求に応じなかったため、日本軍は五月八日に総攻撃を開始した（「済南事件」）。日本軍との衝突を避けようとする北伐軍は、既に済南を迂回して北に進軍した後で、残留していた数千の部隊との戦闘となった。中国側には約五千人の死傷者が出たというが、そのほとんどは一般市民であった。日本軍はそれから一年後まで済南から青島の鉄道路線（ワシントン会議の際に中国が代償金を払った膠済鉄道）を占領するのだが、北伐を優先させたい蒋介石は和解を進めた。

日本の強硬政策に対しては国際的な非難が起きた。何より中国への干渉は「九ヵ国条約」の枠組みから逸脱する行為であった。また、列国は中国の条約改正に応じて、徐々にその主権を認めようとし始めた矢先であったので、時流に相反する軍事行動に厳しい批判が起きたのである。最初の出兵には賛同していた英米も済南事件は批判した。

さらに日本の武力行使は、国民政府内に存在していた親日派の立場をつぶした。もはや彼らは日本との提携について国民党内で発言することが不可能となり、国民党との合意の上で満蒙権益を確保する可能性は無くなった。強硬姿勢などという浅慮《せんりょ》が、味方になり得る勢力を自ら排したのである。

②なぜ強硬外交を展開したのか

田中内閣は成立当初から、国共合作と北伐への対応、さらにその情勢が急変する上海クーデターへの対応を迫られた。またソに対してどのように対応すべきかも問題であった。これらをめぐっては、政府・外務省・陸軍の内部に様々な考えが表れた。張作霖を庇護するために北伐に干渉すべきか、軍事力はどの範囲まで使用するか、または干渉せずに満洲の維持にのみ努めるのか。外務省でも中国に赴任する出先機関では武力行使によって満洲の治安維持を求める強硬意見があがった。そこには現地の緊迫した情勢での危機意識が見てとれる。関東軍では、張作霖が日本の権益確保に有用でないなら、張を排除して他の指導者に取って代えても構わないと主張されていた。しかし、いずれも統一的な対応策にはならなかった。

軍閥との関係の上に築かれたワシントン体制に留まることは、国民政府との関係を新たに構築することとは矛盾するため、単に従来の対中関係に留まるのでは済まされなかったのが、幣原の時とは異なる田中外交の事情であった。

田中は張作霖と提携することで満洲の開発・権益確保を企図していた。張の協力の下で合法的に領域を拡張し、北満洲へと勢力を広げることでソへの国防にも対処する方針であった。そのため、陸軍省と外務省が済南事件の処理として張作霖の引退を求めたのに対しても、田中はそれを聞き入れなかった。

田中は張作霖が親日勢力として満洲で実権を握り続けていくことを望んではいたものの、蒋介石政権が中国本土を統一するならそれを認めるつもりがあった。国民党が北京まで制圧しても、万里の長城より北の地域が分離され、日本の満洲権益が護られればそれで構わなかったのである。そのため張作霖が北伐軍との戦いによって過度に消耗するよりも、むしろ満洲に引き上げてくれる方がよかった。事実として田中は蒋介石と対峙する張作霖に対して度々満洲に引き上げるよう説得していた。

ところが、政友会では政務次官（副大臣格の職）の森恪《もりつとむ》を中心に強硬論が隆盛しており、田中はそれに配慮して強気な外交を標榜していった（森は三井物産の政商として中国関係の事業に携わった経歴から中国権益を優先する姿勢があり、軍事力を背景とした経済発展を信条に二十一カ条要求を支持するなど「旧外交」の支持者であった。大戦後に政友会に入党し、二五年に衆議院議員に当選。田中を擁立した横田千之助の地盤の後継者でもあった）。森は反幣原の急先鋒としてその「軟弱外交」を批判していた最強硬論者である。東方会議を積極的に推進したのも森であった。

森は対中外交には国民の理解と協力が必要であるのに、幣原の無策が国民を無関心にさせたせいで国難が理解されていないと訴えた。それは普選を意識した批判であった。二大政党による批判合戦では、民政党が議会政治を重視すると言えば、政友会は皇室主義を持ち出し、経済政策においては金輸出をめぐって正反対の主張をし合った。そして政友会が満蒙を経済拠点にすると言えば、民政党は中国全体との経済関係を重視すべきと反対した。普選を背景に強硬論は先鋭化していくのである。

③ネガティブ・キャンペーンの足枷

田中内閣の強硬政策は、民政党との関係を背景にしていた。つまり、民政党が掲げる協調外交を批判するために、強気の外交をアピールする必要があり、政策を差別化するために強硬姿勢が加速したのである。解決策よりも政敵つぶしが優先されて、一度でも譲歩すれば失政として相手に非難されるため、強硬外交を貫かねばならなくなっていた。

不況の連鎖が深刻化していく中で、国民が期待したのは不況の解決であったのに、政党は相手の批判に終始した。国民は次第に、不況の解決に資することのない政党と、国民の声を置き去りにしたネガティブ・キャンペーンに失望を募らせていく。

国会の混乱も以前から酷《ひど》く、一九二〇年代前半には既に法案反対をめぐる乱闘事件や、飲酒によって酩酊《めいてい》した議員が進行を妨害する事件まで起きていた。その後も議場での暴力事件が頻発し、政党は腕力のある議員を与党側の席に配置するなど、乱闘が議会戦略として計算されるようにさえなっていた（国会の議員の角柱名札が現在も机に打ち付けられているのは乱闘の際の凶器になることを防ぐため）。そうした様子は、軍人や国民を慨嘆《がいたん》させるに十分な様相であったろう。批判に終始する二大政党制の体《てい》たらくが明らかとなるにつれて、政党政治に見切りをつけていくのである。

こうした背景から田中内閣は強硬外交を加速させていくわけだが、それには邦人が被害を受けた南京事件・漢口事件に追い立てられたところもあった。海外の居留民を見捨てない姿勢が幣原外交との違いを強調する方法だからである。しかしその批判材料は、引くに引けない足枷となり自らをも追い詰めた。そして田中内閣は、強硬外交が生み出した事件によって退陣することになる。

理想主義の結実たる「不戦条約」は二八年八月に田中内閣において調印が決定されたが、「不戦条約」も批判合戦の道具になった。「国際正義」を看板にしているはずの民政党が、不戦条約には賛成としながらもその条文に含まれた「人民の名において」締結するとの文言を取り上げて、議会では政府を批判した。日本の外交権は天皇の大権に属すため、人民の名において条約を結ぶことはできないとの非難である。皇室主義を強調したがる政友会への嘲笑的な批判とも言える。しかし、こうした批判は政友・民政のお互いが行うほどに自らの首も絞めていくことになる。それぞれがこの後の政権期において痛烈な報いを受け続け、政党政治そのものを閉ざすことになる。

第５章

満州事変
―世界秩序への挑戦

凄惨を極めた大戦を経て、世界は戦争を国際的な法律で禁止しようとする「戦争違法化」に取り組んだ。ところが、この戦争違法化の取り組みは、国際連盟の常任理事国であるはずの日本と独によって破壊されることになる。日独とは、一方は大戦に参加しながらもほとんど犠牲も負担もなくして利益をあげた国であり、もう一方は大戦によって二度と立ち上がれないほどの制裁を受けた国である。大戦の教訓と理念を世界と共有できなかった国であった。そして、世界恐慌による不況が深刻化していく中、日本の軍部ではワシントン体制を日本への恣意的な圧迫であると捉える新世代将校が台頭する。

１　「黄金のマンハッタン」―有頂天から奈落へ

大戦終結から半年後のニューヨークでは帰還兵の凱旋パレードが連日続いていた。大戦中の米は、世界的な需要に独占的に応え、また戦勝国への膨大な貸し付けを行った。一九〇〇年頃より進められていた高層ビル（摩天楼）が建設ラッシュを迎えていたが、それは米の繁栄の象徴であった。またラジオの普及が市民社会に大量の情報をもたらしていた。スポーツ興行で初の一〇〇万ドル試合を行ったボクシングのヘビー級王者ジャック・デンプシーや、ホームラン王のベイ・ブルースが大衆の英雄となったが、それはラジオによって成立した娯楽産業の効果だった。

こうした華々しい発展の裏で、大戦後の二〇年代は米で最も労働者ストが起きた時期でもあった。繁栄を支えていたのは移民や黒人労働者だったが、彼らは極めて安い賃金で働いた。ウォール街にあったモルガン商会が爆弾テロの被害に遭うと、証拠もなく共産主義者の犯行と断定された。当時の労働者らは産業の国営化を求めてストやデモを行ったので、労働者運動はロシア革命を彷彿《ほうふつ》させ、政府転覆を危惧させたからである。そうした危機認識もまたラジオが拡大していた。米政府は共産主義を敵視し、「アカ狩り」と称して過度に弾圧した。

しかし、都市の大衆は社会問題にはほとんど無関心で、好景気による裕福な生活を享受しようとしていた。自動車が普及し、人々の生活圏が拡大したことから、建設需要は郊外へも波及した。人々は早々に楽隠居しようと株への投資を始めるようになった。空前の好景気を背景に、信用貸しによって簡単にお金が借りられ、自身の貯蓄よりも遥かに多くの額を借り入れて株に投資することが横行した。二七年に株価の高騰が頂点に達するが、投資ブームに伴って勤労の価値や意欲は見る見る低下した。二三年八月に第三〇代大統領に就任したクーリッジが、議会演説において、米国民は将来を楽観視して構わないと述べていたほど、「黄金時代」を迎えた米はまさに有頂天だった。

ところが、そうした享楽には既に翳《かげ》りが迫りつつあった。二九年一〇月、ウォール街の株の取引所で株価の暴落が起こり、一挙に不況に陥った。「世界恐慌」である。銀行が閉鎖し、企業は倒産、工場が閉鎖されると失業者があふれた。都市の企業は景気を元に設備投資を行っていたことから生産過剰となった。

農村でも戦争中の食糧増産の必要から過剰な設備投資が行われていたため、農産物価格が下落して不況に陥った。つまり「物の造り過ぎ」によって不況が起きたのである。株の損失から逃れようと皆が株を一斉に売り払い、企業の株価が暴落した。企業への貸付金を回収できなくなった銀行が相次いで倒産した。バブル崩壊の構造である。そして、米の好景気に依拠していた各国へ不況は連鎖していった。

はじめはアジア植民地や、経済的な従属性の強い国へと不況が持ち込まれたが、欧州では独の賠償金が原因となって波及した。「ドーズ案」によって米に依拠していた独の経済は（前章１参照）、米の不況に伴って立ちゆかなくなり、独の支払いを前提にした英仏の経済も落ち込んだ。ドーズ案の循環構造が負の連鎖に転じたのである。世界恐慌の前には、独の経済負担を軽減しようとドーズ案を修正した「ヤング案」（賠償金の減額）が出されていたが、恐慌によってそれすら支払い不能となった。英仏経済の破綻はさらに各国へと波及した。

またソ連が資本主義市場から去っていたことで、世界市場が縮小していたことも打撃となった。政府による計画経済によって生産過剰や恐慌を防ぐのが社会主義であり、ソが恐慌に巻き込まれることはなかった。ソは「五カ年計画」に邁進した。

こうした事態に対して、米のフーヴァー大統領（Harbert Hoover）の共和党政権は、恐慌の解決を市場原理に任せるべきとして放任し、対策を採らなかった。不況が収束しないことが解ると、米の国内企業を護ろうと外国からの輸入を制限した（保護貿易）。それは世界貿易を縮小させ、不況を深刻化させるだけだった。かくして史上最大の恐慌が現れたのである。

２　軍部による世界秩序への挑戦

田中義一内閣を崩壊させたのは関東軍が独断で実行した「張作霖爆殺事件」によってであった。田中は張作霖との関係を考慮していたが、内閣が醸成した強硬意見を背景に、関東軍の一部が暴走し、田中は身内であったはずの陸軍によって歴史から姿を消すことになる。

①「張作霖爆殺事件」の背景は何か—日英ソと中国南北の相剋

事件を起こした関東軍とは、満鉄の警備を名目に満洲に駐屯した部隊で、守備隊五四〇〇名と、本土から二年交代で派遣される師団の五千人で編制された。「関東」は万里の長城の東端・山海関《さんかいかん》から東を意味する名称で、遼東半島の関東州に置かれた部隊が関東軍である。関東軍は満洲権益を保護するのと同時に、陸軍の対ソ戦略の要でもあった。またそれまでの張作霖への支援も、対ソ戦略の軸だったのである。

そもそも張作霖が満洲の実力者になったのは陸軍の後援があってのことで、その関係は日露戦争時に遡る。当時の張は馬賊（自警組織）の頭目の一人で、日露戦争においては露軍のスパイになった。しかし日本軍に捕縛されると、陸軍の工作により日本側のスパイに転身した。そして、張作霖に日本のスパイとなるよう説得した当時の中堅将校こそが田中義一であった。つまり両者には当時からの面識があり、それが日本政府と北京政府の代表者となっていたのである。辛亥革命期に張作霖が満洲を事実上独立させ、その覇者となってからは、陸軍は張を通して満洲権益を確保してきたし、原敬内閣（陸相は田中）においてもそれは満洲への基本方針であった。

日本側の期待は満洲の安定であったが、張は満洲に留まらず北京政府の覇権をも握ろうとした。そのため北京での争覇の中で、張は日本から後援を得る一方でソとの関係も結ぼうとした。「第二次奉直戦争」が始まった二四年九月、ソとの国交を定めた「奉ソ協定」を締結したが、そうしたソへの接近は関東軍や陸軍が最も嫌う選択であった。

張がソにまで接近したのは、二四年一月に国共合作が成立したためである。当時の北京政府（直隷派）は二四年五月になってソを承認したものの、国交樹立はしなかった。それは後ろ盾の英がソとの交渉を認めなかったためである（71頁に述べた「カラハン宣言」時の経緯のこと）。北京政府にとってはそれこそが国共合作を許した原因であった。

張は直隷派政権に勝った後もソとの交流を保持した。それは張が北京政府の代表として、中国民衆の間に高まる不平等条約の撤廃に応答せねばならない立場になったことを背景にしていた。北京政府は、段祺瑞が大戦に参戦した際、列国から待遇改善を約束されていた。ところが中国の地位は改善されないばかりか、敗戦国にも劣る扱いを受けているとして、張自身も不満を表した。それは即ちワシントン体制への不満であり、張にとってはソとの関係が外交カードになり得た。

また、張は満洲経営のために、満鉄に並行する鉄道の敷設を進めたが、それも日本との対立を招いた。日本はかつての清朝政府との間に満鉄と競合する並行線を敷設しないとの取り決めをしたとして、新たな鉄道の敷設に反対したが、張はその取り決めが既に無効であるとして聞き入れず、日本側を激昂させた。このように、政権担当期の張作霖は、日本とソの間で揺れ動いていた。

しかし、ソとの関係は二七年三月の「南京事件」を原因として破綻することになる。この事件で英はソとの国交を断絶した

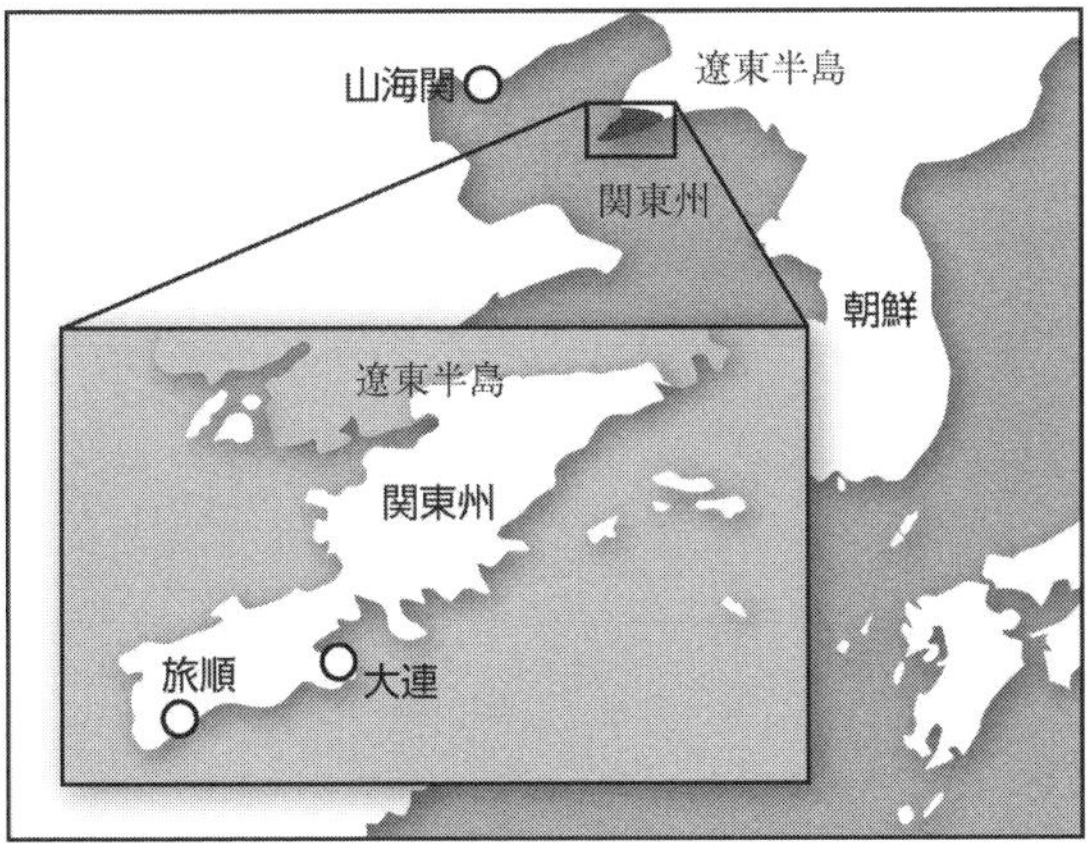

関東州

が、列国がこぞってソの責任を通告したため、張もその形勢に従うことにしたのであった。ソは中国から大使を引き上げることになり、中ソの国交も断絶した。その二日後に起こるのが上海クーデターであり、「カラハン宣言」以来の中国の南北両政府とソとの関係は絶望化した。

北伐軍が南京・上海を制圧して北上してくると、張と日本との関係はさらにこじれた。北伐を危険視した英米が張作霖に接近し始めたからである。上海クーデターまではソが北伐軍を支援していたので、英がそれを警戒して張を支援しようとしたのであった。一方の日本は、先述の通り田中義一が張に満洲に退くように度々説得するようになっており、そのうえ済南事件においても日本軍は蒋介石とすぐに和解した。外務省は張作霖を支援する従来の方針を転換しようとしており、これらの様子から日本にばかり頼れないと焦った張も英米の支援を求めたのである。

しかし、それでも結局は北伐軍に勝つことができず、張は北京を退去して、本拠地である奉天へと引き上げることにした。そして奉天に向かう列車が関東軍に爆破されるのである。

②「張作霖爆殺事件」の影響とは何か

張作霖が陸軍の希望に沿う行動をとらなかった上に北伐軍に敗北したことから、関東軍の一部は、張作霖などはもはや不要で、張を排除して満洲支配を進めようと考えた。事件の主犯の河本《こうもと》大作は、東方会議に同行した将校であった。河本は、満洲で起きていた排日運動に対して、政府の対応が弱すぎると不満を溜めていた。関東軍が武力によって解決する意外にないと考えるようになっていたが、そこへ東方会議において各機関による解決が促されたことから決行を考え出した。従って、河本にしてみれば張の暗殺は関東軍の意向を実行するものであった。

北京から移動してくる張作霖の列車は、奉天付近で満鉄と交差するので、その地点で爆破して、表向きには北伐軍により満鉄線が攻撃されたように仕立てた。張作霖の殺害を国民党の仕業に見せかけようとの謀略である。爆破された張作霖は重傷を負い、ほどなく死亡した。

田中は、事件が全く自身の意向に沿うものでなかったので、事件を厳正に裁くことで中国に対しても公明さを示すつもりであった。そのため天皇に対しても、事件に日本人が関わっている場合には厳罰に処すと約した。ところが河本らの犯行が明らかとなり、処分を検討する段階になると、河本への処罰は陸軍の威信を損なうとの反対が強く出されたため、田中は前言を撤回して隠蔽を図ろうとした。すると、事件究明を求める天皇から厳しく叱責され、これにより田中は辞職した（天皇の叱責は事件についてだけでなく、山東出兵や人事をめぐる問題でも誠実な対応がなかったとの理由があった）。事件の真相はその後も公表されず、河本らの処分も軽微に済まされた（河本は一年の停職処分のみ）。天皇の信用を失った田中はその心労からほどなく死去した。

二重外交を進めていた陸軍は、ついには政府の判断には構わずに自身らの思う方策で満洲権益の確保に踏み切った。満洲の保全が日本にとって不可欠であるとの一点によって、謀略は正当化された。

他方、張作霖を亡くした奉天軍閥は、息子の張学良が後継したが、日本の謀略が明らかであったため、張学良はライバルであるはずの蒋介石との提携を決意した。奉天軍は国民党の青天白日旗を掲げる「易《えき》幟《し》」（幟《のぼり》を易《か》えること）を行った。父の仇討ちのために、敵であった蒋と同盟したのである。張学良にとって日本はまさに不倶戴天《ふぐたいてん》の敵となった（不倶戴天は「礼記《らいき》」に由来する言葉で、父の仇とはともに天を仰ぐことはないという意）。

蒋介石は北伐により北京に入城したが、張の易幟により満洲までも傘下に収めた。統一中国を期して南京を首都とし、首都でなくなった北京《ペキン》は北平《ペーピン》に改められた。関東軍の暴挙は却って中国を結束させ、しかも反日勢力として統一させたのである。

3 「ロンドン海軍軍縮条約」と「国家改造」

①「統帥権干犯」を批判したのは誰だったか

田中内閣の退陣後には、民政党の浜口雄幸内閣が成立した。浜口は若槻礼次郎とともに大蔵官僚から政治家となり、立憲民政党の結党時に総裁に選出された。浜口内閣は政友会の政策を塗り替え、英米との協調外交と、緊縮財政による経済の再建を方針にした。

民政党は三〇年二月の総選挙で絶対多数を確保し、その政策は国民の支持を得た。外相に再任された幣原と、井上準之助蔵相（幣原も井上も党人ではない）の下でこれらが推進されるが、浜口内閣は天皇や宮中からも期待を集めた。

総選挙に前後して三〇年一月から四月に、ロンドンで海軍軍縮会議が開かれた。ワシントン会議（五ヵ国条約）では解決しきれなかった軍縮の調整が図られた。世界恐慌を背景に各国が緊縮財政を実施しており、軍縮は共通の課題であった。英・米・仏・伊・日が参加し、日本の首席全権は若槻元首相が務めた。五ヵ国条約では主力戦艦の保有を制限したが、今次のロンドン会議では補助艦（巡洋艦・駆逐艦・潜水艦）の制限と、ワシントン会議で設けた一〇年間の軍縮期限の延長を定めた。戦争違法化の世界の中で次の戦争を準備することは非合理であったし、世界恐慌の発生により、軍備の節約は各国ともに不可欠であった。

日本海軍は、軍縮会議に臨んで対英米比率七割の艦船の保有を要求していた。海軍では、米との戦争になった際には、米海軍が太平洋艦隊と大西洋艦隊によって二回にわたって攻撃してくると想定し、その二度の来襲に対抗するには対米七割の艦船が必要と試算していたからである。これに対して米はワシントン会議と同様の対米六割を要求した。双方の妥協案を作成した結果、補助艦の総トン数を六・九七五割とし、限りなく七割に近い数値に引き上げた。その他、大型巡洋艦保有は対米六割、潜水艦保有数は日米均等となった。

海軍はそれでも条約を認めようとしなかったが、浜口が天皇に拝謁すると、天皇から世界の平和のために早期にまとめるよう努力せよとの発言があったことから、閣議で調印することを決定した。しかし、条約を批准する段階で、議会において政友会から批判が出された。作戦を策定する権利（統帥権《とうすい》）は天皇が唯一人として有する大権であり、政府は干渉できないにも拘わらず（政府が統帥権に関与できない性格を「統帥権の独立」という）、浜口内閣はこれを私的に行使して統帥権を干犯《かんぱん》したとの主張であった。

この「統帥権干犯」が提起されると、条約を承認したはずの海軍が再び反対しはじめ、政友会・民間右翼と共に大々的な与党批判を展開した。浜口内閣の協調外交に批判的であった枢密院も同調した。実際には、兵力量の決定は統帥権ではなく「編制権」によるのであり、編制権は閣僚である海軍大臣の権能に含まれたため、内閣が策定し得た。それを、用兵に関わる軍縮は統帥権にも関わるとして批判したのが「統帥権干犯」なる用語であった。そして政友会がネガティブ・キャンペーンに利用したのである。政友会での急先鋒はまたも森恪であったが、用語を考え出したのは北一輝であったと言われる。

海軍では長老格の東郷平八郎が条約に反対し、条約破棄まで求めた。スローガンとなった「統帥権干犯」をマスコミが取り上げたことから、次第に国民も同調するようになると、それらを背景に右翼団体に所属する青年が浜口を狙撃する事件が起きた。浜口は復帰したものの体調の悪化から翌三一年四月に総辞職し、八月には死去した。

その間の議会では浜口に代わって幣原が答弁に立ち、条約は天皇の裁可を得ているのだから国防上問題のあるものではないと述べると、森が天皇に責任を押しつけるのかと批判して「幣原、取り消せ」と叫んだ。議場が混乱する中、幣原は発言を取り消したが、内閣には議会をまとめる力がなくなっていた（ちなみに条約締結には枢密院の承認が必要となるものの、天皇が認めた条約を軍部や野党が覆そうとする行為はむしろ条約締結権を有する天皇の条約大権を干犯する可能性があった）。

また幣原の発言をめぐって、陸軍の一部の将校が内閣に対するクーデターを画策した。陸軍将校が右翼と共に一万人規模の民衆デモを煽動して内閣を打倒し、宇垣一成を首班とした軍部内閣をつくろうとの計画であった（「三月事件」）。宇垣が参加しなかったことから計画は未遂に終わったが、クーデターによる国家改造の志向はこの後も続いていく。

浜口内閣の辞職後は若槻が党内で政権を引き継ぎ、第二次若槻内閣が成立した。結果として、国際軍縮条約は浜口内閣の生命と引き換えに成立したのであった。

②「金解禁」とは何か──「井上財政」

当時の世界経済は、各国が金の保有量に合わせて紙幣を刷る「金本位制」を基礎とした。しかし大戦を背景に各国は金の輸出を禁止し、金本位制を離脱して造幣していた。大戦後は徐々に金本位制に復帰していたが、日本は震災と金融恐慌のために出遅れていた。民政党は「金解禁」によって輸出回復を狙ったが、それは日本の物価を下げることで輸出を増進し、輸入超過を改善する構想であった。

入超の状態で金を解禁すれば、金は海外へ流れ、国内では紙幣が減量する（デフレ）。しかし物価が下落すれば日本商品が廉価となり輸出が伸びる。それは倒産する国内企業が出てきても、企業に廉価な生産を努力させて、合理化を進めるとした構想で、謂《い》わば「ショック療法」と言えた。何より金との兌換《だかん》は日本円の価値を安定させるので、一時的に不況になったとしても「金解禁」を実施すべきと考えたのである。

〔入超時の金流出→紙幣の減量（デフレ）→物価下落→出超傾向→金流入→紙幣の増量・金兌換に基づく安定物価〕

井上準之助の狙いは金本位制によって造幣量が自動的に調整される点にあった。デフレを誘発することで物価をさげ、輸出増大を求めた。ところが、入超による海外への円流出と、不況のために紙幣（兌換券）を増刷したことで物価は下がらなかった。

また円に対する国際的な信用を得ようと不況以前の円の価値（旧平価）で解禁したところ（＄１＝￥２）、入超のために国際市場には既に円が余っていたので、相場においては円安になっていた（＄１＝￥２・１５）。つまり、金輸出を禁止している間に円の価値は下がっていたのに、旧平価によって円高に設定してしまったのである。円高は輸入には有利なので、米から安く原料を買えるとして円高でも構わないと考えたが、国際競争力がない状態で円高にしたため輸出は伸びず、各国が日本から金貨を輸入し（日本円で金を二円買えば国際市場では二・一五円で売却できる）、金が流失した。結果、「金解禁」は世界恐慌に連動して「昭和恐慌」へと不況を拡大させてしまった。

③「国家改造」の胎動―金解禁との関係

「統帥権干犯」問題で、右翼までが盛んに政府攻撃を展開していた背景には、金解禁による不況の中で「ドル買い」によって儲けていた政治家や財界人がいたこともある。円高のうちにドルを買っておき、円が下がれば売ることで差益が儲けられた。円高を予測しての行為であり、それは円高による不況を放置して私腹を肥やしているとの批判につながった。また贈賄事件なども起きたことから民間右翼は政府が国民生活を犠牲にしていると批判したのである。そして、陸軍においても政党政治を否定する動きが潜在化していた。

世界的な国際協調の潮流や、政党政治に対して強く不信感をもったのは、当時の中堅に位置する明治一〇年代生まれの将校らであった。永田鉄山《ながたてつざん》、小畑敏四郎《おばたとししろう》、岡村寧次《やすじ》ら（陸軍士官学校十六期生）が代表的であるが、彼らは大戦期に欧州に駐在したことから総力戦を直に観察し、戦闘機や化学兵器などの新兵器が登場する新しい形態を学習した。そしてその観点から、陸軍の兵備は日露戦争当時の旧態依然としたもので、陸軍を刷新せねば世界に立ち遅れると考えた。

また総力戦を課題として、陸軍が政治・外交を主導すべきとし、そのためには国家の改造が必要で、デモクラシーによる国民からの支持を得る必要があるとした。将校らの求める軍国主義的な国家改造とデモクラシーとは相反する傾向に思われるところだが、デモクラシー思潮を利用することで国民世論を扇動《せんどう》し、陸軍が主導的地位を得られると志向する点は、同世代の将校の特徴として指摘できる。こうした志向性から、中堅若手の将校らは陸軍中央が推進する軍縮に対しても批判的であった。彼らは、陸軍刷新のために人事を掌握することを企図して陸軍内部に研究会を組織し、その中で政党政治打倒の合意を形成していく。そして次の満州事変を契機に、軍国主義化が促進されるのである。

4 「満州事変」—新世代将校らの挑戦

関東軍は独断専行によって満洲への軍事行動を起こした。国際条約を無視した戦争行為である。しかし、「満蒙は生命線である」との宣伝が不況にあえぐ国内で受け容れられていたことで、国民はこれを支持するようになる。「満蒙」とは、満洲と蒙古を指すが、かつての「日露協約」において満洲・内蒙古の分割を協議したことから、それらの権益獲得を実現させることが「満蒙問題」として認知されていた。

「満洲」は中国の東北部の名称で、奉天省・吉林省・黒竜江省を併せた地域である。三つの省を総称して「東三省《とうさんしょう》」とも言うが、さらに熱河省（内蒙古を含む）を含めて満洲とすることもある。清朝（満洲族）発祥の地であるため清時代には漢民族の流入を禁じた時期もあった（封禁政策）。

一方のモンゴル（蒙古）は、辛亥革命を機に清からの独立運動を起こしていた。露も介入したことから、北京政府は高原地帯（外蒙）の独立を認めたが（現・モンゴル国）、中国の隣接地域（内蒙）は中国領に編入した。外蒙はロシア革命の影響から二四年に社会主義国としての「モンゴル人民共和国」となる。世界で二番目の社会主義国であった。

では、満蒙の獲得を求めた満州事変が中堅将校らの合意によって決行されていたのかと言えば、そうとは言い難い。彼らの研究会においては、国家改造だけでなく満洲の獲得も結果的に目指されることになるのではあるが、三一年九月一八日に軍事行動が起こされたことについては、陸軍内に合意があったわけではなく、現地の関東軍による全くの独断専行であった。

（地域名称としての満洲の「洲」の字にはサンズイが付されるべきだが、事変については歴史用語として「満州事変」と表記する）。

①満州事変の決行—石原莞爾の「最終戦争論」

満州事変の首謀者は、張作霖爆殺事件の後に関東軍に赴任した石原莞爾《いしはらかんじ》で、先の中堅将校らの研究会にも属した将校であった。石原には独自の戦争構想があり、満州事変はその構想の端緒として決行された。石原の上官である板垣征四郎は石原の構想を評価し、全幅の信頼の下に決起行動を許し、計画を支えた。

石原の構想とは、戦争が「死滅」することを予測した「世界最終戦争」論という持論で、世界の統一を予言する「日蓮主義」信仰に基づいて、日本が世界を統一する「八紘一宇《はっこういちう》」を結論とした（八紘一宇は日蓮主義の思想家である田中智学による造語で、石原が陸軍に持ち込んだことで広く認知された。後には政府公認の用語にまでなった）。

最終戦争論は、予言への信仰と戦史研究が結びついた独特な構想になっている。戦争は一定の法則に沿

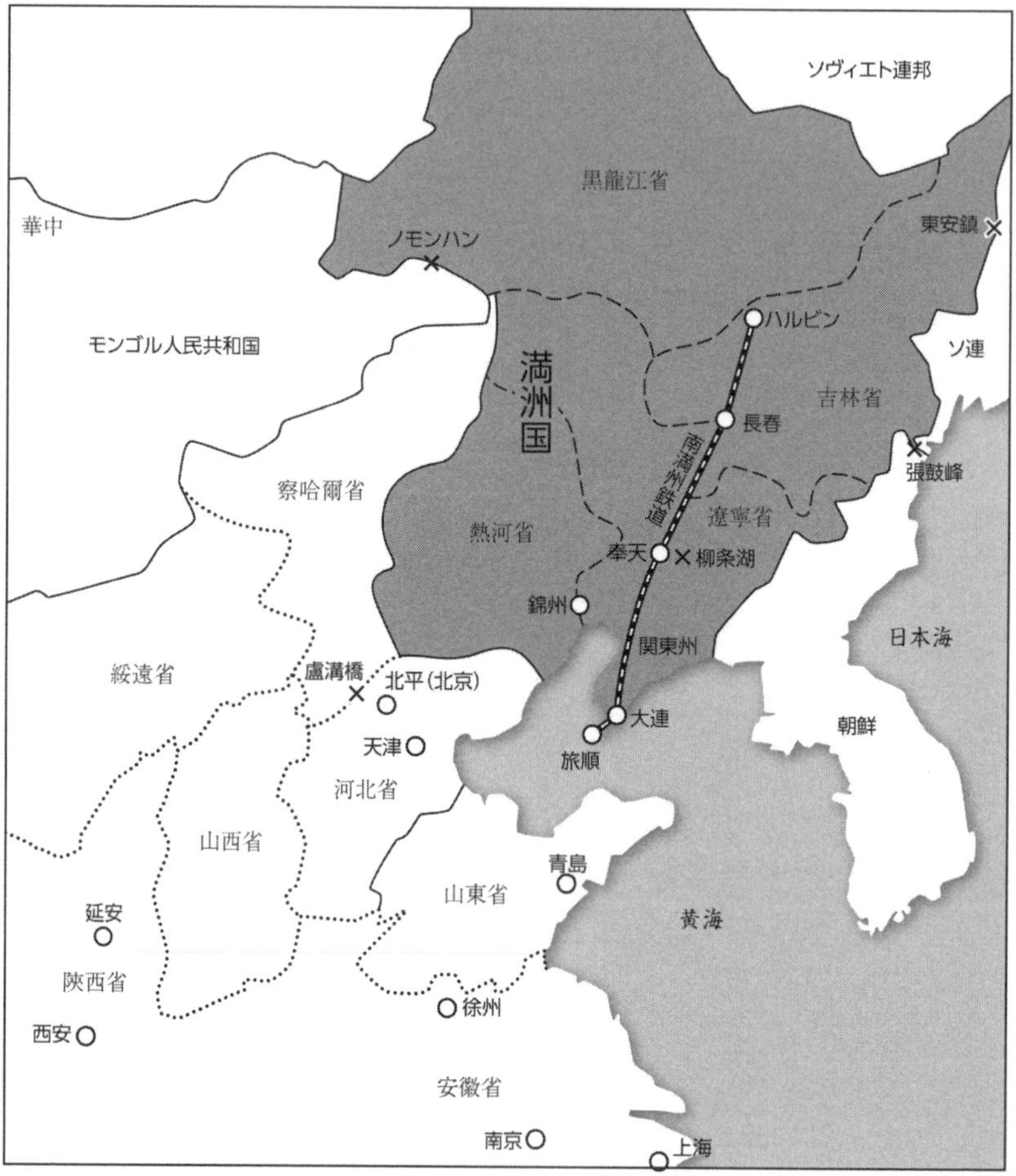
ソヴィエト連邦
黒龍江省
華中
ノモンハン
東安鎮
モンゴル人民共和国
ハルビン
ソ連
満洲国
吉林省
長春
南満州鉄道
張鼓峰
察哈爾省
遼寧省
熱河省
奉天
柳条湖
錦州
日本海
関東州
綏遠省
盧溝橋
北平（北京）
大連
朝鮮
天津
旅順
河北省
山西省
青島
山東省
延安
黄海
陝西省
徐州
西安
安徽省
南京
上海

満　洲

って進化しており、その進化が極限に達した時、究極の最終戦争が行われ、それが人類最後の戦争となることを説明する。そして、その最終戦争とは、東洋文明の代表たる日本と西洋文明の代表たる米との間で行われると断言した。これにはアジア主義からの影響もあった。

日本が米に勝利するためには、満洲を軍事工場として活用し、資源の枯渇を解決しながら国力を増幅せねばならず、そのために満洲の領有が必要であるとした。要するに、石原は将来の対米戦争に備えるが故に満州事変を起こしたのである。しかし、対米戦については将校らに共有された目的ではなく、満州事変は最終的な合意がないまま実行された。石原の個性が極めて影響しているといえるのである。

満州事変は満鉄の爆破から引き起こされた（柳条湖事件）。石原ら関東軍の一部が、満鉄路線に自ら爆薬をしかけ、それが張学良らの仕業であるとして、張学良軍を攻撃する口実とした。張学良軍の主力が北平に出動した間の虚を突いた奇襲作戦であったが、約一万人の関東軍が、二〇万とも称された奉天軍に挑んだ作戦であった。当初は雇った日本人に張学良軍の格好をさせて奉天の日本総領事館や駐屯軍の施設などを襲撃させるという計画であった。実行日も九月二八日としていたが、この策謀が事前に外務省ルートに漏洩したため、急遽予定を繰り上げて鉄道爆破計画に変更された。

自作自演の爆破（列車の通行が可能な程度のわずかなレールの破損のみ）が行われると、奉天特務機関は総領事館に連絡を入れ、首席領事を呼集した。板垣ら関東軍に対し、領事が外交交渉による解決を求めると、特務機関の将校は軍刀を抜いて威嚇した。既に軍事行動が起きた以上は外務省や内閣に干渉させないとの意である。

国内では若槻内閣が緊急閣議を召集した。若槻や幣原外相は事前に関東軍の策謀をつかんでいたが、南次郎《みなみじろう》陸相は自衛のための行動であると弁明した。閣議は不拡大方針を定めたのみで解散した。陸軍側は、天皇に奉勅命令を出してもらい、朝鮮軍を出動させようとしていた（朝鮮軍：韓国併合に伴い設置された部隊。交代制で駐屯していたが一五年に二個師団を増設して常駐師団となり、一八年に「朝鮮軍」と改称)。しかし閣議で不拡大方針が定められたため、陸軍は関東軍に対しても軍事行動を一旦停止するよう命令した。但し、関東軍への電報では、軍事行動は「必要の度を超えないこと」とされており、それは軍事行動が必要だという口実さえ作れば、拡大してもよいとの認識を却って現地に与えた。

関東軍は奉天に戒厳令《かいげんれい》(非常時に際して軍が全権を持つ法)を布いて、奉天特務機関長の土肥原賢二《どいはらけんじ》を市長に任命し、臨時市政を開始するとした。続いて、居留民の保護を名目に吉林省への拡大を企図した。居留民の保護という名目は、戦争違法化の世界において派兵が容認される口実として使用されている。吉林省へ兵力を出せば南満州が手薄になるが、そうなれば朝鮮軍が国境を越えて支援に来ざるを得なくなるとの見込みがあった。そして朝鮮軍までもが出動すれば、軍中央も本格的に武力を行使せねばならなくなると踏んだのである。本国を強引に計画に引きずり込む行動である。

関東軍は吉林出兵と同時に朝鮮軍に増援を依頼した。朝鮮軍の林銑十郎《はやしせんじゅうろう》司令官はこれに応答して、奉勅命令を待つことなく朝鮮から満洲へと越境し、支援攻撃を行った。政府および陸軍の意向を無視しての独断越境である。朝鮮軍は奉天において張学良軍の掃討と治安維持を行った。その後も戦闘は拡大し、満鉄の沿線に拡大していった。

②朝鮮軍が独断越境を行ったのはなぜか—間島事件・万宝山事件

朝鮮軍は以前より、国境を接する吉林省の朝鮮人との間に国境紛争を抱えていた。日本の韓国併合から逃れた朝鮮人の一部が独立運動を行っていた。民族自決の潮流と「三・一独立運動」(53頁)を背景に、満洲の間島(現・吉林省延辺)では武装組織などもつくられた。二〇年の九月と一〇月に日本領事館が襲撃される事件が起き、死傷者が出ると、原内閣は出兵を決定した。朝鮮軍と当時シベリアにいた部隊が間島に出兵し、報復として弾圧した。その後、間島の抗日勢力はソの支援を受けるようになり、三〇年五月には再び間島一帯で蜂起した。日本軍はこれも鎮圧し、運動に参加していない朝鮮人を、満鉄の付属地として日本が管理する吉林省長春付近の万宝山に移住させた。

移住した朝鮮人らはそこで開拓を始めたが、三一年七月に土地をめぐって現地の中国人との争いが起きた（「万宝山事件」）。また、朝鮮人が中国人に迫害された事件として各地でこの事件が報道されると、加熱した報道に触発された朝鮮半島や日本の朝鮮人が中国人を虐殺する事件が起きた。これらの治安問題から陸軍中央でも武力的解決が考えられるようになった。

こうした経緯から朝鮮軍は間島への出兵の機会を求めていた。間島を朝鮮に編入することを独自に企図するようになり、万宝山事件から二ヶ月後に起きた満州事変はその機会と捉えられたのである。間島の領有は対ソ作戦の上でも重視されていた。そのため林司令官もこれに乗じた出兵を望んだと言われる。朝鮮軍の越境は軍事行動の拡大を決定づけた。張作霖爆殺事件の際とは大きく異なる点である。

閣議ではそれまで現地の行動を否定してきたが、それも朝鮮軍の独断越境により黙認せざるを得なくなった。もし林司令官の行動が独断であるとして認めない場合には、朝鮮軍の統帥権干犯になるのであり、政府も陸軍中央もその失態を犯すわけにはいかないと考えた。そのため、むしろ大権の発動によって軍事行動を追認することで、統帥権干犯など起きていないと粉飾した。天皇も今後は気をつけるようにと戒めるに留めた。政府はこの事件を「事変」であるとして、日本軍の行動が国際条約に違反する戦争行為ではないとした。

しかしながら朝鮮軍が目論んでいた間島出兵は、結局のところ政府と陸軍中央に抑えられた。翌年四月には出兵が行われるのだが、それは居留民保護を目的にした出兵で、間島の領有までは認められなかった。天皇が政府の不拡大方針を支持する意向であることが分かると、軍中央は軍事行動を取りやめるよう求めたが、しかしその後の現地の拡大が止むことはなかった。

関東軍は九月二八日には吉林の独立を宣言させた。東三省は各省が中華民国から独立する体裁をとっていくのだが、吉林独立はその初動となった。続いてハルピン市特別区が独立宣言を声明した。

この過程では、占領した満洲の扱いが問題となった。現地の関東軍と陸軍中央の間で、満洲の独立国家建国案と、親日政権樹立案がそれぞれ主張された。当初の陸軍中央は中国人による親日政権案にすら反対の意向で、むしろ満洲事変を偶発事件として穏便に処理するつもりであったため、関東軍の姿勢とはかなり距離があった。話し合いは全く成立しなかったが、その間にも軍事行動はさらに北満洲へと拡大した。

ちなみに、満洲国を建国しようとする関東軍の中で、石原莞爾だけはそれに反対し、満洲は日本の領土として領有されねばならないと強く主張した。傀儡国家であれば不都合はなさそうなものを、なぜ石原がそれを否定し「領有」でなければならなかったのかについては日蓮主義の信仰が理由に挙げられる（詳細は拙著『石原莞爾の変節と満州事変の錯誤』を参照いただきたい）が、石原は首謀者でありながら、「最終戦争」の計画通りに進めることはできなかった。それは合意に達しないまま独断で行動を始めた報いとも言える。

③満州事変とはどのような軍事作戦だったか

日本軍の侵攻は北満洲へとさらに拡大するが、それは満鉄によって誘発されたところがあった。関東軍は北満へ進むために、関東軍に降伏した奉天軍の張海鵬に依頼して、黒竜江省の斉斉哈爾《チチハル》への進軍を行わせた。これに対して、黒竜江の中国軍を指揮する馬占山（文盲でありながらも優れた戦略眼によって馬賊として台頭し、奉天軍の部隊長を務めた軍人）が対抗した。馬占山は、陣地の川にいくつか架かる鉄道の橋を焼き落としたが、その橋は満鉄の出資によって架橋されたものであったため、関東軍の軍事行動の大きな口実になった。

関東軍は吉林から黒竜江へと出動した。馬占山軍は激しく抵抗したが、南陸相が若槻首相から斉斉哈爾占領の了承を取り付けたことで増援が行われ、馬占山を撃退した。日本軍が一方的に侵攻した事変の中で、この戦いだけは激戦となった。占領された斉斉哈爾は中国から独立すると宣言された。

関東軍は九月一八日からのわずか二ヶ月にして東三省の各省都を占領した。黒竜江の主要都市であるハルビンを占領した後、関東軍は現地協力者をさらに得て、満洲の独立建国を決定的なものにした。

かくして日本軍は破竹の勢いで広大な領土を制したのであったが、それは一方で、張学良が「不抵抗方針」をとったためでもあった。抗戦するほどに日本軍の軍事行動を正当化してしまうと考えた張は交戦を避けたのである。張学良は後に、「不抵抗は、私が自発的に決めたことです。当時の私は日本軍は中国全土を占領することは不可能だという判断をくだしていました。私はできるだけ日本人を刺激せず、彼らに事態を拡大する口実を与えるのをできるだけ避けようと思い、東北軍は〝殴られても手を上げず、罵《ののし》られても言い返さず〟という姿勢を取ったのです。」と証言している。張学良の判断は事態の収拾を考えてのものだったが、関東軍は抵抗のない張学良軍に対して手を緩めることはなかった。張はその点についても、「抵抗するなという命令は私が下したものです。私の判断は誤りでした。私がこのような命令を下したのは、事態を拡大させないためでしたが、事実は逆になってしまいました」と述べている。しかし当時の日本軍への不抵抗は、蒋介石による指示でもあったのであり、張学良は拠点としての奉天を失いながらも指示を受け入れざるを得なかった。

④満州事変はどのような機会に起こされたか

満州事変が起こされたことにはいくつかの要因を挙げられる。一つには、張学良軍は確かに不抵抗方針をとったが、実際の抵抗力もなかったことである。張作霖爆殺後の二八年末に、中ソが共同管理していた東支鉄道（東清鉄道：シベリア鉄道と連結する満洲の鉄道）の権利をめぐって中ソ間に対立が起きた。ソ側が人事をめぐる協定に違反したとして、張学良が鉄道の権利を強制回収すると、それが元で二九年八月には極東ソ連軍と衝突した（中ソ紛争）。この衝突で張学良軍はソ軍に全く歯が立たず、脆弱な部隊であることが露呈した。一方、ソ軍は思いのほか増強されていた。関東軍はこのまま時間が経てばソ軍は益々強くなるとの危機認識を持つことにもなった。

ソ軍への危機認識に加えて、中国が北伐後も未統一状態であったことも事変の原因となった。蒋介石は統一を宣言したが、実態としては地方軍閥が割拠し、その軍閥の内部においてすら結束がなかった。地方政権を創出しようと離反が続き、他方では共産党が革命運動を展開していた。三〇年には馮玉祥と汪兆銘が蒋介石政権に対する反乱を起こし（「中原大戦」）、蒋が勝利したものの、三一年五月には汪が広州に「臨時国民政府」を樹立した。

そして、満州事変の先例とも言える「張作霖爆殺事件」において、遂には事件責任が訴追されず、河本らの罪がほとんど問われなかったことももちろん要因である。さらに、事変前の六月には、陸軍の大尉が調査行動中に中国人に殺害された事件が起きた。事件が八月に公表されると、万宝山事件の報道などによって硬化していた世論は軍事行動を後押しした。

中国側の「不抵抗方針」のために関東軍は大した抵抗を受けることなく満洲を占領していったのであったが、それは兵力では数倍にも及ぶ中国軍を日本軍が駆逐していると捉えられ、当の陸軍も中国軍は弱く、日本軍の敵ではないという認識をもつようになっていった。そして満州事変が華々しい軍事的成功のニュースとして報道されると、日本国民の間にも中国に対する楽観的な敵対意識が広まっていくのであった。

５　国際社会の中の満州事変

①満州事変はどのような環境で起こされたのか

満州事変が起きた九月一八日には、ジュネーブにおいて連盟の総会が開かれていた。ちょうど事変の直前に中国が非常任の理事国になり、中国の代表は初めて出席した理事会において事変の提訴を行うことになった（ヴェルサイユ条約の調印を拒否した中国は連盟の原調印国にはなれなかったが、同じ連盟規約を定めた墺とのサンジェルマン条約には調印し加盟していた。そのため中国は第一回総会からの原加盟国である）。

日本代表の芳沢謙吉は、これまでに中国側が日本の条約上の権益に対して度重なる侵害をしてきたことが事変を引き起こしたとして、関東軍の行動を正当化しようとしたが、九月三〇日の理事会において、日本軍の速やかな撤収を勧告する決議が行われた。

しかしそれにも拘わらず、石原ら関東軍は連盟の勧告を無視して、一〇月八日に張学良が仮政府を設置した錦州への爆撃を敢行した。錦州には各国の領事官が置かれており、爆撃はそれらにも被害を与えたため国際問題化したが、石原らはなお計画を止めなかった。連盟の勧告などは口出し程度にしか過ぎず、武力制裁などは行われないと断じての行動であった。石原は錦州への爆撃を「国際連盟を爆撃する」と述べ、連盟秩序を否定してみせた。

石原が日本に対する制裁の可能性を否定したのにはそれなりの根拠があった。当時の英は世界恐慌の負担を抱えながら、植民地の自治問題を抱えていたため中国問題に注視する余裕がなかった。また米も世界恐慌への対応に追われていたため同様であった。そしてソは「五ヵ年計画」を堅持する方針によって軍事行動を避けた。実際に共産党書記長のスターリンは厳正中立を表明し、年末には日本との不可侵条約の締結を求めるようになる。ソは恐慌の煽りは受けなかったが、そもそも生産力不足に悩まされており、国内の社会主義建設を優先する観点から満洲へは手を出さなかった。満州事変はこうした各国の不対応状況を見越して計画されていたのである。

これまでの日本の軍事行動は、居留民保護や鉄道への被害を口実にしてきた。それは戦争違法化の抜け道として「自衛行為」を装った行動であったが、連盟の勧告を無視した錦州爆撃は自衛の戦闘を逸脱する攻撃であり、戦争段階に踏み込んでいた。

②満州事変と「幣原外交」はどのような関係か

国内では、関東軍を抑制しようとする若槻内閣を打倒しようとのクーデターが再び計画された。以前の「三月事件」(120頁)に失敗した将校らが、今度は閣僚を殺害して倒閣し、荒木貞夫を首班に満洲事変を援護する陸軍政権を樹立せんと計画した(「十月事件」)。首相候補にされた荒木貞夫は急進的な将校に人望のあった将軍であったが、当人が決起を躊躇《ちゅうちょ》したため「十月事件」も結局は未遂に終わった。両事件とも首謀者は参謀本部の橋本欽五郎で、運動組織としての「桜会」を結成すると、右翼思想家の大川周明の協力を得て計画を練っていた(橋本は参謀本部に勤務する直前まで赴任していたトルコにおいて革命家のケマル・パシャの影響を受け、「国家改造」を志向するようになったと言われる)。

「十月事件」の計画が、閣僚らを殺害するとして過激化したのは満州事変の影響である。陸軍は真相を隠蔽し、首謀者らの処分を極めて軽く済ませたが、その背景には国内世論が満州事変に期待し、声援を送るようになっていたこともあった。そして世論の硬化は幣原の外交方針にも影響した。陸軍の立場に接近するようになっていくのである。

幣原外相は国際社会に対して、日本の満洲権益は条約で認められており、かつ満洲が日本の生存に必要な土地であると述べ、錦州爆撃を庇《かば》い立てた。この後も幣原は満州事変を正当化する態度をとり続ける。

欧州各国に赴任している外交官らが、連盟決議に従うべきことや、満州事変を認めることが連盟の平和維持を破壊することに他ならないことを幣原に建言しても、幣原は何らかの権益を得る確約がなければ連盟の決議には従わないとして、頑《かたく》なに軍事行動を正当化し続けた。幣原は、もしも連盟の圧迫に屈したら、中国は「勝利者」として振舞うようになり時局収拾を却って困難にするとして、連盟が介入することに抗《あらが》った。

そもそも幣原には、権益保持のために中国の主権が抑制されても構わない姿勢があった。例えば、先の「中ソ紛争」に際しては、秘密外交を展開して中ソの双方に接近して間を取り持とうとしたが、張学良に対しては北満におけるソの既得権益を守るように要望した。これは中国の主権領域にあっても既に認められている権益は尊重されるべきことを中国に理解させようとした行動であり、翻《ひるがえ》ってそれは日本の満洲権益を安定させるための方策でもあった。

こうした幣原に対して、米は日本の国際協調外交を担ってきた幣原を評価していたことから、日本の自主的解決に期待した。スティムソン国務長官（Henry Stimson）は、幣原は軍部の強硬政策と果敢に戦っているに違いなく、彼の面子《めんつ》を潰《つぶ》すべきではないと配慮を示したのであった。

一方、英は自国に利益があれば日本の軍事行動を認めても構わなかった。満洲が発展し、日本が門戸開放を護るのであれば、英の貿易に利すると見ていた。そのため英米は幣原が連盟の介入を拒否すると、幣原の努力を妨げるべきでないとして、日中両国の直接交渉を見守ることにした。皮肉にも幣原外交の蓄積が満州事変に対する連盟の干渉を排したのであった。

幣原は、陸軍と連盟の双方とに折り合いの付く撤兵条件を模索し、中国公使を通じた交渉を行うなどしたが、関東軍が占領地を拡大するほど中国との交渉も撤兵の可能性も見込めなくなっていった。結局、幣原は連盟を頼らねば拡大を止めることができなくなっていく。

連盟が判断せねばならなかったことは、果たして満州事変とは日本政府自体が企図した計画であるのか、陸軍が外務省を無視して独断で実行したのか、いずれであるのかという点であった。もしも日本の国家的な計画であれば、連盟は国際的な信義を護るために制裁措置を採るべきであるが、そうではなく軍部の独断であるとするならば、連盟が日本政府に強く圧力をかけてしまうと、政府を窮地に立たせるばかりで却って軍部の力を増大させてしまう恐れがあった。事変当初にはそうした判断がつかなかったのである。

しかし、錦州への爆撃はもはやそうした段階の問題ではなかった。幣原は、満鉄から二五〇㎞も距離を隔てた錦州への爆撃は、自衛や権益保護からは必要性のない攻撃だった。幣原は、爆撃が関東軍の独断によるもので日本政府の意図ではないと弁明したが、スティムソンはそうした幣原にも不信感を持つようになっていった。

③満州事変による国際政治の変化とは何か

錦州爆撃は米国の心証を大きく悪化させたが、その上さらに日本軍が錦州を攻略しようとしているとの懸念が現れた。スティムソン国務長官から日本の外務省に問い合わせがあり、幣原は米の駐日大使と会談した。そして内閣も陸軍も錦州を攻撃する考えはないと回答すると、スティムソンは記者会見で幣原が錦州への進軍は行わないと明言したと発表した。

その報道が国内にも伝わると、幣原が軍機（軍事上の機密）を漏洩し、勝手に関東軍の作戦について外国に約束を与えたとして、陸軍や右翼勢力が統帥権干犯であると一斉に批難した（幣原の軍機漏洩事件）。幣原は極秘に伝えたつもりであったのが、米側がそれを暴露してしまったことで幣原は国内で一層窮地に立たされることになった。

スティムソンは取り繕《つくろ》おうと再度の記者発表によって日本を牽制してみたがむしろ事態は悪化した。連盟では中国代表の顧維鈞が錦州の中立化を提案し、日中交渉の可能性が出てきた矢先であったにも拘わらず、陸軍の抑制は極めて難しくなってしまった。陸軍では皇道派と呼ばれる急進的な派閥が陸相と参謀総長を批難し、参謀総長は更迭されることになった。政友会もこの機を捉えて倒閣に動き出し、若槻内閣は総辞職に追い込まれた。

既に斉斉哈爾を占領して黒竜江省に侵攻していた関東軍は、列国からの掣肘《せいちゅう》を受け付けないことをアピールする如く、朝鮮軍の一部とともに三二年一月三日に錦州を占領した。

錦州を占領して張学良の勢力を排除した日本軍に対し、スティムソンは一月七日に、「不戦条約に違反する一切の状態を認めず、また軍事力による領土の拡大・変更を認めない」とする通告・「不承認主義」（スティムソン・ドクトリン）を声明した。侵略による領土獲得には国際承認を与えないとする発表であり、とりわけ「九ヵ国条約」に違反して中国の現状を変更するような事態を認めないとした内容である。

米は幣原に任せる方針を転換し、国際的な干渉方針を採って、不戦条約を根拠とした国際世論を形成した。実際に英仏伊の各国からは、日本は自身の調印した条約を紙屑のように扱うのかとの強い抗議が寄せられた。

日本政府は「不承認主義」に同意を表明した。これを認めることで日本が現在行っている行動が侵略ではないとする表明であり、少なくとも日本は満州事変が侵略であるとは自己認識していないとのアピールであった。連盟は総会決議において、「不承認主義」を連盟規約と不戦条約とも関連付けて原則化した。そして、三三年一〇月には「不侵略と調停に関する不戦条約」を締結し、「不承認主義」を国際法上にも位置づけた。同条約が成立したことによって、これ以後は「不承認主義」に反する行為が全て違法行為とされ、日本においてもそうした解釈を評価する国際法学者などがあった。

不戦条約を軸とした世界的合意が米の主導によって形成されることは、連盟による拘束を避けてきた米が積極的に連盟と行動をともにするようになったことを意味している。つまり満州事変は米と連盟を接近させる機会となったのである。

連盟理事会は米を招請することを決定し、米はオブザーバーとして理事会に参加するようになった。連盟は米の協力なしに極東への影響力を及ぼすことはほとんど不可能だったからである。幣原ら日本外務省は米の参加を拒んだが、他国は一致して米の合流を歓迎し、不戦条約の履行を求める米の連盟参加が果たされた。米の参加を拒む日本と、多数決で押し切った理事会との間には相互不信が生まれた。外務省の一部では、理事会が米の参加を得るために日本の意向を無視したことは日本が連盟を脱退する正当な理由になり得ると、連盟脱退まで主張する声が上げられた。

連盟の理事会における不戦条約の審議は仏が主導して行い、不戦条約の調印国は外交問題を平和的手段によって解決すべき義務（条約第二条）を負っていることを確認した。日本はその自覚を促され、連盟規約の精神を守るよう求められた。しかし、こうした理事会での審議をよそに関東軍は日本が権益をもたない北満洲への拡大を続け、占領地を領土化するための画策を進めていた。

6 「満洲国」と世界秩序

①「満洲国」は国家なのか

日本国内で中国に対する世論が硬化すると、幣原は連盟への協調方針を変更し、中国の「傍若無人の態度」を非難するようになっていた。日本軍の撤兵を求める連盟理事会に対しては、満洲の治安が維持されるまで撤兵できないと抗弁した。

一方、満洲を占拠した関東軍は、満洲を中国から分離し、独立国家を建設することで傀儡化しようとした。満洲の領有は、九ヵ国条約での合意や戦争違法化の理念を破ることになるため、中国人の独立運動として偽装する策謀である。九ヵ国条約に違反しているからこその建国なのだが、満洲の中国人が民族自決を行使していると装うのであった。

その偽装のために、関東軍は清朝最後の皇帝・愛新覚羅《あいしんかくら》溥儀《ふぎ》を担ぎ出した。溥儀は、馮玉祥の「北京政変」で優待条件を奪われて追放された後、天津に隠棲していた。関東軍は奉天特務機関の土肥原を天津に派遣して、溥儀の協力を得ようとした。陸軍中央からは、皇帝を擁する国家の新設など時代錯誤との批判もあったが、現地の合意によって進められた。溥儀も当初は日本軍の計画を拒んだが、皇帝に復帰したいとの野心もあり、また満洲は清朝発祥の地であったことから、土肥原の説得に応じた。

土肥原は溥儀を満洲に連れ出すのと同時に、張学良を牽制しようと天津で暴動を起こした（「第一次天津事件」）。関東軍が反張学良を唱える現地勢力に武器を提供した。溥儀はこの混乱に乗じて天津を脱し、清王朝の祖先の地へ向かったのだった。

かくして「満洲国」は溥儀を執政《しっせい》とする独立国家として三二年三月一日に建国された。建国理念には「王道主義・民族協和・順天安民・門戸開放」が謳われた。門戸開放を入れたのは米と連盟への対処のつもりである。当初は孫文の中華民国を継承する姿勢をアピールしていたが、その実態は一元的政治体制を敷く日本の傀儡政権で、治安維持・国防は関東軍に委ねられた。鉄道・港湾など国家の命脈となる主要交通路は日本が掌握し、官吏の任命権も関東軍司令官が握っていたため日本人が登用された。後には政治機構自体が日本に類似する機構に改められていった。こうした満洲国は傀儡国家と言われるが、満洲国は国籍の制定がなく、国民がいなかった。国家の成立に必要な法的な国民の存在がないことは、満洲が国家としての要件を満たしていないことを意味している。

②満州事変で何が変わったのか

国際的非難を避けようとする幣原は、連盟に対し満洲への調査団の派遣を要請した。その意図とは、連盟の調査団に満洲や中国各地を視察させることで、中国では排日運動が激しく、また治安維持能力がないので、とても国際条約を適用させられるような国ではないのだと主張することが目的であった。つまり、幣原は中国の政治能力を国際社会に問い、そのレベルが低いと評することで日本への批判をかわそうとしたのである。中国には近代国家として対等な条約関係を結ぶ資質がないとの共通認識をつくろうとしての依頼であった。それは、軍部の暴走を止められず、もはや満洲事変以前の状況に戻すことができないとの判断と、同時に対中強硬論で盛り上がる国内世論への不安から選択された。国民の欲求を抑えつければ政権運営が困難との認識があったのである。

国際的合意を反故《ほご》にして中国侵略を敢行した満州事変は、国内外に実に様々な影響を与えた。まず国内における政治的影響としては、第二次若槻礼次郎内閣を倒壊させたことである。中国侵略は幣原外交との矛盾を意味したのであり、民政党の政権期を通して進められてきた軍縮の合意による国際協調は無視された。内閣を瓦解させた軍事行動は、国家改造を企図するクーデターの実行と同義と言える。

そして、民政党外交の国際的信頼が失墜したことで、日本外交が協調外交から離脱することになったことは、満州事変が政府の外交政策を強引に転換させたことを意味している。大正期より蓄積されつつあった協調外交は終焉したが、陸軍に接近した幣原は自らの手でワシントン体制を変質させたことにもなる。

さらにそれは、天皇からも満洲での戦果を賞賛する勅語が出されたことで追認された。何と言っても満州事変は、山海関から黒竜江に至る一一〇万平方キロメートル以上の領土をわずか四ヶ月の間に獲得した軍事行動であった。実に日本の国土の三倍の領土である。天皇は後の「独白録」において「満洲は田舎であるから事件が起つても大したことはないが、天津北京で起ると必ず英米の干渉が非道くなり彼我衝突の処があると思ったから…」と回顧している。つまり、満洲は「田舎」であるので軍事行動を認めても構わないとの判断があった。独断専行は多大な戦果によって黙認されたのである。

また満州事変は、政党政治を打倒しようとする軍部や民間の右翼勢力を活気づけた点において社会的影響も与えた。ネガティブ・キャンペーンによって政党政治に不信感を抱いた国民にとって、革新的な解決を担い得るのは軍部なのではないかとの期待が一層かけられた。

そして最大の影響は、満州事変以前には鉄道保護を理由としてしか中国領に存在できなかった関東軍がその制約から解放され、兵数・活動範囲を増大させたことである。満鉄の守備を根拠に駐屯していた関東軍には、一万人強を兵数の上限とする規定があった（鉄道一㎞につき一五名まで。満鉄の全長は七〇〇㎞）。その規定は満洲国の成立によって霧散した。限定解除を得た関東軍は膨張し、日中戦争の開始時には八個師団にまで拡大される。また、関東軍司令官が現地の民政を統括する関東庁長官をも兼任するようになり、満洲国に赴任する全権大使としての権限までも得るようになった。鉄道守備隊が植民地帝国の管轄組織となったのである。

さらにまた、不戦条約における自衛権の拡大解釈を創り出したことは国際的にも極めて重大な影響を与えることになる。陸軍は事変を自衛の措置として正当化した。以後の軍部は満州事変という既成事実をもって自衛権・自己保存を再解釈するようになるが、それは国内への影響に留まらなかった。

関東軍にとって満洲に対する日本の優位的立場を認めないワシントン体制は、何らの保障を与えるものではないと思われた。満洲を除外するならその枠組みに価値はなく、そのため幣原外交ごと否定して構わなかった。特にソ軍の増強を脅威とする立場からは、協調外交では利益を守れないと主張された。満州事変はそうした英米主導の枠組みを覆そうとした新世代将校による世界秩序への挑戦だったのである。

第6章
孤立の反映する世界
—決裂の連鎖

世界恐慌に対してどのような対策をとるかによって各国の進路は分岐した。それは国際連盟を基軸にした秩序から離反する動きも招いたが、しかし、経済的な相互依存関係の拡大した世界で孤立することが何を意味することであったのか、それに自覚的な国家はほぼなかったであろう。大戦から燻《くすぶ》る問題を俄《にわか》に再燃させながら、国際秩序の再編成が求められていく。

１　孤立していく日本

①中国から見た満州事変

満州事変後の九月二七日、蒋介石は国際連盟に日本を侵略国として提訴した。日本の軍事行動に対して連盟による解決を期待したのである。何より、日本軍の行動は「九ヶ国条約」にも、「不戦条約」にも違反する行為であり、列強が許容する範囲を逸脱していると考えた。そのため、蒋は日本との直接交渉は避け、連盟の介入を待った。張学良にも日本と交渉せぬように指示した。これに対して幣原外相は中国との直接交渉を求めた。欧米の介入を排して満州事変を処理したい意向であった。

中国で連盟外交を担ってきた顧維鈞（外交部長）は、直接交渉を求める日本に配慮して、錦州を連盟の監視下において中立化する妥協案を提示した。顧維鈞はワシントン会議で幣原の外交姿勢を見ていたため、幣原との交渉に望みをもっていた。ところが幣原は妥協案を受け容れず、錦州から張学良政権を撤退させるよう求めた。それは張学良には屈辱的であり、また日本軍の撤兵を求めていた蔣介石にも容認できない条件であった。この直後に起きたのが幣原の機密漏洩事件であるが、幣原は傀儡政権をつくろうとする陸軍に歩み寄るようになっており、一二月の内閣瓦解に至るより前に幣原外交は修正されていた。そして対中政策は陸軍が主導するようになる。

中国では、三一年五月に汪兆銘が広東に「臨時国民政府」（反蔣派政権）を樹立し、これによって統一中国はまたも分裂したのだが、満州事変が起きたことで、蔣介石が国内一致の必要から広東側に和解を申し入れた。その結果、蔣介石が下野することで広東側も独立を取りやめ、新たな統一政府を立ち上げることに決定した。この合同政府の代表になったのは孫文の長男・孫科で、三二年一月には首相に就任した。

ところが孫科政権は一ヶ月と存続できなかった。これには蔣介石派の影響力が根強かったことも原因であったが、何より問題だったのは国際社会の承認をほとんど得られなかったことである。孫文の国共合作を継承しようとした孫科は、日本への対決姿勢を強く打ち出し、宣戦布告すらし兼ねない様子であった。日本側も、上海を中心に大規模な抗日デモが発生したことから、中国政府がデモの責任をとらなければ軍事行動に出る姿勢を見せた。戦端が開かれれば、日本軍が上海や主要な港を封鎖する可能性が大きく、英米の中国貿易は断絶されることになる。スティムソンは、連盟を頼りにしながら日本との戦争を回避しようとする蔣介石の方針が最も望ましいと判断しており、そのため孫科を支持しなかった。米英から反対され、日本の反対も受けた孫科は辞意を表明した。

後任には汪兆銘が指名され、蒋介石も軍事指導者として復権した。汪兆銘は蒋と並ぶ孫文の後継者で、蒋が軍事的な後継者であったのに対し、汪は政治的な後継者であった。かくして国民政府には汪・蒋体制が築かれ、連盟に依拠した解決方針が立てられた。

②「上海事変」

日本では三一年一二月に犬養毅による政友会の内閣が組閣された。犬養は護憲三派の一角を担った革新倶楽部の党首であったが、自己の看板政策であった「産業立国」（多くの国内企業を興そうとする政策）の実施を条件に政友会と合同し、田中の後に総裁となった（田中内閣期の政友会が「産業立国」を掲げていたのは犬養の主張に基づくもの）。政友会が政権を握ったのは「憲政の常道」に基づく選定の結果である。

犬養は陸軍の動向を背景に荒木貞夫を陸相にした。「十月事件」で担がれた人物である。また参謀総長の閑院宮載仁《かんいんのみやことひと》親王の下で、実質的に参謀本部の実権を握ることになる参謀次長にも荒木と立場の近しい真《ま》崎甚三郎《さきじんざぶろう》が就いた（彼らの人脈・「皇道派」については175頁に後述する）。

既述の通り、政友会にはもともと満洲を日本の影響下に置く考えがあった。事変前の三一年一月時点でも、松岡洋右が「満蒙は我国の生命線」であるとして、満鉄経営を中心に権益を拡張しない限り日本の前途はないと、国民の関心を訴えかけていた。しかし、松岡がこのように述べたのは幣原外交が国民の無関心を引き起こしたのだと批判することが目的で、経済開発こそ生命線だと述べたのであり、決して領土を奪取する意味ではなかった。そして犬養首相も満州事変が九ヵ国条約に違反する行為であるとの認識で、平和的処理を最大の課題とした。

「アジア主義」に共鳴して、かつては孫文らの革命運動を支援した犬養は、中国の要人らに知られた人物で、中国での信用を得ていた。そのため、犬養内閣の下で政友会の方針は、国民党政権を承認した上で「産業立国」を図ることであった。

孫科政権が成立すると、犬養は組閣直後に中国に側近を派遣して交渉した。そして、満洲に国民政府が主導する自治政権を設置することで合意した。中国側に排日行為の禁止を求め、日中協同で満洲を開発しようとの内容で、但し張学良を排斥することを条件にした。これは、満洲に対する中国の主権を前提に、日本の満洲権益も認める新政権を誕生させるとした案で、国民政府側との合意が可能なラインであった。

しかしこの案は政府内の反対に遭遇した。陸軍は国民政府を満洲に進出させることになるとして強く反対し、閣内においても内閣書記官長（現在の官房副長官クラスに相当）に就任した森恪が強硬方針を主張した。そして孫科政権も直ぐに崩壊したわけである。復権した蒋介石は連盟への提訴による解決を企図し、犬養内閣との直接交渉を避けた。

国内では一月八日に議会へ向かう途上の天皇の車列に爆弾が投げられる暗殺未遂事件（「桜田門事件」）が起きた。朝鮮の独立運動家によって起こされたテロであったが、荒木陸相は「虎ノ門事件」の先例に倣い、内閣はその責任をとって総辞職すべきと強く主張した。しかし、天皇が犬養を信任していたことから内閣は事件を処理して乗り切った。そして、その同日に天皇は関東軍に対して、満洲事変の一連の軍事行動が「自衛の必要上」行われたもので、今後も「隠忍自重」せよとの勅語を下賜した。それは現地軍のこれ以上の暴発を抑制しようとの戒めを含んだが、同時に満州事変が正当な行動であったことを認めたことも意味した。この勅語は、錦州占領を区切りとして現地の暴走を止めようとする参謀本部の永田鉄山（軍事課長）の発案によるものとされる。

しかし、現地の日本軍はさらなる謀略を重ねて領土の拡大を図っていった。一月二八日には、上海で日本人の僧侶が殺害されたのを理由として、海軍陸戦隊が中国軍と武力衝突を起こした。「上海事変」（一・

二八事変）である。

傀儡国家の建設問題から国際社会の目をそらすことを目的に陸軍がしかけた謀略で、僧侶殺害も日本側の手によるものであった。海軍の陸戦隊は居留民保護を目的に出動したものの、中国軍から予想以上に激しい抵抗に合い、居留民は却って危険に晒された。

犬養内閣は派兵をめぐって閣議を紛糾させたが、中国公使の重光葵《しげみつまもる》からも陸軍の派遣が求められたため、二月に一万二千人の増派を決定した。海軍も大艦隊を投入し、中国軍を上海から追い出した。

満州事変が処理できていない最中に上海で衝突が起こったことから、連盟理事会は上海事変の停戦にも対処せねばならなくなった。天皇が「独白録」において、上海での事件は必ず英米の干渉を招くと述べていたが、事実各国から満州事変に対する以上の非難が噴出した。理事国は一致して日本の行動が連盟規約（第十条）を無視した行為であり、各国は米の「不承認主義」を支持するとの警告を発した。日本は規約の違反者として孤立した。

しかし、その間にも満洲では建国が進められ、翌三二年の三月一日に満洲国を成立させたのである。連盟に要請した調査団（リットン調査団）が満洲に入るより前に独立の既成事実を得ようとの実施であった。

「上海事変」の処理については、国際的な批判の中で、日本側から諸国に停戦の斡旋を自ら依頼することで解決を図った。重光公使らが国際的な協力を得ようと奔走した結果、五月には停戦協定が成立した。停戦交渉成立の直前の四月二九日は天皇の生誕を祝う天長節の式典が上海でも行われたが、その式場で朝鮮の独立運動家による爆弾テロが起きた。列席した重光公使は片脚を失う重傷を負い、野村吉三郎（海軍大将・艦隊司令官）は片目を失明した。最も重傷だった陸軍の上海派遣軍司令官（白川義則）は翌月死亡した。

上海事変の戦争美談「肉弾三勇士」

上海事変の戦闘で、郊外の廟行鎮《びょうこうちん》に築かれた中国軍の陣地へ突入するため、鉄条網を破壊しようと、三人の兵士が竹筒に爆薬を装填して突入した。三人は自らも爆発によって死亡したが、鉄条網の破壊に成功した。荒木貞夫陸相は命と引き換えに作戦を成功させた「爆弾三勇士」と命名して賞賛し、一部の新聞では「肉弾三勇士」の名で報道された。美談として宣伝されると、歌や映画になった他、小学校の運動会の種目に筒を持って走る競技となったり、グリコのおまけとして文鎮になるなどした。実は、三人の死亡は事故によるもので「特攻」のような作戦ではなかったようなのだが、上海事変では大きな戦果を得られなかったことから、それを粉飾するためになおさら英雄に祭り上げられたのであった。

③世界恐慌から最短で脱出した日本―「高橋財政」

犬養内閣は、前内閣の金解禁によって下落した物価と、窮乏した農村の問題解決のため、赤字公債発行による膨張財政と金輸出再禁止を決定した。三二年二月には解散総選挙に打って出て、この経済対策を公約に総選挙で大勝した。

選挙で民政党が不人気になったのは、幣原外交が弱腰だと批判されていたことに見る通り、国民が満洲での軍事的成果を歓迎していたことも背景となった。だが、犬養は決して満洲国を国家として承認しようとはしなかった。

犬養内閣の高橋是清蔵相は、金解禁以来の不況から脱出しようと新たな財政政策を打ち出した。かつて日露戦争の際に外債の募集に奔走したのがこの高橋である。高橋は軍事費を抑制しつつも前内閣のデフレ政策を否定して財政を拡大した。大幅な円安による輸出の増加と、赤字になっても国債を発行してそれを日本銀行に引き受けさせることで財政拡大のための資金を確保した。この「高橋財政」の展開で徐々に生産力を回復させ、日本は他国に先駆けて世界恐慌から最短で脱出した。

しかし、犬養内閣が満洲国を認めず、軍部を抑制しようとする姿勢は、強硬外交の展開に期待する勢力の反感を買い、却って軍部や民間の一部の反動的な活動を呼び起こした。テロの横行する風潮が表れるのである。

テロの先駆けとなったのは、三二年二月九日と三月五日のそれぞれに起こされた「血盟団事件」である。政治家や財界の要人を殺害することで天皇中心主義の国家に改造しようとする右翼結社・血盟団が「一人一殺」をスローガンに実行した。右翼思想家で日蓮主義者の井上日召《にっしょう》が中心となり、海軍青年将校や右翼青年がこれを支持したものであったが、当初の動機はロンドン海軍軍縮条約を締結した際の首席全権であった若槻礼次郎の内閣を打倒することであった。「統帥権干犯」への批判である。しかし、殺害を実行するより前に若槻内閣が倒閣したため、血盟団は若槻前首相を含めた政界・財界の要人を殺害対象として凶行に及んだ。

はじめの標的は井上準之助であった。浜口・若槻内閣で蔵相を務めた井上が緊縮財政を指導したことで日本が世界恐慌に巻き込まれたとの理由から、選挙演説に向かう井上を殺害した。そして翌月、三井財閥の総帥・団琢磨《だんたくま》が殺害された。団の殺害は、リットン調査団が東京に到着した直後のことで、凶行は調査団に政情不安を印象づけた。血盟団の首謀者らは警察に出頭・逮捕されるが、公判では「学生の就職難」が動機であると自供している。事件は財界人たちの恐怖感を煽り、財閥を右傾化させていく「財閥の転向」に影響を与えた。

そして、血盟団事件はさらに大きなテロを惹起した。海軍将校らが犬養首相を暗殺した「五・一五事件」である。血盟団事件の計画には海軍将校らも関わっていたが、その中心的人物は上海事変で動員され、戦死した。「五・一五事件」は、残された将校らがその遺志を継ごうとして血盟団事件に続いて起こしたものであった。

首相官邸を襲撃した海軍将校らは、犬養を殺害した罪で裁判にかけられたが、凶行が政治腐敗を動機とした行動であったとして、彼らに対する助命運動が起きた。その結果、裁判での罪が軽くなり、それがさらなるテロを容認することになる。これら一連のテロ事件は、軍部の意向を無視できない環境を生み出し、軍部独裁を決定づけていった。

「五・一五事件」によって後継首相の選定は困難なものとなった。元老の西園寺は異例的に首相経験者らにも意見を求めて候補者を挙げた。候補者は幾人か考えられたのだが、軍部が反対する政党政治は諦めざるを得ず、海軍出身で国際協調に理解のある斎藤実《さいとうまこと》を選定した。政党政治は潰《つい》えた。

成立した斉藤内閣は、日本の国際的孤立を挽回するために協調外交を目指した。但し、犬養殺害の前例から満洲国の承認は不可避とされ、満洲国の存在を前提としながら中国との関係改善を行わねばならなかった。そのため満洲国を正式な独立国家として承認する「日満議定書」が三二年九月一五日に締結された。

2　国際連盟からの脱退

リットン調査団は、三一年一二月一〇日に連盟理事会によって派遣が決定され、調査団派遣は満州事変が自衛行動であったことをアピールするために幣原が提案したのであった。イギリス枢密顧問官リットン卿を長として英・米・独・仏・伊の五カ国から構成されたリットン調査団が組織され、三二年二月末日に来日した。そして、その翌日の三月一日に「満洲国」の建国式が行われた。

①リットン調査団は日本をどう評価したか

連盟の調査団に中国の実情を見せることで、中国を国際的なルールの外に置こうとした幣原の方針は、その後の政府でも継承された。中国が条約を履行する国ではないとの評価をさせようと、日本は調査団に中国全土の調査を行うよう求めた。東京に到着したリットン調査団は陸軍関係者への聞き取り調査を行うなどした後、さらに日本各地を視察して満洲に向かった。

「満洲国」は、清朝の復興に望みをかける「復辟派」や、張作霖時代から独立的自治を企図していた「文治派」などと言われた中国人らと、生活の安定向上に期待を寄せる日本人らが混在した〝新国家〟であった。独立建国案に反対していた犬養内閣は、あまり早期の内に独立を承認することがないように閣議で定めており、またリットン調査団が来日していたことからも、傀儡状態であることを隠すために日本人官吏の登用が避けられていた。

「日満議定書」が締結された翌月、調査団の報告書が連盟に提出された。満州事変の計画性や謀略の性格が説明され、満洲国の傀儡性も指摘された。その上で、満洲は事変以前への状況へ回帰することも、満洲国を承認することも問題の改善にはならず、満洲に対する中国の主権を前提に連盟が派遣する顧問の指導を得て自治政府を運営することが望ましいと意見した。満洲から全ての軍隊を撤退させた上での中立化案である。

調査団の中では仏の代表のクローデル陸軍中将が日本に同情的ではあったが、基本的には日本の軍事行動に責任が求められ、日本に対する国際的な批難が起きた。但し、リットン報告書は、日本が満洲に特殊権益を持つべきことも認めており、また中国の排日運動が日本の権益を侵害していることも指摘した。そのため張学良政権の復帰も否定した新たな自治政府を提案したのである。

そもそも調査団が東京から視察を開始したのは、日本への配慮からであった。欧州からシベリア鉄道を利用して満洲に入る方がはるかに便利で早いにも拘わらず、調査団は米国経由で太平洋航路を経て東京に到着した。それは、中国から調査を開始すると中国に有利に調査していると日本に思わせるのではないかと懸念したためであり、さらに中国が満洲に限定した調査を希望していたのを、中国全土に広げたのも日本の希望を容れてのことであった。日本の外務省は経済制裁の発動を恐れていたが、満州事変に対する調査はかくも日本への配慮を含んでいた。そして、とりわけ英が日本に配慮したのは、ソ連の脅威があったためであった。

②なぜ連盟から脱退したのか—「熱河作戦」

連盟がリットン調査団の報告書を審議している間にも、日本軍は次なる作戦を展開した。満洲に接する熱河省への侵攻作戦である。熱河省は山間地を含む要衝で、張学良軍の勢力下にあった。三三年一月に関東軍は熱河平定作戦を企図し、翌二月に閣議を経ずして天皇に上奏した。熱河は満洲国の一部であり、その平定は満洲の安定に不可欠であるとして裁可を求めた。天皇は作戦が閣議の同意を得たものと思い、万里の長城を越えて南下しないことを条件に裁可した。日本軍は三月二四日までに熱河を平定するのだが、この熱河作戦こそが連盟を脱退する理由であった。

連盟では既に理事会がリットン報告書案を審議していたが、連盟規約では理事会の審議中に軍事行動を起こすことを禁じており、熱河作戦によって経済制裁が実施される可能性があったのである。熱河作戦は既に天皇の裁可を得たことから、政府はこれを止めることができないので、連盟を脱退して加盟国でなくなることで、その規定から逃れようとしたのであった。

二月二四日の連盟総会でリットン報告書案が決議されたが、投票では、賛成四二票、反対一票（日本）、棄権一票（シャム）となった。連盟には「全会一致」の原則があるが、紛争当事国は除外するという規定から日本の反対票は加算されず、可決が宣言された。南米諸国を主として一二ヵ国の欠席があり、中国情勢の判断を保留したシャムも棄権しているが（日本側がシャムの外相へ棄権するようたびたび要請していた）、事実上の戦争状態をつくり出した日本の暴挙を抑え込むことが優先された採決だった。これに対して、日本の全権として議場に列席した松岡洋右は採決を受け容れられないとして、リットン報告書に対する抗議の後、議場より退席した。国際的合意への違反に対する責任から逃れるために、連盟自体から脱退することを選択したのである。

この結果、日本は連盟の脱退を通告し（実際に脱退するのは通告から二年後となる）、天皇の「国際連盟脱退の詔書」を渙発した。脱退通告に至るまで、外務省は連盟規約による制裁を避けようと、満州での行動が適法であるとの弁明を繰り返していたが、もはや連盟による秩序に抗う道へ進む他なくなった。脱退の選択は、外交官らにとっても国際秩序へ挑戦する道を選んだことを意味した。

脱退の後、関東軍は長城線を越えて河北省へと南下した。長城線の南に広がる華北地帯に「第二の満洲」をつくり出そうとの画策が萌芽していた。天皇からの言い付けを破っての行動である。天皇は作戦上奏が閣議の同意を得ていなかったことを後から知り、その許可を取り消そうとした。しかし、側近らが一度出した命令を取り消すことは、詔勅の威信を失墜させると反対したために諦めたのであった。その上に長城線まで越えた軍に対して天皇は憤慨したが、中国側から停戦の申し入れがあると、これを追認した。

蒋介石側は国内の統一を優先して日本との停戦を選択した。華北地域には国民政府の影響力が未だ及んでおらず、半独立状態だったため、日本の南下は阻止したかった。それにより、満州事変以来続いてきた交戦の停止を定める「塘沽《タンクー》停戦協定」が結ばれる。

③「ブロック経済」とは何か―第二次大戦に至る経済的要因

「高橋財政」が行った円安による輸出の増進は、一方で英の海外市場に脅威を与え、英との貿易摩擦を起こした。それは日本がインドや南米・中近東・アフリカなど新市場への輸出攻勢をかけたためであるが、日本の攻勢を支えていたのは、連盟が世界貿易に均等の機会を保障していたためであった。そのため連盟脱退は日本に景気の悪化ももたらした。

英の世界恐慌に対する対策は、植民地を含めた英連邦の内側だけで経済を回そうとする「ブロック経済」（英ポンドブロック）であった。恐慌の波及を嫌った英は金の国際取引を停止し、三二年夏に英連邦のみでの自給自足を企図した（オタワ協定）。その上で自由貿易を放棄して、外国との為替（通貨取引）を行わないことで恐慌から逃れようとしたのである（実際のブロックには米との関係を重視したカナダは参加せず、英連邦以外の国でも英との経済が密接な国は参加した）。

英連邦が国際市場から離脱したことで各国の貿易収支は悪化した。日本の場合には満州事変の影響から中国への輸出が低下していたところだったので、英のブロックにより一層悪化し、さらに連盟を脱退したことから世界的な貿易規制を受けることになった。しかし日本では、こうした危機ももはや満洲国の発展で解決する他に展望はなかった。

満洲の運営は当初は満鉄によって担われた。満州事変時の在満邦人は半数が満鉄関係者であったこともあり、陸軍が満洲国の経営計画作成を満鉄に依頼したのであった。計画立案のため、十河信二《そごうしんじ》を委員長とする「満鉄経済調査会」が組織され、満洲資源を活用する内地一体の経済ブロックを創出することが立案された。その計画は、「満州経済建設綱要」として成案され、資本家を排除し国家統制による重工業化を進めるとした案になった。満洲の活用によって日本の産業構造の転換を図ろうとの内容である。

後の三七年四月に採用される「満州産業開発五ヵ年計画」では、巨額投資によるエネルギー資源と鉄鋼資源の増産を目指した。それまでには、満洲国の経営は満鉄の手を離れ、満洲国官吏となった日本の官僚や関東軍が主導する傾向が出てきたが、同計画では関東軍・政府・満鉄の協同一致の必要が訴えられていた。満洲での一業一社の分離傾向を改め、「満州重工業開発株式会社」を創設することで関係企業の合同が図られた。これにより兵器・機械工業・自動車部門が統括的に拡大していく。

計画では、満洲の資源を開発して自給自足を図ると同時に、日本への資源の供給も行おうとした。従来の兵器産業の三〜五倍の増産を目標にしており、それは対ソ戦への軍需的な備えでもあった。後の日中戦争の開始により軍需物資が大量動員されると、この産業計画は目標数値を達成できなくなり頓挫することになるのだが、こうした政策は国際収支悪化への対応として考えられたもので、英のブロックが連鎖したものであった。各国が「自給自足圏」をつくろうとブロックを形成することになり、そのブロック間で摩擦を起こしていくのである。

３　ナチス・ドイツ—「全体主義」の登場

英のブロック政策は世界恐慌から単独で脱しようとの措置であるが、それは各国のブロック化を促したため世界貿易は七割も減少した。そのために欧米や日本で数千万人の失業者が出た。独では失業者が三割にも達したが、それでも賠償金の支払いが続くことに不満が募った。独は、英のブロック政策は資源や産業の豊かな国だけが生き残ろうとするもので、資源の無い「持たざる国」は勢力圏を築かねば生存できないと主張し始めた。

世界は「持てる国」と「持たざる国」に分立し、双方がブロック化を図るようになる。そして、それぞれのブロックが世界恐慌の圏外であったソ連とはともに距離をとりながらも対立していくのである。

①なにが独裁者を生んだのか

後に独裁者となるヒトラーは第一次大戦に兵卒として参戦した。墺に生まれて画家を目指していたヒトラーは、美大への入学が叶わず挫折したが、大戦に参戦すると熱心に軍務に服した。独は連合軍の海上封鎖により食糧が尽き、米軍が持ち込んだインフルエンザで三〇万人の死者が出た。戦争末期には国内でストが発生し、独軍は離脱・反乱を続出させた。敗戦すると同盟国の墺からチェコが独立し、墺帝国は崩壊した。毒ガスで負傷して野戦病院にいたヒトラーは戦場への復帰に意気込んでいたが、その前に敗戦した。ヒトラーの不遇な青年期を非日常性によって解消していた戦争は終わってしまった。戦後の独の社会には、独軍は戦場では負けてはおらず、内部の裏切り者によって帝国が崩壊したのだとする陰謀論が一部に広まった。敗戦間際には、ロシア革命の影響もあって労働者運動や反戦主義活動が起きていたので、独帝国はそのために崩壊したのであり、本来は勝てたはずだったとの言説である。ヒトラーはこれを信じるようになった。

政治活動を始めた後も、ヒトラーは独が最後まで戦い抜こうとしなかったことに敗戦の原因があると語った。そしてそれらの責任は、非キリスト教徒としてのユダヤ人と、共産主義者に向けられた。

ワイマール共和国政府が受諾した講和条約は強制執行であったため、独側には交渉の機会自体が与えられなかった。独は海外領土・植民地を没収され、国土の一部も喪失した。特に内陸のポーランドに海への接続を認めようと、独領の一部が与えられたため、独領の東プロイセン地域はこの「ポーランド回廊」を隔てて分断されてしまった。他にも連盟の管理下に置かれることで施政権を失った都市や、連合軍に占領された地域もあった。徴兵制は禁止され、参謀本部が廃止となり、最低限度の兵力しか保持できないことになった。

前例のない厳しい講和条件に対して独の社会では戸惑いが見られた。条約調印を拒否すべきとの声もあがった。条約が締結されてからは、国民の不満はそれを受諾した政府に向けられつつあった。そうした中で、いつの世でもしばしば不公平な地位に置かれた社会的弱者や貧弱が、不満のために、あるいは嘲笑的に社会の崩壊的な混沌を求めることがあるようにヒトラーも変革を求めた。何より自身が不遇な一人だったからである。

ヒトラーが政治活動を開始したのはドイツ労働者党においてであったが、この党を結成したのはヒトラーではない。またユダヤ人とマルクス主義者を排斥すべきとの主張や、ドイツ民族復興という理念にしてもヒトラーが登場する以前からあった。特に世界経済を陰で牛耳っているとした「ユダヤ陰謀論」は欧州全体に流布しつつあった。従って、ヒトラーの所業とはユダヤの陰謀論を考え出したことではなく、それまでは宗教問題として認識されていたユダヤ問題を民族問題に置き換えたことである。

そして唯一の武器とする巧みな演説によって聴衆を惹きつけた。その演説はその日の聴衆に合わせてテーマを変えたが、結論はいつも決まってユダヤと共産主義の陰謀に求められた。独に巣食うユダヤ人は国民道徳を腐敗させ、民族的結束を破壊するためにマルクス主義を世界に広めており、戦争の陰で利益を得ながら、陰謀的な革命によって自ら敗戦に導いたのだと吹聴《ふいちょう》した。ワイマール共和国はユダ

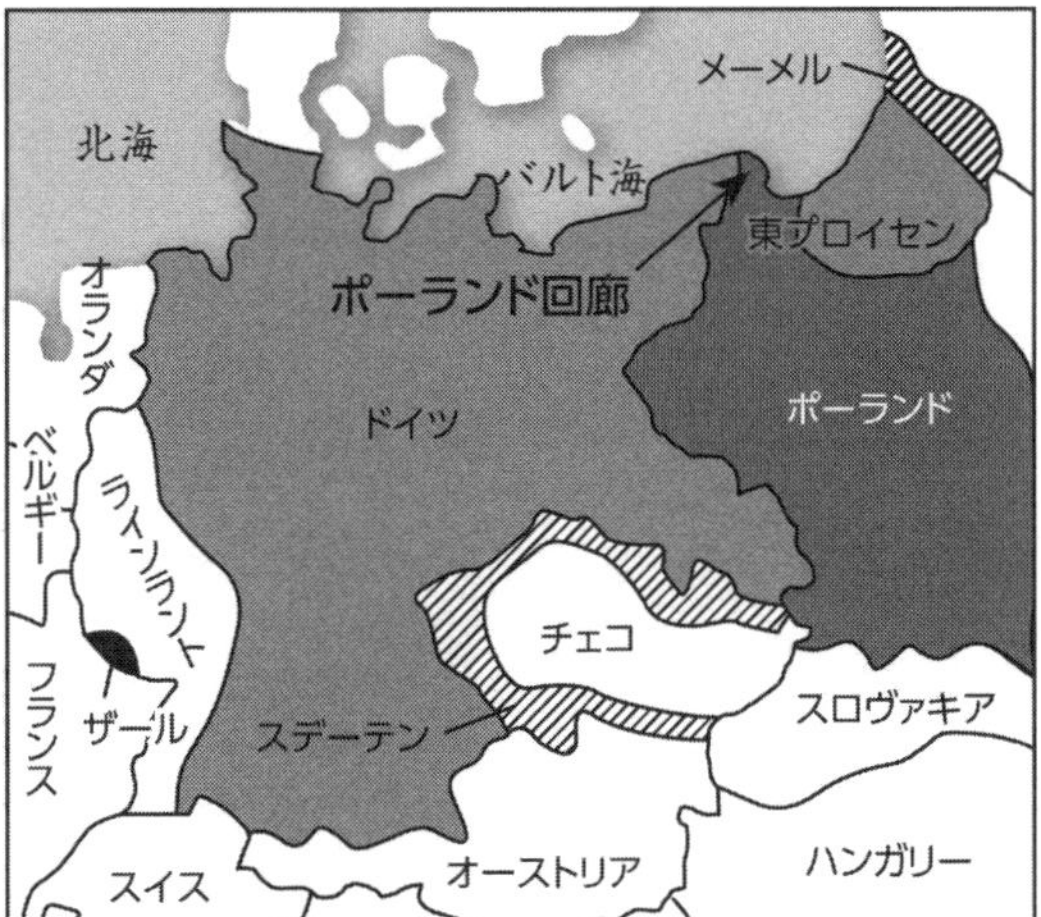

ドイツ領と「ポーランド回廊」

ヤ人の楽園として造られた国であり、独を賠償金で苦しめる国際資本もユダヤ人の所産であると訴えた。不満をすくい上げるヒトラーの演説は各地で人気を博した。

②「国民社会主義」とは何か―独伊のファシズム

ヒトラーは軍の支援を受けて政治活動を開始した。党の一員に過ぎなかったヒトラーは人気を盾に党の実権を握るようになると、党名を「国民社会主義ドイツ労働者党」に改名させた。

ヒトラーの掲げた「国民社会主義」とは、資本主義の矛盾を改善するとした点で社会主義に似通って見える部分があるが、労働者による革命を否定する点では全く異なる主義である。ヒトラーは民族愛を語ったが、その中では、民族が誇りを持つために民族全体が繁栄せねばならず、社会全体のあらゆる向上を目指す。「だから自分は社会主義者でもあるのだ」と述べていた。ヒトラーは民族主義と社会主義が同義であるように語り、党名も労働者党としたのであったが、「国民社会主義」が目指すのは政府が社会全体を完全統制する「全体主義」であった。それは「社会主義」を装うことで労働者の支持を得ようとしたに過ぎず、実態は全く反社会主義的な政党で、むしろ正反対の政策を目指した（ナチの党名を「国家社会主義」とすることがあるが厳密には国民と訳すべきと指摘されている。以下では総称として単にナチと表記する）。

それまでのナチ党は多数決を方針にしていたが、民主制や共和制とはかけ離れた政党へと変貌していく。国会にも反対する反議会主義を掲げ、街頭での演説集会によって支持を得ていった。その集会を保護し、かつ他の勢力を弾圧するための「突撃隊」（ＳＡ）も組織した。

軍事教練を受けたナチ突撃隊は、伊のファシスト党を模倣した部隊であった。ファシスト党は民兵組織を基にした政党で、指導者のムッソリーニ（Benito Mussolini）は古代ローマ時代の偉大な祖国を情緒的に語り、保守層や反社会主義者の支持を集めた。伊は大戦の戦勝国であったにも拘わらず、さしたる領土も獲得できなかったことに不満をもっていた。四万人にまで拡大した党は、強力な政府の再建を求めてローマに進軍し、国王に改革を訴えた。事態を憂慮した国王は、ムッソリーニ以外にこれを統制できる者がいないと判断して、ファシスト党の組閣を認めた（語源のファッショは人を「束ねる」意で、「全体主義」を指す）。

政権をとったムッソリーニは選挙法を改正することで独裁体制を整えていった。党の暴力を背景に一党体制を敷き、戦争あっての平和であると主張して軍事独裁を行った。そして、ヒトラーがこれを模倣したのであった。また、ファシズム政権の成立を見たソのスターリンは世界革命を諦め「一国社会主義」政策を提唱した。

伊の政治状況は暴力による統制が有効であるとの認識をもたせ、ナチと軍との連携を強固にしていった。ヒトラーは独国内での保守層が多いバイエルン州で活動したが、次第には「バイエルンの王」と呼ばれるまでに人気を博し、ファシスト党のような武力革命による政権獲得を企図し始めた。

第四章1に見た通り、ヒトラーは二三年にシュトレーゼマン政府に対するクーデターを起こしていた。独の国民の多くが経済破綻への不満を募らせ、政府の信頼が失われつつあったことを背景に、当時五万人の党員を得ていたナチ党が蜂起したのであった（ミュンヘン一揆）。このクーデターには十分な計画がなく、他の保守派との結束もないまま決行されたため、警察隊との武力衝突に勝てなかった。ヒトラーも銃撃戦で負傷し、逮捕された。収監されたヒトラーが獄中で記したのが、プロパガンダの著作『我が闘争』である（同著は口述筆記によるとされていたが、近年にヒトラー自身が執筆したことが分かった）。自叙伝でもある同著の中では落ちこぼれた不遇な青年時代は改竄《かいざん》され、カリスマ指導者像が描かれている。独民族が他の民族より優れており、世界を支配できるとの誇大妄想と反ユダヤが語られた。後にこれがナチの聖典となる。

③なぜヒトラーは支持されたのか―独裁者とサイレント・マジョリティー

刑期を終えて出獄したヒトラーは、選挙による合法的な活動方針を目指すようになった。服役中の選挙でナチの後継勢力が伸張した様子を見たためであった。ナチ党の活動は禁止されていたので、まずはその再建からせねばならなかったが、二八年には国政選挙に初挑戦した。ヒトラーの党は一二議席しか獲得できなかった。政権は、ワイマール政府系の政党による連立によって担われた（ミュラー政府）。それが、わずか二年後の選挙ではナチ党は第二位に躍進することになる。

その変化のきっかけは、二九年に米との間で合意した賠償金の支払い軽減案（「ヤング案」／113頁）であった。それは支払いに窮した独への救済措置として「ドーズ案」を修正したものであったが、以後の五九年間にもわたる支払いが義務づけられることになっており、その上に世界恐慌に襲われたため、賠償金そのものの支払いを拒否しようとの「国民請願運動」が起きたのである。そしてこの運動を主導した保守派政党の党首が、運動の旗手として指名したのがヒトラーであった。ヒトラーは多額の活動資金を援助され、ナチ党を再建するとともに、国際秩序に抗う保守派の代表者となった。

以後のナチは全国的な演説活動を開始し、戦略的に選挙戦を準備した。キリスト教の支持者が多い地域では宗教思想を否定するマルクス主義の批判を展開し、労働者の多い地域では資本家の批判を、農村では都市部の批判を展開した。また先の大戦の戦没者を追悼し、「勇敢で名誉ある殉死者」を顕彰することで傷痍軍人や遺族をナチ党の支持者にしていった。

ヒトラーは演説によって大衆の支持を集めたが、現実的な経済政策などを打ち出すのではなく、独が不当に圧迫されているとした世界を語り、またそれに打ち勝つ独の民族的使命といった虚構を語った。「敵」を創り出して国民の怒りを向けさせる情報操作が、弱小政党であったナチを国民政党へ拡大させる手法であった。

ムッソリーニの影響もあって、ヒトラーもまた古代ローマ帝国の繁栄を取り戻すとして、民族的な結束を訴えた。独民族の歴史には、産業革命以降の近代文化を凌駕する伝統文化の価値があると主張し、英が主導してきた近代の「文明」に対して「文化」を打ち出した。物質的な先進性に対する精神性の優位を説くのであった。そして、他国の領土であっても独人が居住している地域は全て統合されるべきとして、その領有を訴えた。「民族共同体」を打ち出すことで、既存の国家による欧州の秩序を否定したのである（近代の植民地競争に出遅れたかつての独帝国は、欧州大陸の中で領土拡張を図った。法の保護や人権を与えられないのが植民地であるが、海外に向けられた植民地的差別を欧州の内部で行ったのが独の拡張政策であり、その性格が影響している可能性がある）。

ヒトラーの虚構がやがて大衆に支持されるようになるのは、不況による生活苦が、同時に政治的無関心を引き起していたためでもあった。独はワイマール憲法によって議会制民主主義を採用したが、政治参加ができる権利を誰にでも無条件で与えると、却って無関心な大衆が発生した。

はじめから権利が与えられると、政治参加を得るための闘争は忘却され、有権者でいることの恩恵も感じられなくなった。自分が生活できていれば、政治を人任せにしても構わず、他者と共通の利害も見つからなくなるために政党や団体への参加も支持もしない層である。政治を他の誰かに任せてもいい意識とは、自分は政治に対して中立でいるつもりなのだが、実際には自分が何をすれば幸福なのかが理解できず、人生の方向性を見失っているのであった。従って、政治を人任せにすることは、謂わば自分の気に入る「何か」を誰かが用意するのを待っている「お客さん」の態度と言える。有権者でありながらその意味が理解できない大衆は、困窮すれば唯々不満を抱いた。

シュトレーゼマンの政権期には通貨改革によってインフレを収束させ、民主主義政党が政情を安定させていた。しかし、世界恐慌が起きて失業者が溢《あふ》れると、社会不安が再来した。工業生産は半減し、三〇〇万人が労働時間の短縮を強いられ、失業者は六〇〇万にも達した。こうした中に登場したのがヒトラーであり、誰にでも解る虚構の「世界観」と、大衆の「敵」を示した。展望の無い社会で力強く未来を語り、「何か」を待っている大衆に道を示して見せた。

ヒトラーは、近代文明が独に退廃と無力感を与え、文化を破壊したとして、独は秩序・名誉・忠誠・義務を取り戻さねばならず、民族の結束が必要であるとした。悪化する経済状況に絶望して自殺者が増加する社会の中で、何よりも力強く絶望を破壊した。ヒトラーが、ワイマール政府の体《てい》たらくのために不当な賠償が突きつけられ、失業者が増えたと言った時、政府は大衆が打倒すべき敵となった。恐慌と貧困は資本主義の欠陥とされ、ワイマール体制への信用は崩れた。つまり大衆にとっては、ヒトラーが自分たちの望むものを出してくれて、唯それに乗りさえすれば展望が開かれると思った。自身は待っているだけで黙って見ていればよかったし、または賛同するだけで正義の闘争に参加している気になれた。

ナチは政策ではなく、繁栄を取り戻すことが民族の使命だとする世界観を語る「世界観政党」として登場した。実際には、有効な対策など出せないが故に何ら具体的ではなく、根拠があるわけでもなかったが、大衆を苦しめる世界がどう動いているのか、その構造を示したように感じさせて魅了した。そしてその価値を唯一至高として、社会の全てを統制しようとする「全体主義」が形成され、暴力によって秩序を再編した。

④独裁はいかに誕生したか－「第三帝国」と「全権委任法」

ヒトラーは三二年三月に大統領選挙に出馬した。墺国生まれのヒトラーは出馬のために初めて独の国籍を取得した。結果は次点でヒンデンブルクに敗れたものの、その後の七月の国会議員選挙ではナチが第一党となった。そして翌三三年一月、ヒンデンブルク大統領はヒトラーを首相に任命した。ナチ党単独ではなく他の保守政党との連立ではあったが、ヒトラーを首班とする内閣が成立したのである。

ヒンデンブルクとは、かつてビスマルクの下で統一戦争を戦い、大戦では露軍への包囲殲滅戦を成功させた老将軍で、国民的英雄となっていた人物である。ヒンデンブルクは決してヒトラーを評価してはいなかったが、共産党が議席を伸ばしたことを危険視して、首相に指名した。労働者や労働組合が失業問題や生活苦を理由に共産党を支持するようになり、議会の一翼を担う政党となったためである。これに財界が危機感を示すようになり、財界からはヒトラーを首相にするよう請願書まで出された。そのためヒトラーの人気を取り込みながらも、ナチの独裁は抑制できるように連立政権とし、他の政党と横並びにすることで閣内においてナチを操作しようと考えた。ヒンデンブルクや保守派が望む強い独の復活を、ヒトラーの人気を借りて実現しようとしたのであった。

増大し続ける失業者を背景に、政権に就いたヒトラーは四年のうちに失業問題を解決すると宣言した。国会で一二％を占めるドイツ共産党の排除を狙い、集会と言論の自由を制限することで政府への反対意思の手段を封じようとした。ストやデモを起こす共産主義の弾圧は、ナチの支持者でない人々にも共有され得る目的であった。弾圧のために警察権力を掌握し、選挙干渉の準備をした。政党でありながら警察権までもつようになったことがナチの特異な点である。

そうして迎えた選挙の過程で、国会議事堂が放火されて焼失する事件が起きた。放火犯として逮捕されたのが蘭人の共産主義者であったことから、ヒトラーはこれを共産党の陰謀と断定し、共産党の党員約五千人を一斉に逮捕した。その上に緊急大統領令を布告させることで、反政府活動を予防するとの名目でワイマール憲法が定めていた基本的人権のほとんどを停止させた。これがナチによる人権侵害を法的に保障することになる。

三三年三月のこの選挙においてなおナチは単独過半数を占めることはできなかったが、右派勢力の全体では三分の二を占めた。独の各州の首長がナチ系に占められるようになり、ワイマール体制下の地方分権は否定された。ナチの党旗であるハーケンクロイツが国旗とともに掲げられるようになった。ヒトラーはナチ政権を独の史上における「第三帝国」と位置づけることで権威化し、精神的総動員を企図した（一九世紀までの神聖ローマ帝国を「第一帝国」、近代のドイツ帝国を「第二帝国」とする）。

ナチは政権獲得から数週間でワイマール憲法を無効化したのであるが、さらには政府に議会の全ての立法権を与える「全権委任法」を国会で承認させた。その承認を求める国会では、逮捕されていた共産党議員の欠席を「棄権」とし、他の政党を威圧・買収するなどして、改憲に必要な三分の二の賛成を確保した。これによってヒトラー政府は憲法を否定する法律さえもつくれる権限を得た。以後はナチの独裁において、弾圧や殺害までもが法や権利を超越する権限となった。

単独過半数をとったわけではなく、つまり有権者の半数強がナチには投票していなかったにも拘わらず、ナチ政権は一年半のうちに革命に匹敵する変革をなした。それでもやがてヒトラーは政権を維持できなくなると予測する者も多かったため、ナチに反対する勢力も、ナチへの抵抗が却ってその力を強め兼ねないとして様子見の態度をとった。しかし、議会を無視して内閣が法をつくれる「全権委任法」を認めたことは、政党や議会が自ら存在理由を放棄することだったのであり、ヒトラーの独裁を止める術は既になかった。社会はほどなくしてナチに同調するようになっていくが、それはむしろ独裁が成立したがためにナチへの支持が支配的意見になっていったのである。

二〇世紀最大の哲学者と言われたハイデガーまでもがナチに入党するようになり、ヒトラーはさらに新たな法律を次々と成立させていった。

⑤独裁はいかに継続できたか

独の国内では政治警察権をもったナチの親衛隊（ＳＳ）が創設された。突撃隊の数は三四年には二〇〇万人にもなっていた。組閣当初はナチの党員が二名のみであった内閣は、一年後には三分の二が党員の占める内閣になっていた。そして、三四年の八月二日にヒンデンブルクが死去すると、その前日に定められた「国家元首に関する法律」が発効し、首相と大統領職が統合された。国民選挙による大統領制は消滅した。ヒトラー個人に大統領の権能が委譲され、最高指導者となるのである（Führer／日本ではこの地位を「総統」と呼ぶようになる）。

ヒトラーは民衆の代表者との装いで、独史上に類例のない独裁者となった。「一つの民族」が、一人の総統の下に束ねられるとした「衆議統裁」の体制ができた。ヒトラーは「啓蒙宣伝省」を設置し、ヒトラーの偶像化と報道統制を行った。そして、公約であった失業問題が実際に解決されていくとナチに反対する者はいなくなった。

雇用創出のための財政を支出して高速自動車道（アウトバーン）をはじめとする公共事業を興し、企業には減税を行うことでその分の雇用力をつけさせた。六〇〇万人いた失業者は短期間のうち五〇万人以下になったとされた。景気が回復してくると、独の工業生産力を象徴する自動車「フォルクスワーゲン」（国民車の意／設計者はＦ・ポルシエ）を生産して、頑丈で廉価《れんか》な大衆車を一家に一台との構想を打ち出した。富者のみが所有できた自家用車を誰もが持てるようにとの計画だった。こうした成長を背景に、社会主義的な労働組合などは解体されていき、ナチの党員でなければ出世や栄達もない社会となっていった。最大の難問であった失業問題を解決したことは「ヒトラーの奇跡」と賞賛された。

ところが、この失業解決にはからくりがあった。ナチは一八〜二五歳の男子に勤労奉仕を行わせ、女性には就労しないように結婚を奨励しつつ援助金を貸し付けた（就労しないことを条件に貸付金を交付し、出産すれば返済金が減免された）。つまり失業の解決とは、若者と女性を奉仕活動（ボランティア）と家庭とに押し込めることで労働市場から退場させ、残った一部の男性にのみ職を与えたものだった。また全長七〇〇〇kmに及ぶアウトバーンの工事は重機を使用しないことで余計に人力を投入し、雇用を増やしたものだった。数字上の失業者は減少し、かつ出生率も上がったので、これをヒトラーの偉業と宣伝したのであった。

⑥ナチ政権の成立は国際政治に何をもたらしたか

政権に就いたヒトラーは、欧州諸国との外交において、世界平和を望むと口にしながら、但し独も他国と同様の権利を求めたいとして、「軍事的平等」を主張した。ヴェルサイユ条約が禁じた軍備制限の解除である。しかもその言い分は、独には軍備制限をしておきながら、各国が軍縮を行わないことは矛盾であり、ヴェルサイユ条約に反しているというものだった（条約において連盟加盟国の軍縮が規定されており、独は既に加盟国であるので、他の国も独の軍事力並みに軍縮すべきと解釈できた）。連盟の不平等性を指摘したのである。シュトレーゼマンの国際復帰への努力と成果は悪用された。

三二年二月には、ナチ政権の誕生を危険視した連盟が「ジュネーブ軍縮会議」を開催した。六四ヵ国が召集され、パリ講和会議以来の大きな国際会議となった。欧州での会議の主な目的は独軍の拡大を抑えることであったが、米はそれ以上に中国情勢への対処を議題にしたがった。この会議期間である三二年二月には、日本が上海事変を引き起こしていたからである。米は独の問題よりも上海情勢を懸念し、英仏はブロック体制の維持のために軍事力を手放そうとはしなかった。会議は、独に対して軍拡を延期するよう求めたが、ヒトラーは不平等だとして会議を決裂させ、翌年には連盟を脱退することになる。

独の外務省には旧貴族出身層が多く、彼らはナチの賛同者ではなかったが、欧州の伝統外交としての「現実主義」を重んじ、そのため戦後の集団安全保障体制は評価したがらなかった。それは帝国主義外交の復活を方向付ける点でヒトラーを喜ばせた。そして連盟から脱した独の外交は、これ以後ヒトラーの独断によって進められていく。

　独が再軍備を宣言すると、欧州の国際関係は変動した。独が徴兵制を復活させるとソがこれを危険視し、三五年五月に仏との間で「仏ソ相互援助条約」を締結した。それは実質的には独に対抗するための同盟であった。独がロカルノ条約を成立させて連盟に加盟したことで、ラパロ条約以来の独ソ間の関係が弱まり、ソの国際的な孤立は深められていた。そして「反共」を掲げるヒトラー政権が誕生すると、独との連携を完全に失ったソは三三年一一月に米との国交を樹立させ、翌三四年九月には連盟にも加盟した。そして仏との間に「仏ソ相互援助条約」を締結することになったため、英米仏ソの協調構造が発生することになった。ソにとっての連盟加盟は資本主義国との提携へ舵を切る選択であったが、同時にそれは各国がヒトラー登場の反動としてソへの融和を選択することであった。

第７章 条約違反と戦争の間

戦争へと向かう世界は、いつから引き返せなくなったのであろうか。日本の場合には、満州事変後にもまだ国際協調へ戻る余地はあった。連盟脱退後においても、改めて連盟に復帰する機会さえあったのである。国際条約に違反したとしても、それが直ちに戦争を不可避にしたわけではなかった。では、その岐路はどこに求められるであろうか。

１　第二の「満洲国」の創出

①元老亡き後はどのように首相を選ぶのか

三二年の「五・一五事件」後に斎藤実内閣が成立したが、当時の世論は満州事変の軍事的成功を熱狂的に支持するようになっていた。外相に就任した内田康哉《うちだやすや》は八月の議会において、満州事変は自衛権の発動であり、日本は国を焦土にしても日本の正義を主張していくべきであるとの「焦土外交」演説を行った。

世論の昂揚を背景にした演説であったが、但し斎藤内閣は外交を国際協調路線へ戻すために組閣された内閣だったのであり、満洲国の承認を前提とはしながらも英米との関係回復を模索した。

三三年五月に「塘沽停戦協定」が結ばれたことで熱河作戦が終了し、満州事変は終結した。満洲国をめぐる中国との争いは一旦の解決を見た。その上で軍部を抑制するために内閣が行ったのは、政府内での意見調整を図るために新しい形式の会議を設置することであった。

内閣は、「五相会議」（首・蔵・外・陸・海の五相）と、「内政会議」（首・蔵・内・陸・農）の二つの会議を設置した。内閣の中にさらにメンバーを絞った意思決定の機関をつくることで意見を集約しやすくしようとしたものである。目的は「五相会議」において軍事予算の抑制を策定すること、「内政会議」においては陸軍の政治干渉を抑制することである。つまり主要閣僚のみによる多数決によって軍部を抑え込もうとするものであった。

会議は実際に功を奏し、荒木陸相の要求する予算を抑制できた（五・一五事件による引責により大角岑生《おおすみみねお》海相は辞任し、荒木は留任した。荒木は露骨な派閥人事を行うことで要職を自派の人脈で固めた。しかしその情実人事は部内での反発を招き、荒木への不満が高まる中でさらに予算獲得に失敗したことから辞任に追い込まれる）。中国との停戦に続いて、陸軍の抑制に効果を収めたことで協調外交路線への展望が見えた。

ところが、斎藤内閣は不正株取引による疑獄事件・「帝人事件」が発生したことにより総辞職せざるを得なくなる（大蔵省の幹部に逮捕者が出たために内閣は辞任したが、陸軍や右派が倒閣のために仕組んだ陰謀だったのではないかと言われている）。そして、また改めて首相を選定せねばならなくなった。

西園寺は自身が高齢となったことも理由として、今後内閣が更迭となった場合には自分だけでなく、内大臣を中心に重臣を集めて候補者を天皇に奉答することを提案した。斎藤実の選定時に行った方式を定式化しようとしたわけである。これが、天皇側近としての内大臣と首相経験者で構成する「重臣会議」の設置となった。

内大臣（内府）は、宮中において天皇を補佐する役職である（詔勅その他の文書事務を行う）。内大臣には職務規程が無かったので、政治に公式に参与することはなかった。政変により内閣が不在の期間には天皇に意見を述べたが、それも稀な例である。この内大臣が首相の選定会議の中心的役割を負うようになったことは、その政治的役割が増大したことを意味している。そしてこの内大臣の権能拡大が、後のアジア・太平洋戦争と終戦における情勢にまで影響を及ぼすことになる。〔ちなみに、宮内省の長官である宮内大臣（宮相）は、内大臣とは別の役職。宮相は内閣から独立している宮内省において皇室一切の事務の責任者で華族を監督した。〕

重臣会議では海軍出身の岡田啓介が選定された。岡田は斎藤実とともにロンドンの軍縮条約に実績もつ人物で、斎藤内閣の方針が継承されることに期待しての人選であった。岡田内閣は三四年七月に成立する。

②「華北分離工作」―第二の満洲国

三三年二月の連盟総会において、中国代表団は日本への制裁を行うよう要請したが、連盟は制裁措置には慎重だった。その直後に日本は連盟を脱退し、その後に塘沽停戦協定が結ばれると、中国側は対日抗戦を諦め、日本との妥協を図ろうとするようになった。連盟が解決してくれることに期待がもてなくなった蒋介石は、日中提携の必要を訴えるようになり、満洲国の黙認を意味する停戦協定を結んだのもそのためであった。国民党内には山東出兵以来に「親日派」が復権しつつあった。

日本側でも岡田内閣の外相・広田弘毅《こうき》が中国への不侵略を訴え、日中双方の政府が関係改善を求めるようになっていた。広田はアジア主義者の外交官で、頭山満の組織した玄洋社のメンバーであった。幣原外交期にはソとの国交樹立に取り組み、以後は「ソ連通」の外交官と評されたが、アジア主義者として中国

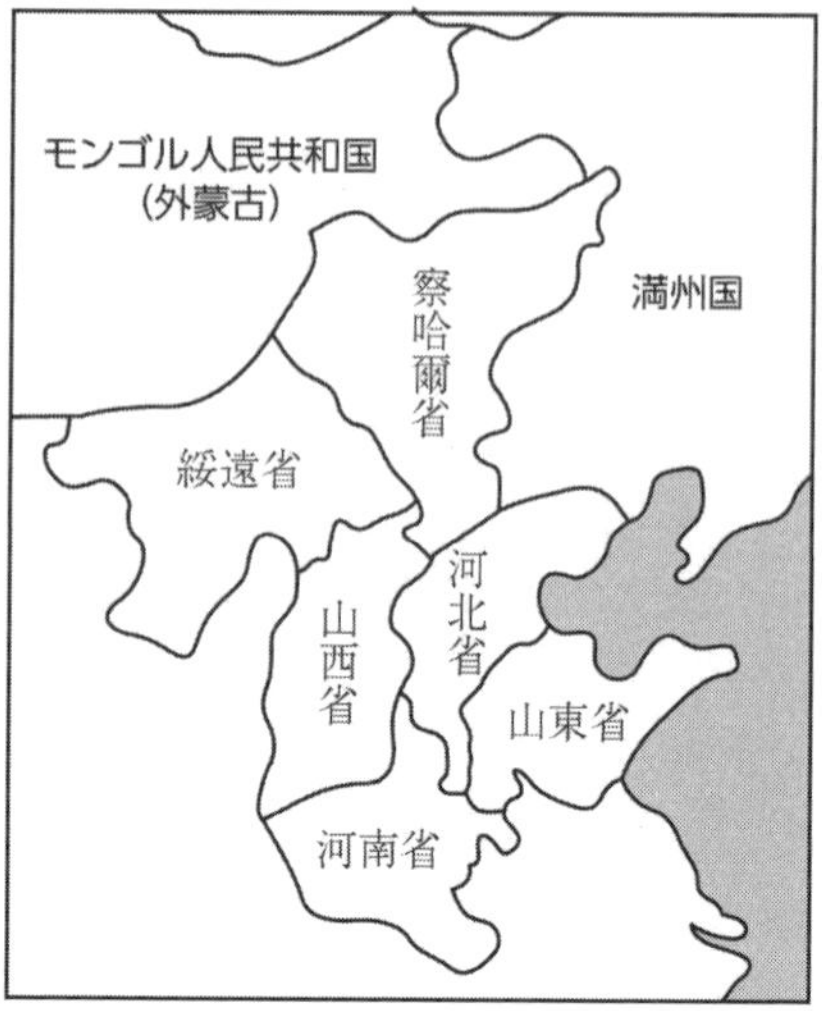

「華北五省」

との提携を重視し、各国との協和を目指す「協和外交」を標榜した。

三五年五月には中国の日本公使館を大使館に格上げしたが、広田は英米仏独の各国にも大使館への格上げを説いた。広田の働きかけにより、主要各国が駐華公使館を大使館へと格上げし、中国の国際的地位が引き上げられた。それは広田が率先して牽引した成果なのであり、「協和外交」の具体化であった。国民政府の汪兆銘も広田の努力と誠意によって地位が向上したとして深い謝意を表した。以後の汪は親日派の代表となった。

ところが、陸軍からは公使館の格上げに対して猛烈な批判が出た。当時の大使は天皇に任命された「親任官」で、その地位は官僚のトップである次官よりも上位に位置した（他の親任官は国務大臣や陸海軍の大将）。陸軍は、大使館に昇格すれば外務省が大使の権限を行使して、陸軍の意向を顧《かえり》みることなく対中外交を進めるようになるのではないかと懸念したのであった。

陸軍にとって国民政府へ歩み寄ろうとする広田外交は、満洲国の安定を阻害すると解された。こうした批判は中国に駐屯している陸軍の出先から起こり、陸軍はさらに「第二の満洲」を創出するための工作に着手した。それが「華北分離工作」である。

発端となったのは、三五年六月に天津で起きた排日運動を理由に、以後の河北省での排日行為を禁じた「梅津・何応欽《かおうきん》協定」の締結である。現地の支那駐屯軍（天津軍）による全くの独断で結ばれたが、陸軍はこれを追認した。また、同じ六月に関東軍も察哈爾《チャハル》省で起きた紛争を口実に、察哈爾省に非武装地帯を設置するとした「土肥原・秦徳純協定」を締結した。両協定により華北から国民党の勢力が追い出され、これらが結果として分離工作の端緒となる。

そして、このような陸軍による二重外交に対して、広田は外交の主導性を陸軍と争うよりむしろ進んで日本の利益を獲得することで陸軍の不満を和《やわ》らげようとした。

③日本にとっての有益な外交は何であったか―「広田三原則」

「塘沽停戦協定」から「協和外交」を経たこの時期には、蒋・汪政権下の中国側との妥協が成立していた。従ってこの後の日中戦争は、満州事変から一続きに行われたのではなかった（「十五年戦争」論に欠落する視点として指摘できる）。そのため、三五年九月に中国との大使交換により初の駐日大使となった蒋作賓《しょうさくひん》は、今後において平和的に外交を行えるのであれば、国民政府は満洲国の問題を棚上げしてもよいとの意向を示した。

蒋介石は国内統一に向けて共産党との戦いを開始した。共産軍を包囲しようと八〇万の兵力をもって迫った。共産軍は一五万に過ぎず、装備も脆弱であった。三五年一月までには共産軍を雲南・貴州の僻地に追い込んだ。追い詰められた共産軍は約一年をかけて陝西《せんせい》省へ大移動し、三五年一〇月に陝西省を新根拠地とした。すると、これに対して陸軍は共産軍の脅威が華北に迫ってきたとして、支那駐屯軍（天津軍）を一八〇〇人から五八〇〇人へと増強した（この拡大は後の盧溝橋事件に影響することになる）。

同じく一〇月、満洲問題の棚上げを提案してきた中国側に対して、広田は次官の重光葵とともに国民政府に対する方針を提示した。「欧米を頼ることを止めて日本との提携を行うこと」・「満洲国を黙認し、さらに満洲国への経済・文化的な融通政策を実施すること」・「共産主義の影響を排除するために協力すること」の三条件であった。それまでの協和外交をほとんど放棄しての強硬な要求であるが、広田はこれを

「広田三原則」として対中外交の指針にした。

当初の広田は汪兆銘を交渉窓口に日中提携を進めていった。ところが、陸軍の反発に遭い、華北の分離を求める陸軍に配慮が必要となった。広田ら外務省は蒋介石による統一政府と提携を進めようとしたのに対し、陸軍は分離工作に見る通り中国を分裂させておくべきと考えた。特に三五年八月にそれまで陸軍の中枢を占めていた軍務局長（陸軍省の中心的部局）の永田鉄山が死去すると、陸軍中央の求心力が失われ、出先部隊の独断外交も顕著となった。「排日停止・満洲国承認・共同防共」という「広田三原則」は陸軍との合意形成を試みた妥協的産物であった。

結果として、広田外交は交渉窓口となっていた汪兆銘ら親日派の立場を失わせることになる。以後の中国側は広田外交を危険視するようになり、日本への態度を硬化させるようになった。

この頃、国民政府はそれまで混沌としてした中国貨幣を統一しようと、英に財政顧問の派遣を求めていた。列国が縄張りを築き、軍閥が割拠する中で複数の紙幣が流通しており、相場や為替で叩かれていたためである。派遣された銀行家リース・ロス（Leith Ross）は軍閥や地方政権が発行していた私幣を廃して、国民政府の「法幣」のみを流通させた。英にとってはポンドと連結した通貨制度によって為替を安定させる恐慌対策の一環でもあった。

ロスは当初は日本との共同で改革を行おうとし、しかもそれは満洲国の承認や、日本の連盟への復帰まで含意した案であった。ところが、ロスと会談した広田は「広田三原則」を優先して協力を拒んだ。英は中国政策には日本の協力が必要と考えたが、広田は中国が満洲国を黙認した現状において英が介入してくることを嫌った。国民政府内では、広田三原則への反発と、英の貨幣改革によって新英派が台頭するようなった。

英が金融を通して影響力を行使するとして危険視した陸軍は、華北分離工作を推進した。華北五省（河北・綏遠《すいえん》・山東・山西・察哈爾《チャハル》）を第二の満洲国（「准満洲国」）として中国から独立させ、さらなる傀儡政権を築こうとの工作である。分離工作は先に天津軍と関東軍が独断的に締結した二つの協定を足がかりとしたが、工作を主導したのは陸軍中央で、中央が分離工作を率先することで出先の関東軍の独走を抑制しようとの思惑を含んでいた。満洲の安全確保と、天然資源や新たな市場の獲得を狙って、独立政権を建設することを目指した。

　華北には塘沽停戦協定によって非武装地帯となった地域があるため、その空白地帯に自治政権を建てそれを傀儡化する方法が採られた。自治委員会は親日派の殷汝耕《いんじょこう》という人物を擁立して成立させた。殷の自治委員会は、蒋介石の国内の敵である共産党の活動を防ぐ「防共」を目的にするとした。「防共」は日中に共通した利益であるため、それであれば蒋介石も自治委員会の設立を容認するのではないかと期待しての理由づけである。かくして三五年一一月、「冀東《キトウ》防共自治政府」が設置された。そしてこれに密貿易を行わせることで中国経済を混乱させ、英の影響力を打ち消そうとした。

　これに対して日本側の動きを見越した蒋介石は、冀東に隣接する冀察《キサツ》地域に、さらに広範な委員会を設立した。日本側と同じ方法で冀東政府へ対抗するとともに、密貿易を公認した殷汝耕には逮捕命令を発した。その結果、日本の指導による「冀東防共自治政府」

冀東防共自治政府と冀察政務委員会

と、国民政府の指導する「冀察政務委員会」がそれぞれ別々に成立することになった（「冀」＝河北省／「察」＝察哈爾省）。

広田は二重外交たる陸軍の華北分離工作を容認し、また擁護した。広田三原則を進めようと、陸軍の工作と自身の外交を進んで並走させた。陸軍は広田が標榜していた「協和外交」を分離工作の隠れ蓑《みの》に利用したが、広田もまた陸軍の分離工作を広田三原則に利するように模索した。しかし、華北分離を進めながら広田三原則の受け入れを迫ることには無理があった。アジア主義者として日中提携を望んでいた広田は、協和外交によって親日派を醸成したにも拘わらず、陸軍に抗せず自ら窓口をつぶしたのである。

④ネガティブ・キャンペーンの報いとは何か

三六年一月、広田は「華北分離工作」を正式な国策とした。またロンドンで「第二次ロンドン海軍軍縮会議」が開かれたが、日本は会議からの脱退を通告した。これによって日本の軍縮条約は失効が決まった。国際連盟の脱退に続き、ワシントン条約からも脱退していたため、日本は海軍軍縮について無条約状態となった。

この間の国内では、岡田内閣に対して立憲政友会・軍部・民間右翼が排撃行動に出ていた。内閣が民政党の議員を比較的多く閣僚にしたことから、特に政友会は政治的主導権を奪おうとしていた。政府批判の発端となったのは貴族院において美濃部達吉の「天皇機関説」が攻撃されたことである。国家は法人であり、天皇も法人の中の一つの機関であると解釈する美濃部の学説は、国家に対する反逆と批難され、その著書は発禁処分となった。美濃部排撃の運動は全国的にひろまりつつあったため、内閣はこれを収拾するために天皇機関説を否定する「国体明徴声明」を発した。

しかし、それでも政友会による攻撃は止まず、同調して圧力をかける軍部からも批判が続いた。岡田内閣が「第二次ロンドン海軍軍縮条約」から脱退したのは、こうした背景からであった。その後、政友会から不信任案が出されると衆議院が解散され、総選挙では民政党が第一党になったことで内閣は選挙を乗り越えたが、その直後の「二・二六事件」で結局は倒壊することになる。

犬養内閣期の「高橋財政」が日本経済を世界恐慌から脱出させたのは先に見た通りであったが、高橋はその後の斎藤・岡田内閣でも蔵相に就任したことから、その財政は継続されていた。高橋財政では赤字公債を発行したが、岡田内閣期からは徐々に赤字を減らそうとした。高橋は議会で軍事費の膨張がインフレを引き起こす可能性を説いて、軍事費の抑制を訴えた。そして内閣は二月二〇日の総選挙を乗り越えたので、次年度の予算では軍事費が抑制されることが確定的となったが、その六日後に二・二六事件が起こされる。

二・二六事件は、陸軍青年将校によって起こされたクーデター事件である。反乱部隊一四八三名によって首相官邸・警視庁・大臣私邸などが襲撃・占拠された前代未聞の事件となった。斎藤実、高橋是清など重臣・閣僚ら四名と、巡査数名が殺害され、永田町の一帯が三日間にわたり占拠された。軍部政権の樹立を目的に起こされていたが、同時に陸軍内の人事抗争も背景にしていた。

陸軍は、ソの脅威を強く認識して早期に対ソ決戦に踏み切るべきと考える将校ら（皇道派）と、国防の充実と満洲の育成の後に対ソ作戦を考えようとする将校ら（統制派）の間で分裂していた。前者の「皇道派」と呼ばれるグループは、荒木貞夫を中心に精神主義を重んじ、国民の精神的結合も求める傾向があった。それ故にクーデターも視野に入れた国家改造を望んだ。対ソ戦の早期実施のために満洲の将来的な併合を望むようになっていたが、同時に列国との協調が必要との意識も持っていた（「皇道派」とされた代表的将校：荒木・真崎甚三郎・小畑敏四郎・柳川平助・秦真次・山岡重厚・鈴木卒道・土橋勇逸・山下奉文など）。

これに対立する将校らが「統制派」と呼ばれるようになる。政権の中枢に侵食しながら漸次《ぜんじ》陸軍を革新し、その過程では財閥とも連携して経済力を強化することを重視した。総力戦体制を構築するために政党とも協力関係を築こうとする立場も含んだ（「統制派」と目された将校：永田鉄山・東條英機・武藤章・影佐禎昭・池田純久・片倉衷・真田穣一郎・辻政信）。

但し「皇道派」と「統制派」とは、必ずしも派閥を名乗り合ったわけではなく、実態的な派閥として存在したわけではない。皇道派には確かに派閥的な結束があったが、統制派には皇道派に賛同しないことの他に一致や結束はなかった。

そして、二・二六事件は皇道派に属す青年将校らが決行したクーデターだった〔統制派の中心と見られた永田は人事問題で皇道派に共鳴した将校に殺害された（172頁）。二・二六事件は殺害事件の公判への抗議も含んでいた〕。彼らは天皇が直接政治を指導する親政を企図して閣僚らを殺害した。またそれさえ成せば荒木や真崎が政権樹立を引き受けてくれると考えていた。しかし、この暴挙に対して天皇は絶対鎮圧を命令した。荒木らは将校を見限り、決起将校らは反乱軍とされた。

戒厳令が敷かれ、二万四千人の鎮圧軍に包囲された将校らは投降した。鎮圧を指導したのは戒厳参謀に就いた石原莞爾であった。反乱の首謀者とされた一六名が非公開裁判により銃殺刑に処され、また将校らに思想的影響を与えたとして右翼思想家の北一輝と、西田税《みつぎ》もその一年後に処刑された。

民間団体による血盟団、海軍による五・一五事件、陸軍による二・二六事件と相次ぐテロは、いずれも国家改造を目指した直接行動の断行であったが、そのような行動を起こしても構わないと思わせるだけの状況があったのであり、それは何より満州事変が原因であった。そしてそれぞれの中心にいた石原・井上日召、そして北一輝には日蓮主義を信仰していたという共通点があった。

日蓮主義には、社会の変革や国家改造を望む人物に選ばれる傾向がある。軍部では満州事変を根拠に「下剋上」が隆盛し、政党のネガティブ・キャンペーンに失望した国民の間には、軍部であれば革命的変革を起こせるとの期待が広まりつつあった。テロの目的は軍部が政治主導を行えるようにすることだったのであり、急進的な変革への希求と、日蓮主義への信仰とは通底していることが解る（作家の宮沢賢治も日蓮主義を信仰しており、童話作家になったきっかけもその信仰であった。そして共産革命と日蓮主義の間で揺れ動きながら社会変革を求めていた）。

他方で、かつての民政党に対する攻撃材料であった「統帥権干犯」は、軍部・右翼を活気づけ、テロ横行の要因となっていたが、その後の相次ぐテロは政党政治自体を破壊した。しかしながら、「統帥権干犯」を攻撃材料にしていた政友会の論者の一人が、犬養毅だったことを思えば、批判戦法は政友会自身の足枷にもなったことを指摘できる。

２　軍国主義への傾斜

①「現役武官制」によって軍部独裁になるのか—軍部との攻防

岡田首相はクーデターの難を逃れていたがその間の安否が不明であった（殺害されたとの報道などがあった）ため、閣内の広田が後継内閣に指名された。広田が選ばれたのは、ソ連大使としての経歴が買われたためである。国際的には海軍の建艦競争が懸念され、国内では二・二六事件後の政治的空白ができた中で、ソとの国交調整が重視されたのである。

陸軍が反乱を起こしたことは粛軍の機会になると思われたが、実際には組閣段階から陸軍の介入を避けることができなかった。テロの恐怖は拭《ぬぐ》えなかったのである。外交官の広田が首相となって議会を乗り切るためには政党からの協力が必要であるのに、陸相に就任予定の寺内寿一《ひさいち》（正毅の子）はとかく政党人の入閣を拒み、組閣人事に執拗《しつよう》に介入した。最終的には妥協が成立したものの、広田内閣は発足から陸軍との調整に苦しんだ。成立した内閣では、中国外交を重視する外交官・有田八郎が外相となり、政党からは政友・民政のそれぞれから二名ずつ入閣者を得た。

広田内閣では「軍部大臣現役武官制」の復活制定が行われる。内閣の陸海軍大臣には現役の将校しか就任できないという法律である。この規定によって陸海軍は自らが認めたくない内閣に対しては、大臣を出さないことで組閣を阻止できたし、組閣後も大臣を辞任させてしまえばいつでも内閣不統一で倒閣できた。明治期にできたこの法律は大正二年に廃止されたが、それを復活させたのである。

広田が復活を認めたことは、軍部に屈した象徴的な出来事と理解されがちであるが、実際には陸軍の意向を無視して陸相を得ることはそもそも困難だったので、現役武官制の復活を認めたことで以後の軍国主義化が進んだわけではない。

広田は現役武官制の復活と引き換えに、首相が陸相を選任できる権限を条件にしており、従来は陸軍の内意（三長官会議）で定められた候補者を陸相にする他なかったが、以後は首相が候補者を選任できるようにした。従って、広田は軍部に屈して嫌々認めたのではなく、むしろ現役制の復活を選択することで首相権限の将来的な強化を図ったつもりであった。それでも陸軍が陸相を引き上げてしまえば倒閣できてしまうという問題は解決できないが、首相が陸相人事に踏み込めるようにした改革だったのである（陸相の権限を強化して二・二六事件後の部内を統制する目的があったと考えられている）。

また、議会では民政党の斎藤隆夫から陸軍への厳しい批判がなされた。寺内陸相に対する質問演説で、二・二六事件への厳正な処罰の要求と、軍人が政治に介入すべきではないことを訴えた（「粛軍演説」）。テロにも屈しないとした軍部批判であった。寺内大臣は斎藤の主張が「熱誠適切」としてこれを認め、粛軍実施を約束した。しかし、実際に実施された粛軍とは皇道派を一掃する人事で、以後は官僚・財界と結託した「統制派」の影響が強まっていく。政府と軍部にはこうした対抗が起きていた。

②「日独防共協定」の狙いと齟齬

軍部は三六年六月に「帝国国防方針」を改定した。この中で、陸軍は中国との戦いを極力避けて、対ソ戦に備えることを方針とした。それは参謀本部の石原莞爾（戦争指導課長）が独自の構想を基に満洲の産業発展を優先させたものだった。しかし、これに対して海軍は英米蘭への対抗を見越した上での南洋への進出を求めた。それはこの三六年の年末にワシントン海軍軍縮条約が失効することを背景にした（日本は連盟脱退に次いで三四年末に破棄を通告していた）。条約が失効されれば英米は建艦を開始するとして、そのため海軍は英米との関係に配慮しながらも、南洋に進出できる軍備を整えたいとしたのであった。石原は現段階では満洲防衛の他に戦力を割く余裕などなく、中ソ以外に仮想敵を増やすべきではないと訴えたが、双方とも立場を譲らず、両方の目標を併記することになった。

この対立は「国策の基準」を定める五相会議にも持ち越され、そこでもソの脅威に対抗しながら、英米との友好関係を保ちつつも対立にも備え、中国への影響力を確保するとの折衷的な内容になった。

さらにそうした中で、独との「防共協定」締結が打診された。ソを対象にした日独間の同盟案である。独の日本大使館に駐在する陸軍武官の大島浩が、以前より締結を協議していた。それが、この前年にソがファシズムに対抗する方針を打ち出したことから（第七回コミンテルン大会）、独はこれを警戒して反共同盟を推進したのであった。ナチ党の外交部長・リッベントロップ（Joachim von Ribbentrop）の外交機関が立案した。

ヒトラーは英の参加も望んでおり、また日本も中国問題で対立する英との関係改善を求めた。英は独との同盟を拒否したが、有田外相は英との関係改善の妨げにならないことを条件に締結交渉を認めた。有田はソを刺激することは避けつつも、それ以上に中国や満洲に対する共産化の影響を危険視して締結を選んだ。また、防共協定によって陸軍がソとの対峙に集中するのであれば、分離工作や中国での暴走を抑制できると考えたのである。

かくして一一月に「共産インターナショナルに対する日独協定」（通称「日独防共協定」）が締結された。日独両国が「コミンテルンは現存する国家の破壊を目的にしている」という認識を共有し、諸国を防衛するために協力することを内容とした。また両国は第三国を含めた諸国防衛のため共産主義破壊に協力するとした。さらに防共協定には秘密協定が附随しており、ソを仮想敵国とする軍事同盟案になっていた。

広田と有田はこれを日中提携の機会に利用しようと考え、防共協定に中国も参加させようとした。しかし「防共」は広田三原則にも含まれていたことから、中国側はこれが提携を呼びかけるものでなく、外交的侵略と警戒して同意しなかった。他方、ソは当然ながら防共協定に反発し、対日外交を硬化させた。

組閣の当初は対ソ関係の好転を期待されたはずの広田は、独との提携を進めて対ソ関係を悪化させた上、防共を名目にした中国外交の改善にも失敗した。防共協定は、広田三原則によって中国外交の展望を失ったが故の選択でもあった。連盟の脱退国として国際情勢にどう向き合うかが問われた時期に、広田は連盟外交を否定した。「防共」協定は、「連盟秩序 vs 脱退国」という構図を、「共産 vs 反共産」へと塗り替えようとの意図から選択されたが、英中の同意を得ることはできなかった。

③なにが中国を結束させたか―「第二次国共合作」

陸軍中央が華北分離工作を推進すると、関東軍は内蒙古を分離させようと独自に「蒙古軍政府」の創出工作を進めた。即ち、陸軍中央の華北分離工作は関東軍の抑制になどならなかった。これにより三六年五月に蒙古軍政府が成立したが、蒙古軍は一一月に中国軍と衝突して軍事的敗北を喫した（「綏遠事件」）。この事件の背景には、日本と独の間を結ぶ航空路をつくろうとする関東軍の密かな計画があったのだが、蒙側の敗退によって計画は瓦解した。そしてそれ以上に問題であったのは、一連の工作が日中交渉を阻害したことである。

日本の行動をすっかり警戒するようになった蒋介石は、抗戦の準備をするようになった。防共を根拠にした交渉が打ち切りとなり、広田外交は全く挫折した。但し、蒋介石の抗日方針は思わぬ形で実現することになる。

満州事変によって本拠地を奪われた奉天軍閥の張学良は、その後一年間の欧州歴訪などをしていたが、帰国の後には蒋介石の指揮下で一五万の将兵を率いて共産軍と戦っていた。蒋の方針は、第一に国内の共産党を排除することで、日本を主とした諸外国の排除は第二の目標にしていた。これに対して、父の仇である日本軍の排除を望んでいた張は次第に蒋の方針に反対するようになった。

張は三五年の末頃から密かに共産党側と連絡をとると、ともに日本軍と戦おうとの密約を結んだ。翌三六年の四月には毛沢東との秘密会談も行い、蒋に対して日本と戦うように迫った。しかしこの時点ではまだ蒋は張の説得を聞き入れず、共産軍との戦いを継続した。張は共産党との戦いを真剣に行わなくなった。

共産党との戦いが進展しないため、蒋は一二月一二日に作戦の視察のために張を訪問した。すると、張は蒋を捕縛して監禁し、共産党との和解と日本軍への攻撃を強要した（「西安事件」）。そこへ共産党の周恩来による調停が行われ、蒋は共産主義の宣伝を行わないことと、共産軍が蒋の指揮下に入ることを条件に、抗日戦争を優先することに同意した。これによって「第二次国共合作」が成立するのである。日本との交渉が破綻した五日後のことであった。

但し、蒋はこれ以後の長きにわたり張を軟禁した。張学良は国共合作の復活と引き換えに歴史の表舞台から去った。

満州事変までの中国は内乱が止まず混乱状態であったが、日本に対抗せねばならないという意識は中国人を結束させた。上海事変からは「救国」が掲げられるようになり、民族運動としての性格が付された。それを経て、第二次国共合作によって抗日戦の方針がほぼ定まったが、それはつまり「抗日」こそが中国人民を結束させ、統一国家へと進ませる最大の理由になったということである。

④軍国主義への傾斜はどこから起きたか—「割腹問答」の裏シナリオ

東京では新議事堂（現在の国会議事堂）が一六年の建設期間を経て完成した。白い花崗岩づくりの議事堂である。三六年一二月から開会された「第七〇議会」は最初の開会となったが、その記念すべき議会で広田内閣は厳しい批判を受けた。

政友会の浜田国松が軍部の政治介入を批判してその責任を追及した。広田内閣は第一に粛軍を行うべきところを、実際には軍部の力に依拠して政治を進めているとの批判であった。浜田の批判に対して、寺内陸相は陸軍を軽視する発言だと威嚇したが、浜田は自身の発言が陸軍を軽視していたなら切腹して謝罪するので、なければ「君が割腹せよ」と迫ると、激昂した寺内も腹を切れと応酬した。この「割腹問答」の結果、議会は翌日から停会となった。寺内は衆議院解散を求めて譲らず、内閣はこれを抑えられずに総辞職を決定した。

西園寺は後継の首相に陸軍の宇垣一成を推した。かつて憲政会・民政党内閣のもとで軍縮を成し遂げた経歴があり、政党政治に親和的と思われた。しかし、宇垣はまさにその軍縮の経歴によって陸軍からの反対を受けた。陸軍部内で宇垣の組閣反対に動いたのは石原莞爾である。軍縮や政党政治に理解を示す宇垣は、陸軍の予算を抑えようとする内閣に妥協するのではないかと見られ、石原を中心に反対工作が展開された。陸軍は陸相を出そうとせず、宇垣本人にも辞退を迫るなどした（広田が現役武官制と引き換えに容認させた、首相が陸相を指名できるルールも宇垣内閣を阻止するために陸軍内部で先議される元のルールに戻された）。

宇垣は陸軍の賛同を得られないことを知り組閣を断念すると、陸軍大将の地位からも身を退いた。

かくして、広田内閣が総辞職し、後継候補にされた宇垣の組閣も流れたのであるが、内閣瓦解のきっかけとなった「割腹問答」の裏ではもっと大きなシナリオが動いていた。

広田内閣の蔵相は日本勧業銀行総裁であった馬場鍈一《えいいち》という人物で、馬場は高橋是清が進めた赤字公債の漸減を放棄し、再度の公債の発行増大と増税による大型の予算案を提出していた。前年比三割以上の軍事費が予定されたため、軍需資材の需要が増すことが予想されると、それを見込んだ商社が早くも一斉に輸入を始めた。それは元々の輸入超過に拍車をかけて国際収支を悪化させた。輸入の殺到が円の下落を生み、輸入物資の販売価格が高騰する結果になった。その最中に起きたのが割腹問答であった。寺内が議会を解散せねば辞任すると言った時、広田はあっさりと総辞職を選ぶのであるが、それは収支悪化を止める手立てを失っていたため、広田自身が政権の放棄を望んだからであった。馬場の予算案は議会閉鎖とともに廃案となった。後に広田自身が割腹問答は助け船だったと漏らしたのであるが、議会の混乱は広田に都合の良い逃げ口上となったのである。

他方、浜田は宇垣の組閣をはじめから期待して、敢えて問答を仕掛けていた。この時期には、軍部・財界・政治の諸勢力を横断的に糾合《きゅうごう》した総国家的な新党をつくろうとする勢力と、政友・民政の両党が協力して宇垣を擁立することで政党政治の路線に戻したいとする勢力が対立的に登場していた。政友会の浜田が議会を紛糾させたのには、宇垣内閣を成立させようとして、議会を解散させることなく広田内閣を倒閣に追い込みたいとの思惑があった。そしてそれは宇垣への大命降下として実現したのであった。しかし、新党結成を求める陸軍内部の石原らの勢力がこれを阻止したのである。

新党はナチ党による一国一党の形態を模した考えであった。これは次の林銑十郎・近衛文麿を首班とする親軍的な内閣の成立背景となっていく。陸軍は宇垣の就任を阻止せんがために、現役武官制復活の交換条件で廃止したはずの三長官会議による陸相の選定方式を復活させた（首相による陸相選定を否定した）。即ち、日本は現役武官制の復活によって軍国主義に傾斜したのではなかったが、宇垣内閣の流産を機に親軍的内閣が成立していくために、広田内閣期・現役武官制がその転機に見えるということなのである。

3　一九三六年：運命の岐路—連盟の脱退国による対抗

三四年九月に、ソが独の動向を背景に連盟への加盟を果たし、英米仏ソによる協調体制ができつつあった。前章の最後で見た通り、仏ソが相互援助条約で提携したが、その背景にはポーランド（波蘭）をめぐる独ソ関係があった。そして、連盟による集団安全保障体制は波蘭の一角から崩れていく。

①ヒトラーの登場で世界はどう動いたか

波蘭は独の連盟脱退を不安視し、仏と共闘して早い内に独を屈服させようと考えた。しかし仏が武力行使を躊躇したため、波蘭は独への接近を試みた。これを機と見たヒトラーは三四年一月に波蘭との間に不可侵条約を締結する。それまでの独はソとの中立条約を結び、波蘭を敵視してきたが、ヒトラーはその方針を覆した。

一方のソはこの動きを警戒して仏へと接近したわけであったが（仏ソ相互援助条約）、ソを警戒していた英はこれら一連の動向を歓迎した。まさにヒトラーの行動を機に、かつての欧州の帝国主義外交（Balance of Power）へと揺り戻しが起きてきたが、対独警戒の情勢を背景にソは連盟に加入したのである。

ソの加盟には仏からの働きかけがあった。脱退した独を脅威と認識した仏がソとの提携を模索したのであった。仏ソ相互援助条約についても、仏がソとの関係を連盟規約の枠内で構築することを望んでの締結であった。かくしてソは日独と入れ替えに連盟に加入したが、ソにとっての加入はまさに日本への牽制の意味をもった。満州事変以来の緊張を背景に、ソは対日戦に備えて連盟の援助を得られる立場に就こうとした。つまりソの加入は連盟が日本への制裁を発動する可能性を高めたのである。

かくして安全保障体制は動揺し始めたが、同時にそれは独の孤立も意味していた。ヒトラーは「ドイツ人の国」として墺の合邦を公然と求めたが、大戦後に小さな共和制国家として再建されていた墺政府はナチとの合同を嫌った。伊のムッソリーニもヒトラーを評価せず、独への威嚇のために墺との国境付近に軍隊を集結させたほどであり、独は国際的非難の対象であった。

しかし、三五年の一月に連盟の管轄下におかれていた独仏国境の一部にあるザール地方で、その帰属をめぐる住民投票が行われると、同地の人々は仏よりも独領に復帰することを望むとの結果が現れた（155頁地図参照）。ナチの失業対策が多大な成果を上げているとされたからである。ザールは極小さな地域であるが、住民の意思によって公式に独領に戻ると、その祝賀に沸く世論を背景にヒトラーはヴェルサイユ条約を破り、再軍備に踏み切った。

独の再軍備を危険視した英仏は、三五年四月にムッソリーニと協議した。独の再軍備が条約違反であり、また墺の独立を共に護ろうとの合意が形成された。英仏伊による対独提携・「ストレーザ戦線」の構築である。仏ソの援助条約と併せ、対独包囲網ができる意味があった。

しかし、伊はこの裏でエチオピアへの進出を狙っており、英のソに対する警戒も決してなくなったわけではなかった。そうした包囲網は六月には早くも綻《ほころ》びを生じさせた。独の再軍備を止められないと見た英は、「英独海軍協定」を締結して独への譲歩を示したのである。一定の再軍備を許して独を満足させることで、最低限の軍備に留めさせようとしたのであったが、自ら共同戦線を破ることになった。この英の行動に対し、伊はエチオピア侵攻を決行した。

英は独への宥和政策によってヒトラーの膨張を食い止められると考えたが、それは全く裏目に出ることになる。そもそも独は密かに再軍備を準備しており、仏と波蘭の海軍への対策を講じていた。仏海軍は重装軍艦を保有し、波は高速艦をそろえていたため、双方に対抗できるように、戦艦より速く、高速艦では撃破できない装甲の軍艦（ポケット戦艦＝重巡洋艦）を開発していた。

英との合意によって再軍備を公式に宣言すると、禁じられていた空軍の存在までが明らかになった。ヴェルサイユ体制は崩壊した。連盟を主導する英が自らそれを許し、英の妥協を引き出したヒトラー外交の進展を許すことになる。ナチの外交部長・リッベントロップは外務省の頭越しに英との交渉を行っていたが、これを成功させた功績により外務大臣に昇進することになる。

②欧州の秩序はいかに崩れていったか

英の宥和政策は、日本に対する態度にも表れている。日本の外務省は連盟が経済制裁を発動することを恐れたが、実は英も制裁を発動することで対日戦が勃発することを恐れていた。日本が戦争に踏み切れば、中国において英の権益も攻撃の対象となるからである。特に三四年九月のソの加入からは制裁発動の危険が増したと認識した。そのため日本の反発を回避したい英は、満洲が日本の統治下で安定していることを一定程度評価する見解を示した。そして日本の連盟復帰さえ促していたのであった。英の望みは勢力の現状維持にあった。

英が「ストレーザ戦線」を破ったことで、伊がエチオピアに侵攻したが、日本は三〇年一〇月にエチオピアとの間に通商条約を結んでおり、綿製品の重要な輸出先になっていた。エチオピアにとっては全輸入品の半分が日本製品であった。伊が侵攻したのは、エチオピアと接する伊領のソマリアとの国境紛争（ワルワル事件）を口実にしてのことで、連盟がその紛争に介入しなかったことから武力解決に打って出たものであった。

連盟が紛争を座視したのは、英仏が伊に配慮した結果であったが、その態度を見た伊が軍事行動を起こしたのである。日本はこの伊エ問題によって満洲問題が見逃されるようになることに期待した。ところが、連盟は伊のエチオピア侵攻に対してはついに経済制裁を発動した。ソが積極的に制裁を求めたのであった。もちろんそれは経済制裁の先例をつくることで、日本への制裁を実現するためである。連盟に初の経済制裁を発動させた伊エ問題は、日本に大きな脅威をもたらした。

但し、伊への制裁は石油については除外するなど不徹底な制裁であった。制裁の対象にされた伊はむしろ開き直り、三六年五月にエチオピアを併合することになる。

一方の欧州では、独が伊のエチオピア侵攻を背景に軍事行動を起こした。ロカルノ条約で非武装地帯に定められていた独仏国境地帯のラインラントへ進駐したのである（先に選挙によって合併したザールに接する地域だが独仏国境の全体を占める）。

国際秩序を決定的に破壊するこの進駐は、独にとっても大博打《ばくち》であった。軽装備の部隊が、仏の反応を恐る恐る覗《うかが》いながらの進駐だった。この時もしも仏軍が武力を発動したら直ちに撤退せねばならなかったとヒトラー自身が回顧している。しかし、結果として仏も英もこれを黙認した。

仏は国防方針で対独戦争での防衛ラインを定めており（「マジノ線」）、それに基づいて部隊編制もしていたため、防衛線の外側となるラインラントまでは独が侵攻しても容認できると考えた。そして戦争のリスクを冒すよりも国際的な解決方法を探ろうとした。また仏では議会で対立が起きていた中で総選挙も予定されていたことから、戦争は避けたいとの判断が優先された。しかし、それ以上に決定的だったのは英が武力的な対抗措置をとろうとしなかったことである。仏はヒトラーの軍を過大に評価したところがあり、自国だけで撃退することに自信がなかった。実際にはこの時点での仏軍は独軍よりも圧倒的に優勢だったが、先の大戦で一番の被害を受けたと感じていた仏は戦争を断行する姿勢にならなかった。

再軍備に続き、ザール併合・ラインラント進駐まで達成したヒトラーは、独への抑圧を覆した「外交の天才」と崇拝されるようになる。英の融和政策はヒトラーが独帝国を取り戻す偉大な指導者となることに加担してしまった。

③「スペイン内戦」―共産主義の波

仏では大戦後に社会党・共産党がそれぞれ成立したが、両党は革命の方法をめぐって激しく対立し、協力することがなかったために勢力化しなかった。ところが、ナチの影響から仏でも右翼勢力が台頭したため、両党は三五年六月についに提携して反ファシズムの「人民戦線」を結成し、一年後には選挙に勝利して政権を獲得した。この人民戦線政府は仏で反ナチ化の改革を行なうが、しかし次のスペイン内戦への対応をめぐって結局分裂し、短命のうちに瓦解することになる。

一方、スペイン（西）でも共産党の影響で共和制政府（人民戦線政府）が三六年二月に成立したが、これに対してフランコ将軍（Francisco Franco）率いる軍がクーデターを起こした。後に第二次大戦の前哨戦と言われる「スペイン内戦」の発生である。

軍は各駐屯地で反乱を起こしたが、植民地のモロッコ（モロッコは仏と西がそれぞれ植民地領を有していた）の部隊は独伊の支援を得たことで西の本土へ上陸し、内戦を激化させた。これは独伊を接近させることにもなった。隣国ポルトガル（葡）に成立していた軍事政権（サラザール政権）もフランコを支援した。

独伊が介入する中で、宥和政策をとった英仏米は西への干渉を避けたことから、人民政府は武器購入にも困窮することになり、ソに依拠するようになった。人民戦線の防衛のためソが介入すると、英はなおさら政府側には付かなくなった。

ソの軍事支援によってフランコは進軍を阻まれたため、独へ空爆を要請した。これに応えて、独空軍は三七年四月に都市への空爆という新しい戦法を実験的に行った。スペイン北部のゲルニカ（バスク地方の文化的中心地）への空襲である。それは焼夷弾を使用した本格的な無差別爆撃の最初の事例となった。フランコは国際的な非難を浴びながらも首都を陥落させた（パブロ・ピカソの「ゲルニカ」は爆撃への批判として作成された。また米のヘミングウェー、英のオーウェルなどの作家らが人民戦線側に国際義勇兵として参戦した）。

独はこの過程の三六年八月にベルリン・オリンピックを開催した。軍国主義に反対する人民戦線陣営に対して、盛大な式典により独の威容を示そうとした。そのため期間中には様々な趣向があったが、そのうちの一つが聖火リレーである。独はギリシャのオリンピアからのリレーを考案し、古代からの伝統を引き継ぐゲルマンの正統性を表象した。公平と平和による競技の祭典は、ゲルマン民族の優越性を宣伝するための舞台と化した。

一方、フランコはこの後の三年をかけて三九年初頭に内戦に勝利し、独裁政権を樹立する。その政権は葡のサラザール政権とともに冷戦期まで独裁体制を継続することになる。

④「軍財抱合」の内閣とは何であったか

宇垣内閣が不成立になったことは、国家の総論をまとめる新党の結成が促されることを意味した。内閣は、陸軍内の派閥の中間的な人物と見られていた林銑十郎が組閣することになった。満州事変時に朝鮮軍を独断で中国に越境させた将軍である。林内閣は陸軍と財界の結託した「軍財抱合」の内閣と呼ばれた。

施政の基軸となったのは満州の資源開発と増産を目指す「満州産業開発五ヵ年計画」で（152頁に前出）、蔵相に就任した結城豊太郎《ゆうきとよたろう》（興銀総裁）などがこの案を日本側から実行しようと計画した。

満洲の開発はこの頃までに滞《とどこお》っていた。産業基盤が乏しく、開発には多額の資金を必要としたが、石炭と大豆の産出の他に産業がなかった当時の満洲には投資が集まらなかった。そうした満洲産業の「五ヵ年計画」に賛同を集めたのは石原であった。石原は自身の戦争計画から、日本は満洲の防衛の他には戦力・財力を極力使用せず、満洲の重工業化に専念すべきとした。ところが国防方針をめぐる海軍との交渉では合意が得られず、海軍は南進へ力を振り向けたため、海軍との共同は諦めて財界や政党と満洲開発を進める方法に切り替えたのである。

石原は近衛文麿《このえふみまろ》をはじめとする政財界の要人らにこの計画を進言すると、財界人らは石原の計画を支持した。財界では、恐慌から回復しつつあった米の経済力に対して危機感が募っていたことから、満洲の開発に期待したのである。この後の満洲では、関東軍が財閥を引き入れて開発を主導した。関東軍にとっては対ソ戦への備えを意味した。資金に乏しい日本は国内に向けるはずの開発資金を満洲に振り分けてインフラを整備していった。満洲は、本来的には欧米の資本・技術を導入して発展させるべき地域だったのである。

林内閣では、石原が集めた財界の支持を背景に日満一体の「重要産業五ヵ年計画要綱」が成立し、計画を推進するための「企画庁」も設置されることになる。しかし、この計画は林首相本人とは共有されていなかった。また少数の親軍的な政党（「国民同盟」・「昭和会」）を与党にしていた内閣は、政党との関係性を築こうとはしなかった。そのため、議会では政友会・民政党の二大政党から非協力的な態度をとられた。林はそうした政党への当てつけとして、予算だけ成立させるとすぐさま議会を解散した（「食い逃げ解散」）。これによって総選挙となったが、林の期待した親軍政党は惨敗し、選挙前よりも議席を減らしてしまった。林は再度の解散をちらつかせて政党に対峙しようとしたが、倒閣運動が激しくなるとついには辞職に追い込まれた。

林内閣が陸軍の要望を背景に獲得した予算は、三〇億円超の膨張軍事予算を主としたが、その影響で折からの物価高騰に拍車がかけられた。物価は約二五％の高騰となり、国民生活を圧迫した。選挙では有権者の約二六・五％が棄権したが、その中では反ファシズムを掲げた社会大衆党（社大）が労働者や農家から支持を集めて議席を伸ばしていた（民政党一七九議席・政友会一七五・社大三六）。

林銑十郎は在職期間わずか四ヵ月にして辞職し、予算を食い逃げするだけの「なにもせんじゅうろう内閣」と揶揄された。こうした政局の混乱は、新しい世代の政治家による革新に期待をかけさせていく。その期待を一身に浴びて登場するのが、次の近衛文麿内閣であった。

第８章 日中戦争の全面展開

中国問題は解決させぬまま日中戦争へと進んでいく。それは日本の計画外に八年も続く戦争となった。対して中国側は長期戦の戦略を展開していた。日中戦争は概ね以下の三段階に区分できる。

・上海で衝突した後に日本軍の攻勢により首都を陥落させた初期（三七年～三九年）
・四川省の建設を背景にした撤退戦術で長期戦になだれ込む中期（三九年～四二年）
・中国の国際外交が功を奏して連合国に参入し、攻勢に移る末期（四二年末～終戦）

本章では日中戦争が泥沼化する過程で、日本が世界にどのような影響を与え、同時にどのような影響を受けたのかを考察する。

１　日中戦争と国際関係

①近衛内閣は何を目指したか

三七年六月、貴族院議長の近衛文麿《このえふみまろ》が、西園寺の推薦により四五歳にして内閣を成立させた。近衛家は平安貴族の藤原氏を始祖とする天皇家の姻戚の家系で、文麿は貴族院議員の父・篤麿《あつまろ》の長男として世襲議員となった。篤麿は、日本が主導してアジアを西洋支配から護るとした「アジア主義」の運動家でもあり、そのための民間政治団体・「東亜同文会」を結成して中国で活躍できる人材の育成に努めるなどした。アジア主義は天皇の絶対的な立場を奉じるため、右翼活動家を多く輩出する思想としても発展した。篤麿は日露戦争では強硬外交を唱えた対露同志会の結成にも関わったが、日露戦争開戦の直前に死去した。残された文麿は陰鬱《いんうつ》な青年時代を過ごしたと回顧している。

文麿はアジア主義者や右翼活動家の人脈を受け継ぎながら、予《かね》てから世界秩序が英米中心的であることを批判していた。近衛は、英米が平和を説くのは国際社会の現状維持が彼らの利益を確保するからであって、新たな植民地の獲得を否定するのはその利益の独占に他ならず、日本は生存の必要からこの現状を打破すべきと主張していた(「英米本位の平和主義を排す」)。但し、近衛が批判したのは新外交の理念や戦争違法化ではなく、あくまで英米の利益独占であり、日本がアジアに対して求めた権益獲得が担保されるのであればむしろ「民主主義・人道主義」には賛成だと述べていた。

そのように主張していた近衛は西園寺の随員としてパリ講和会議に出席するのだが、訪問した仏で大戦の戦跡を目にすると、連盟が人類の根源的な平和の要求から創出されたものだと評価した。想像を絶した戦争の惨禍を目の当たりにしたことで、連盟の意義を理解したのである。

しかし、その後も貴族院においては政党政治の影響を防ごうと運動し、そのための改革を求めた。そうした姿勢は革新的な若き貴族院議員として現状を打破してくれるとの期待を集めた。そして、国内世論が軍部に期待する流れのなかで、近衛もまた政党に批判的となり、陸軍に接近するようになった。また連盟にも否定的になり、「持たざる国」としての日本の生存権を主張するようになった。西園寺は陸軍と接近しつつあった近衛を不安視したが、林内閣の後にまた陸軍の将校が組閣するのを嫌い、近衛を推した。

革新を期待された近衛の前評判は非常に高く、国民からの支持率も高く予想された。しかしながら、世襲貴族の近衛は選挙で国民に選出されたわけではなく、支持政党を持つわけでもない。貴族院とアジア主義運動の他には政治的基盤をもたなかった。そのため成立した近衛内閣は「現内閣は各方面における相克関係を緩和するを使命とす」と、自らの役割を政党と軍部の関係改善とした。その上で、軍部と政財界から影響力のある閣僚を揃《そろ》え、各方面の勢力を吸収しようと目論《もくろ》んだ。

「相克」の解消を目指す近衛は、政党の支持を得ようとする一方で、各要人を参議として閣外で政治参加させた。また陸軍に対しては、部内派閥の解消を目指して「皇道派」にも配慮した。皇道派を用いて統制派を抑えることで陸軍の独走を防ごうとするバランス人事である。対立をも包摂して国家の総論を打ち立て、全勢力を統制する「挙国一致」の頂点に立つ内閣を目指したのである。そして、そのためには何より国民からの人気を得なければならなかった。

それらの意図を含んで、外相には広田弘毅を迎えた。広田の就任は、西園寺からも陸軍からも認められた。西園寺は首相経験者としての広田が近衛を支えることを希望したようだが、同時に陸軍は妥協的な広田をねじ伏せやすい相手と見た。もはや広田は陸軍に都合のいい相手になっていた。そのため以後の外交方針は「広田三原則」に戻され、近衛と広田の外交はアジア主義的な志向を目指していく。かくして内閣は中国との懸案を抱えながら、様々な意味での大きな期待とともに出発したが、そこに突如発生したのが日中戦争の原因となる盧溝橋《ろこうきょう》事件であった。

②盧溝橋事件はなぜ拡大するのか

七月七日の夜、北平（北京）の西南郊外を流れる永定河にかかる橋・盧溝橋の北側にあった日本軍の演習地において事件は発生した。支那駐屯軍は、北平（第一大隊）・天津（第二大隊）に駐屯し、また北平の南の交通要所である豊台（第三大隊）にも駐屯した。義和団事件を機としたこれらの駐屯地は列国の協議で選ぶことができ、豊台はそもそもの駐屯規定地ではなかったが、かつて英軍が駐兵した先例があったため、駐屯させた。中国軍を駆逐しての駐屯であった。

その豊台に駐屯する第三大隊が、夜間演習中に中国軍のいる対岸から銃撃を受けた（偶発的な発砲で詳細は不明）。兵士の一人の行方が確認できず、銃撃に倒れたとの疑いがでた。部隊（第三大隊所属の第八中隊）は中国軍から攻撃を受けたものとして直ちに本隊へ連絡し、反撃を開始した。連絡を受けた第三大隊の本隊も盧溝橋へ出動した。ところが、交戦してほどなく所在不明の兵士が見つかった。日本側の誤認であったことが明らかになったのだが、本隊への報告が遅れたために翌日まで戦闘が継続された。

偶発的に起こしてしまった交戦は一一日には停戦した。しかし、その前日に中国軍が部隊を増強させていたことから、国内ではそれを危機として出兵論が起こり、内閣は陸軍の強硬意見によって現地への派兵を決定した。威力を示し、謝罪と今後の保障を求めるという理由であった。満州事変時には現地の関東軍が政府の制止を振りきって独断で戦闘を開始したが、盧溝橋事件では現地が停戦したにも拘わらず、政府が派兵を決定したのである。

当時の参謀本部の中心にいたのは石原莞爾で、対ソ戦争の準備を優先したい石原は事変の不拡大を主張した。ところが、強硬に拡大を主張する意見に突き上げられ、部内をまとめることはできなかった。また陸軍省にも華北分離工作の促進のために拡大を求める声があった。そのため派兵が認められ、近衛内閣は事変を不拡大としながらも、日中戦争への全面化に進んでいくことになる。

内閣は出兵を決定した後になって現地で停戦協定が結ばれたことを知ったのだが、既に関東軍に動員がかけられていたこともあって、朝鮮でも国内でも出兵準備が進んだ。陸相（杉山元）は派兵して威力を示せば中国軍は簡単に降参し、直ぐに解決すると説明したが、蒋介石は北京に向けて軍を動かしつつあったため、その状況で派兵を行えば紛争が拡大する懸念があった。政府は、中国軍の盧溝橋付近からの撤退と謝罪を含めた停戦協定と、蒋介石軍の北上の停止を求めた。さらに停戦協定には冀察政権から排日的な人物を追放するようにとの要望も含めた。

閣内では増派を求める陸相と他の閣僚の間で話し合いが続いたが、近衛は体調不良を理由に閣議や五相会議を欠席し続けた。この間、外務省では派兵に反対する嘆願書が作成され、他の閣僚も派兵には消極的であったにも拘わらず、中国側から先の要望に対する回答が来ないとの理由で増派が決定された。

蒋介石は主権を脅かすような条件での和解はできないとして、また南京政府の了承なく冀察政権の人事異動を行えないと、日本側の要求を拒否した。そして北平において中国軍からの攻撃が続いているとの報が入ってきた（廊坊事件・広安門事件）。盧溝橋の他でも軍事衝突が派生していたのである。内閣は二七日の閣議で、和平交渉がまとまれば派兵を中止するとの条件をつけながらも派兵を認めた。そして駐屯軍は華北総攻撃を開始する。

こうして盧溝橋事件が拡大したのにはいくつかの要因があった。一つは前年に駐屯軍を増強していたことである。共産党が華北に接近したとの理由であった（171頁）。また、直前の六月一九日から三〇日にかけて起きたソとの国境紛争も原因となった。満洲北部を流れる黒竜江（アムール川）の中州《なかす》であるカンチャーズ島にソ軍が上陸し、これを満洲の部隊が攻撃した。石原ら参謀本部の制止を無視してソの砲艇を撃沈するなどしたのであった。重光（駐ソ大使）による厳重抗議と武力攻撃でソ軍を撤退させはしたが、ソの報復が懸念された。これにより他の駐屯部隊にも緊張が高まったと思われる。

そしてまた、七月二九日にはさらに衝突を拡大させる事件が起こる。冀東防共自治政府保安隊（中国人部隊）が日本人居留民を虐殺した「通州事件」である。華北分離工作によって創出された冀東政権は、日本の傀儡的な疑似政府であったはずが、その部隊が二〇〇人とも言われる日本人を虐殺し、遺体を損壊するなどした。きっかけとなったのは冀東政権に対する日本軍の誤爆であったが、誤爆については日本側が謝罪し、解決したかに思われた。ところが蒋介石が宣伝工作として盧溝橋事件で日本軍が大敗したとの虚報を流した。これによって日本軍が退勢すると思われ、中国国内が積極抗戦へと傾斜したのである。保安隊は殷汝耕も捕縛したが日本軍が奪還して保護した。その後に日本軍は北平・天津を占領したが、但しこの時点でも未だ衝突は華北に限定されていた。それが全面戦争化するのは次の上海での事件によってである。

③日中戦争へと拡大したのはなぜか

三七年八月一〇日、海軍将校の大山勇夫（陸戦隊中隊長）が射殺される「大山事件」が起きた。中国軍の飛行場に近づいたところを襲撃された事件（大山の行動や目的には諸説ある）で、上海での緊張が高まったが、兵力では中国側が圧倒したため日本側は不拡大方針をとった。

しかし中国側からの先制攻撃があったことから、近衛内閣は一三日の緊急閣議で応戦を決定し、上海への出兵が正式決定された。出兵した方が早期に事態を解決できるという主張に押されての決定であったが、近衛は派兵後も方針を決めかねて揺れ動いた。派兵は認めながらも近衛自身は戦争への拡大に躊躇しており、早期の解決を望んでいた。しかし中国側からの積極攻撃を受けると海軍も出兵を求め、抑制できなくなった。

海軍は、長崎と台湾から上海・南京などへ航空隊による渡洋爆撃を行った。爆撃は盧溝橋事件直後から海軍によって準備されていたもので、この機に実施されることになった。一方、中国軍も航空機による爆撃を行い、海軍の艦隊や租界に被害が出た。これにより閣議はさらに強硬論に傾斜した。とりわけ米内光《よないみつ》政《まさ》海相が拡大を求めるようになると、出兵自体に反対する閣僚はほとんどいなくなった。中国側からの積極攻撃を受けた海軍は武力解決の他に方法はないと主張するようになり、一挙に態度を硬化させて全面対決を求めたのである。かくして戦闘は「第二次上海事件」（上海戦）として拡大する。

政府は一五日に「盧溝橋事件に関する政府声明」として、「非道な中国軍に対し正義の制裁を下す」（支那軍の暴《ぼう》を膺懲《ようちょう》し以て南京政府の反省を促す）との声明を発表した。上海での被害を訴えながら、日本政府は我慢の限界に達したので断乎たる措置に出て、蒋介石政権の「反省を促す」という意味である。広田外相が躊躇するのを海軍やその他の閣僚が押し切って出された声明であった。続く一七日の閣議では不拡大方針の破棄が決定された。

近衛は閣議において不拡大を主導するよりも、大勢に乗って追認する方を選択した。戦争には踏み切れないながらも、もはや戦局の拡大は免れないため、国民の前では中国との戦いをあたかも政府が主導しているように振る舞った。内閣は「国民精神総動員運動」を提唱し、国民に戦争協力を求めて、町内会・隣組などを組織させた。それらはこの後の戦時体制の基盤となる。

拡大方針は中国への威嚇が効果的との認識から選択されたが、海軍の渡洋爆撃は中国軍に徹底した打撃を与えるに至らず、中国軍機の反撃により海軍の攻撃機が撃墜されるなどした。脆弱なはずの中国軍の思わぬ抵抗に遭い、それは海軍に衝撃を与えた。しかし、中国空軍は一方で米の艦船や列国の租界への誤爆も繰り返した。このことは列国の中国への同情を減退させることになる。

陸軍は上海派遣軍を編制して上海に奇襲上陸をしかけた。海軍が海上から上海を包囲したが、上陸は中国側の反撃を受けて大きな被害を出した。上海には堅固な陣地が構築されていた。上海の苦戦を憂慮して天皇が自ら戦争指導を行うようになり、陸軍はさらに増派を求めたが、石原が兵を出そうとしなかった。天皇はカンチャーズ島事件からソの動向を気にかけるようになり、早期解決を図ろうと大兵力の投入を要求した。そのためやむなく派兵を決定するが、石原はそれでもなお小規模の派兵に留めようとした。しかし、近衛内閣の声明によって世論や軍部が強硬論に傾斜していくと、石原は孤立するようになり、関東軍へ転任させられて中央から追い出された。

予想外に拡大していく上海戦は、列国の施設にも被害を与えながら、戦争段階に突入した。

④上海戦は何との戦いであったか

日本軍は中国軍の戦力を全く評価していなかった。中国兵は弱く臆病で、一撃すれば逃げていくとの「対支一撃論」が支配的であった。「叩けば逃げていく」とする中国軍のイメージは満州事変の影響である。実際には、相手の「不抵抗方針」がそれを許していたわけだが、日本軍が巧みな作戦を展開すれば数倍の中国軍にも勝るとの思い込みを与えた。ところが上海戦では激烈な反攻に遭い、日本軍は武器弾薬にも困窮した。

上海戦に至るまでに、蒋介石は独の軍事顧問団を招聘して軍の強化を図っていた。それは共産党との戦いのためであったが、独は日本と防共協定を結びながらも中国への軍事的支援を行っていたのである（「中独合作」）。日本は独に強く反対したが、独はその後も支援を止めなかった。軍事顧問の派遣は独の重要な輸出産業の一環であり、かつ中国からのタングステンの輸入を見返りにしていた。上海には広範な防衛陣地が構築され、独軍の兵器が多量に配備されたが、それは大戦での塹壕戦を教訓とした独軍のノウハウであった。上海戦には独軍の軍事顧問団も参加していた。さらに蒋は米軍の航空機を購入し空軍も創設した。訓練教官も米から招いたが、その財源や交渉は宋美齢が支えた。蒋介石は共産党を掃討しながらも、これだけの上海の軍備増強をしていたのであった。

また近衛の声明を見た蒋介石は、日本が武力行使に踏み切ったものと判断して、ソとの軍事提携にも乗り出した。ソとの提携は、孫文から「連ソ容共」の考えを引き継いでいた孫科によって仲介された。下野していた孫科は、民間で中ソ間の親睦団体を運営していた。予てから日本との対決「連ソ制日」を主張していた孫科は、ソとの間に「中ソ不可侵条約」を結び、これを機にソは国民政府への軍需物資の支援を行うことになる（「新疆ルート」による援助物資の輸送）。

蒋介石は盧溝橋事件の翌日にはソへの接近を決心し、上海のソ連大使館において交渉を開始した。ソからの援助を求めて「相互援助協定」を求めた蒋に対して、ソ側はこの状況において中国との援助協定を結ぶのはソが対日参戦するのと同じだとして不可侵条約に留めたのであったが、但し日独防共協定の圧迫を受けているソにとっても蒋との関係は重要であった。これにより、装備の乏しい中国に爆撃機・戦闘機・戦車・銃砲・機関銃や資金が提供され、ソの軍事教官も派遣された。

その後も蒋はソの対日参戦を度々要請したが、スターリンは中国が決定的に不利になった場合には対日戦に参戦するとしながらも日本との交戦は避けた。実際問題として九ヵ国条約に参加していないソは日中戦争に参戦することはできなかった。中国の主権のために戦うとの大義名分は九ヵ国条約にこそあり、ソが参戦した場合には単に日本の権益を横取りしようとしているようにしか見えないと思われたためである。

また一方で、中ソの連携は独の警戒を呼び起こした。独は盧溝橋事件に際して、日中戦争がソに利するとして日本の行動に抗議した。そうした中で、日中独ソの関係は以後の様相を複雑化していく。

⑤どのような外交の選択肢があったか

陸軍は三七年八月三一日に支那駐屯軍を改編・拡大して、「北支那方面軍」（司令官・寺内寿一）を編制した。続く九月二日、内閣は「北支事変」を「支那事変」に改称し、四日には臨時議会に臨席した天皇が対中方針を示す勅語を発した。その内容は、日本側は「中華民国との提携協力」を願っているが、中国側がこれを理解せず事変に至っており、日本は中国側の反省を促して平和を確立したいとの内容であった。それは、近衛内閣が中国を懲らしめるとした態度を正当化したのと同時に、蒋介石が反省を示すまで武力によって対決する方針をもはや撤回できなくさせた。

勅語は内閣が事変の追加予算を議会に認めさせるために出してもらったものだったが、それが内閣自身の足枷ともなっていく。そして翌日の議会では、近衛自身が「積極的且全面的に支那軍に対して一大打撃」を与えねばならないと述べて長期戦も覚悟するとまで演説した。

日本軍は九月に上海に飛行場を建設すると、そこから南京を重点的に爆撃した。日本軍は上海・南京の制空権を完全に掌握したが、各国の外交施設などがある南京への爆撃は国際的な批判を招いた。連盟は南京の一般市民が殺害されていることを指摘して非難決議を全会一致で可決した。ルーズベルト米大統領(Franklin Roosevelt)も日本の行動が九ヵ国条約違反であることを指摘して、国際平和のために侵略国を排除すべきとする「隔離演説」を行った(「隔離」とは侵略行動が伝染病のように蔓延することを防ぐとの意味で、特に南京爆撃を批判したもの)。

これらに対して広田外相は日本の行動が正当であると各国に宣伝し続けた。英は日本を抑制するため、九ヵ国条約の締約国の間で日中戦争について協議しようとベルギーでの国際会議の開催を提案した(ブリュッセル会議)。ベルギーの駐日大使から招請状が届いたが、広田は中国との単独交渉を求め、国際会議への出席を拒否した。会議では英の判断で日本への制裁問題は取り上げられず、蒋介石を落胆させた。また連盟が九ヵ国条約の会議に日本を招聘する決議を行ったのだが、内閣はこれへの出席も拒否した。

近衛内閣が国際的な話し合いの場に出ることを避けたのは、中国が国際関係の中で微妙な立ち位置にいるうちは列国が対日制裁にまで踏み切ることはないとの判断からである。中国が英米から援助を引き出そうとしながら、ソとも提携したことは、確かに英米の積極性を減退させた。つまり中国がソと英米を両天秤にかけるうちは対日制裁の決定はないと予測して会議の出席を避けたのである。実際に国際会議は蒋介石の期待とは裏腹に、日本に対する制裁措置など具体的な解決案は出さなかった。

またこの頃までに、外務省ではワシントン体制や九ヵ国条約が英米による中国市場の確保の手段に過ぎず、日本を抑制する口実であると見るようになっていた。連盟を脱退した後には国際協調の意義よりも、むしろその抑圧的な性格を問題視するようになったのである。国際会議を避けるべきとの考えは外交官らの間にもあった。

しかし、会議のボイコットは日本が国際社会へ弁明する機会を自ら捨てることも意味している。そのため広田は、独の仲介を得て中国との和平工作を行おうとした。日中戦争に反対する独は日本の軍事行動を抗議していたが、広田は抗議自体を受け止めるよりも、戦争に反対する独であれば和平を仲介するであろうことを考えた。上海戦が進行する中、英米ではなく、独伊による斡旋を選ぶのである。

２　蒋介石の「国際的戦略」

蒋介石はソとの不可侵条約を結びはしたが、あまりにソに傾斜すれば英米から警戒されてその同情を失うことは理解していた。共産党を警戒する蒋にしてみてもソとの提携は日本への圧力の手段に他ならないのであり、その効果が損なわれては利点がない。中国は不安定な立場にあったが、その中で蒋には抗日戦争における遠大な戦略があった。

①中国側の戦略とは何か

蒋は日本との戦いにおいて、戦術的には奥地へと撤退していく方法をとった。広大な中国の奥地まで攻め込もうとすれば日本軍は疲弊して消耗せねばならない。また日本軍は占領地を確保するために陸兵を大動員することになるが、動員するほどに英米の介入する可能性を高めることになると考えた。そのため、国際的干渉を呼び込もうと上海で徹底抗戦すべく陣地を構築していた。そして上海の陥落後も、南京から遷都して奥地に後退しながら長期戦を展開するつもりであった。上海戦が中国の先制攻撃から開始された裏には蒋のこのような戦略があった。日本と戦うことこそが他国の干渉や参戦を招き得る方法なのであり、決して日本に屈してはならなかった。

蒋の戦略は、第一次大戦の際に日本が英と取引したがために中国が孤立状態となり、諸外国が介入できない状況下で「二十一ヵ条要求」に屈した経験から、今度は列国を誘引して日本を孤立させようとしたものであった。国際干渉を呼び込むためには、日本が侵略戦争をしていると訴えながら、集団安全保障を中国に適用させる必要がある。そのため蒋が最も懸念したのは、日本が英仏と妥協することであった。英仏が日本に接近すれば、米も日本に妥協的となり、ソも日本との対抗を避ける。そして、九ヵ国条約違反を英仏が黙認するようになることが最悪の展開であった。

また日本の侵略行為は諸国の権益をも侵害しているため、既得権者としての各国は日本の行動を許さないはずであるとして、諸国からの「同情と援助」を引き出す外交戦略を用いた。そのため連盟外交に実績のある顧維鈞を重用し、被害を訴えた。

強硬姿勢を崩さない日本と直接交渉をしても、中国にとっては不利益な条件の協定になるばかりで得るものがない上に、その協定すらも日本が守る保証はなかった。それよりも奥地の四川省を根拠地として固めて、日本の侵攻に耐え抜けば、日本を世界の敵にすることができ、最後は勝利できると確信していた。これが蒋の「国際的戦略」だったのである。

但し、蒋は日本との徹底抗戦を打ち出した後にも、国内では共産党との分裂に対処しながら、折りにつけ日本との和解や提携を考え直すなどして揺れ動きながら抗日戦争を行った。満州事変に対して連盟が有効な解決策を示さなかったことから、盧溝橋事件以降にも中国国内には日本との和平交渉を行おうとする勢力も多く、蒋介石の方針も和戦の間で揺れ動いたのであった。

しかしながら、蒋が基本的には徹底抗戦を覚悟していたのに対して、近衛は戦争遂行に躊躇した。図らずも戦時方針を用意せねばならなくなったが、「通州事件」の報道などから世論が硬化しており、国民からの人気を得なければならない近衛は派兵を決定した。それは「対支一撃論」によって満州事変のように短期的に日本側が勝利するものとして判断されたのであった。

②和平の可能性

近衛は、現地軍の軍事行動は中国軍の不法暴虐に対する「自衛」のための正当な行動であると言い続けた。議会でも、中国軍に「膺懲の鉄槌」を加えているのだと説明した。また「中ソ不可侵条約」が締結されてからは、日本が中国を叩くのは世界の赤化（共産主義化）を防ぐ使命であるとの言説が一般社会にも登場した。

しかし、軍事作戦を展開する一方で近衛は水面下では常に和平工作を展開していた。その工作の一つが独の中国大使・トラウトマンに仲裁を依頼した「トラウトマン和平工作」である。これを進めたのは石原で、盧溝橋事件以前の状態に戻す条件で和解しようとする案であった。参謀本部の馬奈木《まなき》敬信《たかのぶ》（二・二六事件時に石原とともに戒厳参謀を務め、独に駐在したことからトラウトマンとの面識があった）を仲介にトラウトマンと連絡した。三七年一〇月にはヒトラーの了承も得て、トラウトマンも交渉に着手した。この時には、日本が参加を拒否した先のブリュッセル会議で何ら成果を得られなかった蒋介石が、日本との和平に前向きな姿勢を見せた。工作は一二月初め頃から本格化していった。

その際の蒋は、当面は日本と停戦し、やがて日ソ間で衝突が起こることに期待をかけた。この間の一一月に「防共協定」に伊も加わったため、独伊との関係を強めた日本が「防共」を理由にソと対立すれば、蒋は国内の共産党との戦いを有利に進められ、その後に衰弱した日本軍を駆逐すればよかった。つまり、蒋が揺れ動いたというのは、日本と戦うか否かではなく、速戦するか長期的に戦うかの迷いであって、抗日戦自体の決意は変わることがなかった。この点は近衛との大きな違いであった。

一方、戸惑いながらも拡大を許す近衛は、一一月二〇日に「大本営」（戦時に作戦を指揮する機関／戦時のみ設置できるはずが、「事変」においても設置できると改正した）が設置されると、同時に内閣と大本営との協議の場を設けることにした。大本営会議に出席できるのは天皇と陸海軍の参謀総長・軍令部長の他、それぞれの次長と作戦課長のみであった。陸海軍の大臣は出席できても、国務大臣（閣僚の一人）であるとして発言権はなかった。政府は軍の作戦には関与できないとする「統帥権の独立」の故である。首相はこれに関与できないために戦争計画を把握できないことすらあったので、近衛は大本営と政府との間に協議機関を設置することで大本営への関与を図った。政府首脳と大本営の意思疎通の場として会議を設置し、これを「大本営政府連絡会議」としたのである。

会議は、首相が議長を務め、戦争経済の企画立案のために新設された企画院の総裁・外務・大蔵・陸海軍の各大臣および統帥部（参謀総長・軍令部総長）により構成された。しかし、連絡会議での議長には主導権が認められたわけではなく、連絡会議を設置しても軍部の抑制は結局できなかった。

③枢軸国はいかにできたか—「防共協定」のネットワーク

一一月二五日、伊が防共協定に加わったことから日伊間の連携も強まり、独伊の両国が満洲国を承認する見込みが立った。さらにスペイン（西）がフランコ政権の承認を求めてきており、これと引き換えに西にも満洲国を承認させられるようになった。広田は和平工作を進めながらも、これら独・伊・西の三国による承認を圧力として中国外交に利そうとした。

伊は三五年にエチオピアに侵攻していたが、それは伊に蓄積した領土的欲求をムッソリーニが実現したものであった。アフリカでは最西端のリベリアを除けばエチオピアの他に独立国はほとんど無かった。伊は一八八〇年代に既にエチオピアの周囲を領有したが、エチオピア自体の植民地化は仏に阻止されて失敗していた（「第一次エチオピア戦争」一八九五年）。しかしその後に人口過剰が問題になると、ムッソリーニによって植民地獲得が再燃し、「東アフリカ帝国」建設が謳われた。

伊は宣戦布告を行うことなく、都市爆撃や毒ガスの使用など国際的ルールを無視したため（工軍も禁止兵器のダムダム弾を使用していた）、連盟が初の経済制裁を発動したわけだが、先の通り、重要物資である石油などには適用されなかった。連盟に非加盟の米が伊に石油を輸出した場合には無意味になるからである。こうした穴を抜けて伊は公然とエチオピア併合を果たした。英は結局、伊に対しても宥和政策をとって黙認した。

伊はスペイン内戦を通じて接近した独との提携（ベルリン―ローマ枢軸）を築き、国際的な孤立を回避しようと「独伊防共協定」を締結した。これで日独伊の間に連携ができるが、当初日本は伊との提携にはさほど利点がない上に、英から反発を招くとして連携に躊躇していた。また、国内ではアジア主義者の頭山満らが伊のエチオピア侵攻の非道性に抗議しており、玄洋社の広田外相も頭山らの主張に関心を示すと、伊は日本への不信感を持つようになった。従って、協定の拡大は、日中戦争が収拾できない中で冷却しかけた伊との関係を補修する意味もあった。日本は満洲国の承認も求めて、伊の協定参加を認めた。独は満洲との修好条約も結んだ。満洲国も防共協定に加わり、フランコ政権も加入することになった。さらに独に配慮したハンガリー・ブルガリアも防共協定に加わることになる。

こうして協定網ができるが、欧州・アフリカ・中国で領土拡大戦争を行おうとする独伊日の提携が発生したことは諸国の危機感を助長した。

3 日中戦争の第二段階へ

蒋は四川省に一大根拠地を建設して日本軍を誘い込み、長期戦へ引きずり込む方策を立てた。日本は水面下で和平交渉を進めたが、国民政府は首都を重慶へと遷都し、日中戦争は第二段階へ推移していく。

①「蒋介石を対手とせず」がもたらした影響

居留民保護を目的に始まったはずの行動は、上海を占領した後にも止まらなかった。海軍が積極攻勢に出て南京を爆撃したのに乗じて、陸軍はそれを機に南京の攻略を企図した。国民政府の首都の占拠である。不拡大派の石原が更迭された後の参謀本部では、拡大派の意見が支配的となった。一二月一日に南京攻略を決定するが、成り行きで決定された南京攻略は、計画外の作戦であったために物資や食糧の準備などないまま開始され、補給を軽視した作戦を行うことになる。

日本軍は城塞都市の南京へ包囲攻撃を行い一二月一三日に占領するが、その前日には、商業活動保護のために揚子江に停泊していた英米の砲艦を誤爆する事件を起こした（PANAY号事件／Ladybird号砲撃事件）。撤退する中国兵の輸送船と誤認したのであった。米の砲艦については撃沈させたため、広田は大使館に出向いて陳謝したが、その際に預かった大統領からの天皇宛《あて》の親書については上奏せずに握りつぶした。親書は事件に対し責任ある行動を求めるとした内容であったが、問題化を避けようと広田が報告しなかったことで、天皇が大統領を無視した形になってしまった。米は、後に「日米通商航海条約」を破棄することになる。

そして、南京へ入城した部隊が数週間にわたって行った虐殺行為が「南京大虐殺」である。事件の背景には、軍隊に必要な補給物資を「現地徴発」（略奪）によって行う傾向や、「通州事件」や「上海戦」での中国側の攻撃に対する報復意識が原因に挙げられる。実際に南京戦では「補給ノ為軍ハ為シ得ル限リ現地物資ヲ利用スルモノトス」との「徴発命令」が出されていた。補給を無視した作戦の上に、各部隊が功名を競って強行進軍した。上海戦の発生から四ヵ月にして首都南京は陥落した。

南京陥落に際して、松井石根《いわね》司令官（中支那派遣軍）ら上層部は、未だ南京城の平定が完全には行われていない段階で、既に入城式（祝勝イベント）を挙行することを決定してしまった。現地部隊が式の延期を求めたのを松井は容れず、一七日の挙行が決定された。入城式は軍の威容を誇る催事であるが、皇族の朝香宮鳩彦王《あさかのみややすひこ》（上海派遣軍司令官）も出席するため治安維持は絶対条件であった。そのために城内の敵兵の掃討が行われ、治安確保のために慌てて殺害していたことが考えられる（現地部隊は南京場内に約二万五千の便衣兵《べんい》―市民に扮した兵が潜んでいると推定していた）。

南京陥落が迫ると、東京では早くもその祝賀のために日の丸の手旗や提灯《ちょうちん》を学校に配布するなどしており、銀座や新宿の繁華街などには祝勝の幟《のぼり》が掲げられた。これで中国に勝利し、戦争は終わると思われた。南京陥落の翌日には、北平に「中華民国臨時政府」が北支那方面軍（寺内寿一司令官）によって樹立された。

国民世論は「支那膺懲」に高揚した。そうなれば、この世論を引き付けようとするのが近衛内閣である。そのまま日中戦争に勝利できるのではないかと考えた近衛内閣はトラウトマンに依頼していた和平工作を自ら打ち切った。

広田外相も和平の交渉条件を吊り上げて中国側に厳しい条件を附し、年が明けた三八年一月に中国側が承諾しなければ和平工作を打ち切るとの決定を下した。この決定（支那事変処理根本方針）は、日露戦争以来となる御前会議を経て下されたのだが、御前会議の開催を求めたのは中国との和平を求めていた参謀本部の不拡大派であった。石原の更迭後にほとんど影響力を無くした不拡大派が、御前会議で天皇から不拡大を表明してもらおうとの望みをかけたのである。

ところが、その席上では広田が中国との交渉に見切りをつけるとの発言をした。さらに二日後の一月一五日の大本営政府連絡会議でも、参謀次長（多田駿）がなお和平を主張したのに対して、広田外相・米内海相・杉山陸相が強く反対した。特に広田は語気を強めて和平案を押さえつけ、和平工作の打ち切りを決定させた。内閣は議会の開催を控えていたために強気な方針を用意したがった。

日本側は首都の南京が陥落すれば蒋介石が降伏すると考えていた。しかし、蒋は長期抗戦に備えて首都を四川省の重慶に移した。重慶は共産党の根拠地の一つであったが、蒋は共産党を排除するために三五年には四川を攻略し、根拠地として建設を進めていた。そして「国際戦略」の実現を期すのである。

勝利を確信していた近衛内閣は、一月一六日に国民政府との関係を自ら拒絶する「近衛声明」を発表する。「帝国政府は爾後《じご》国民政府を対手《あいて》とせず」、真の提携相手に相応《ふさわ》しい新たな政権の成立に期待して、「更生新支那の建設に協力」するとの声明であった。日本軍は北京・天津・上海・南京と主要都市を悉く《ことごと》陥落させたのであり、国民政府が遷都したと言ってもそれは地方政権へと転落したことを意味するのであって、今や中央政府としての実体を失ったのだとした。

蒋を無視した強気な声明は、以前より国内の新聞や雑誌で、蒋の下野を求めるなどの強硬論が唱えられていたことも背景にしていた。声明の中で述べられている「新興支那政権」とは、国民政府の内部で蒋介石と対立した汪兆銘に親日政権をつくらせる工作を指していた。親日路線をとる汪は和平を主張して、徹底抗戦を主張する蒋と対立していたのである。南京陥落によって楽観的な認識をもった近衛内閣は汪を担ぎ出す工作に期待した。汪への工作は三月頃から水面下で開始され、蒋と決別するように促した。

参謀本部の不拡大派は、一五日の連絡会議で和平工作の打ち切りが明らかとなった時、翌日にその内容を近衛が上奏するより前に、天皇から講和の裁可を得てしまおうとした。その夜のうちに閑院宮載仁《かんいんのみやことひと》参謀総長に参内してもらい、和平を規定方針にしようとしたのである。しかし、昭和天皇は予定外の閑院宮の割り込み上奏を認めずに面会しなかった。そして翌日に近衛が予定通りに上奏し、「近衛声明」が出されたのであった。

蔣は日本との停戦の可能性を考慮したが、和平工作を進めながらも上海・南京への攻撃を進めていた近衛内閣に不信感を抱いた。そこへ和平交渉を打ち切る「対手とせず」声明が出されたことで、交渉の余地は無くなった。近衛は、議会や国民の前で勝者として振る舞おうと声明を出したが、それは以後の国民政府との交渉を自ら閉ざしてしまうものだった。

②なぜ日中戦争には宣戦布告がなかったのか

かくして日中戦争は、参謀本部の和平案を否定する外務省と海軍・陸軍省が長期化して泥沼化することを決定づけた。これは、日中戦争の遂行が国策になったことを意味している。しかし日中戦争では、日中ともに戦争に踏み切りながら両国とも「宣戦布告」をしなかった。なぜならば、宣戦布告をした場合には、米国が国内で制定していた「中立法」を発動させ、戦争に関わる物資の輸出などを停止してしまうためである。日中両国はそれぞれ米から資源を輸入せねば戦闘を継続することが困難だった。米が中立法を発動させれば、物資や資金のあらゆる調達が不可能となる。宣戦布告を行って戦争状態に入れば、国際法により海上封鎖を行うことができるため、中国への船舶輸送を差し止めることもできるが、そうした圧力よりも日本への輸入自体が停止することを避けたのである。

また、戦争違法化の世界において宣戦布告は自らの不法行為を宣言するようなものであった。自国から宣戦布告すれば、相手側には自衛戦争の名目が立ち、連盟が集団安全保障による制裁措置に出る可能性も考えられたのである。

他方、中国側も米からの輸入に依存せねば戦争を続けられない事情は同じであった。そして宣戦布告をした場合には、九ヵ国条約・国際連盟規約・不戦条約を全て自ら破棄することになり、中国側が条約破棄の責任を問われる立場になり兼ねなかった。それは日本に侵略の口実を差し出すことにもなる。こうした背景から、日中はそれぞれ宣戦布告を慎重に避けた。日中戦争は第三国に依存しながら行われた戦争だったのである。

国内では戦争の呼称が避けられ、「支那事変」と称したが、増大する軍事費の調達と戦争物資の統制のために政府は「国家総動員法」を議会に提出した。戦時には政府が労働力・資金・報道を統制できるとして、国力の全てを軍需へ注ぎ込めるとした法律である。この頃までには既に平時の経済状態のままでは大軍の需要を満たすことが出来なくなっていた。

しかし、「人的資源」の運用を可能にする同法が成立すれば、政府は無給の奉仕として国民を動員するであろうし、政府に全領域を委任するその法律は議会を形骸化するものでもある。国民の権利を強く制限する同法に対して、衆議院では不信感の表明や批判が相次いだ。近衛は議会において、「国家総動員法」は「戦時」に発動されるもので、現在の「支那事変」に対して適応するものではなく、あくまで将来に戦争が起きた時のための備えであるとした。衆議院は法案が現下の日中戦争に直ちに適用されるものではないことを了解事項として法案を通した。ところが、法案が貴族院の審議に移ると、近衛は前言を撤回して総動員法が「今事変」にも適用されると説明した。

「国家総動員法」は三八年四月に成立し、以後の統制経済の根幹となる。経済においては政府が軍事需要を提供することで民間が軍需生産に集中し、物資の増産を達成させるとの計画が出された。軍需生産が優先され、民需は最低限まで切り詰められていくことになる。そうした統制経済を実施した官僚らは、国民を人的物資として計算した。国民は資源にされ、物的資源と同様にその使用が計画されていく。そして戦時統制を実行する企画院がこの法を基に、鉄鋼・石油の配分統制・配給統制・価格統制などを実行していくのである。

③「対支一撃論」の大過

「近衛声明」を出した後も日中戦争の解決の目途は立たず、中国が容易に屈服しないことが明白になってきた。中国軍の活発な抗戦によって局所的には撃退された戦闘もあった。

南京陥落の翌日に、北京において北支那方面軍が「中華民国臨時政府」を創出していたが、それに続いて、三八年三月には中支那《なかしな》派遣軍（南京で編制された軍）が南京・上海を中心に「中華民国維新政府」を創出した。占領地にまた傀儡自治政権をつくったわけである。そして翌月、南京の中支那派遣軍と山東省の北支那方面軍の部隊が南北から江蘇省徐州（青島から南西に七〇〇㎞の都市／36頁参照）を挟撃した。

この会戦は、二〇万の日本軍が五〇万を越える中国軍に包囲殲滅戦をしかける戦いであった。日本軍は徐州の堅固な要塞を突破できず、大規模な空爆によってようやく中国軍を撤退させた。徐州を占領した日本軍は、華北と華中の占領地を接続させることはできたが、作戦目標であった包囲殲滅はできなかった（徐州作戦）。

また陸軍は、蒋介石と対立する人物らの協力を得ようと各地で工作を展開したが、成果を上げなかった（北京での「竹工作」・福建省の「菊工作」・上海の「蘭工作」など）。

近衛は対中政策の好転をもとめて内閣改造を行い、和平締結を目的に宇垣一成を外相にした。国民政府に対抗できる政権を創出するとの「近衛声明」のやり方には無理があったので、宇垣の和平工作では国民政府を中核とした新政権の創設に切り替えた。但し、蒋による政権を今更認めることはできないため、蒋の下野を条件とした。

また、対中外交を一元化しようと新たな機関「興亜院」を設置しようとした。これは、陸軍の出先部隊が傀儡政権への指導まで行っている状態を問題視し、そうした二重外交を清算するための政府機関として設置しようとしたものであった。ところが、宇垣は興亜院が外相の権限を奪い、自身の対中外交の主導性が損なわれるとしてこれに反対し、和平工作の成果のないうちに辞任してしまった（蒋の下野を求める工作が進展しなかったことも原因だった）。外相は近衛が兼任することにした。

この間にも日本軍は広州などへ爆撃を行っていたが、それによって諸外国の施設にも被害が出ていたことから、七月にパリで「無差別都市爆撃反対国際大会」が開催された。爆撃は軍事施設のみを対象にすべきとの国際的な同意が求められた（空爆は戦争規定で禁止されてはいたが完全禁止は技術上困難で有名無実化していた）。また、中国が日本軍の毒ガス使用を連盟理事会に訴え、日本への非難決議が採択されたが、日本はこれらを黙殺した。

日本軍は武漢へとさらに侵攻し、一〇月には占領した。武漢作戦の巨額の費用を捻出するため、近衛は早くも「国家総動員法」を施行した。中国は対日制裁の発動を求めて連盟に提訴すると、ついには制裁決議が採択された。現状維持を望む英によって制裁の実施までは避けられたが、日本と連盟の関係は修復不可能になった。それは蒋の国際戦略の進展を意味した。日本軍はさらに広東へも侵攻していったが、大規模な動員は国力の限界を迎えていた。

④なぜ「近衛声明」は三度も出されるのか

和平外交への転換ができない近衛は、先の「近衛声明」（「対手とせず」声明）を撤回する声明を出すことにした。「第二次近衛声明」である。今度の声明では、反共産主義を掲げる日本・満洲・中華民国の連携を目指すとして、アジアを欧米の影響から解き放つ「東亜新秩序」を打ち立てると宣言した。前回の声明から態度を一転させて中国側にも協力を求めた。

「新秩序」には、欧米の秩序を塗り替える新たなルールを築くとの意味がある。連盟による秩序に取って代わる新たな秩序を提示しない限りは、米の不承認主義やリットン報告書案を跳ね返すことができなかった。国内では声明発表の同日に近衛がラジオ放送を行い、日本は頑迷な蒋介石を打倒して中国を発展させるために戦っており、もはや中国は全く日本軍の掌中にあると宣伝した。

実は、前回の「対手とせず」声明を出すことに最も躊躇したのは近衛本人であった。日本側から相手にせずと言ってしまって、もし蒋が妥協してきたら、それを後から交渉することができるであろうかと思案した。それに対して近衛の相談役であった小川平吉（政友会の長老格の一人で近衛の父とも親交があった人物）などは、そんなことはその都度の状況でどうにでもできるのだと説得していた。強気な声明の裏で、軍部を抑制できない近衛は辞職したがるようになっており、和戦で紛糾する連絡会議も開かなくなっていた。そうした前回の声明から約一〇ヶ月にして、自身の声明を撤回する声明を出さざるを得なくなったのであった。

近衛は汪兆銘が親日政権としての中央政府を樹立することで、日中戦争を解決できると考えた。汪が重慶を脱出し、それと同時に日本は和平条件を公表するとの構想であった。即ち、国民党の内部から和平運動を起こす工作である。また汪政権が成立すれば日本と蒋との仲介役が果たせるとの観測もあった。

汪との計画では、日本が和平案を発表したら、それに応答する形で汪も時局収拾の声明を発表するとした。和平案は、満洲国の承認と引き換えに、日本軍は二年以内に撤兵する内容であった。近衛内閣はこの計画に沿って、さらなる「第三次近衛声明」を発表し、善隣友好・共同防共・経済提携による「近衛三原則」を提示した。この内容はそれぞれ、「国民政府が満洲国を承認する（善隣友好）」・「日本軍が防共のために華北に駐屯する（共同防共）」・「日本が分離工作を展開する華北や内蒙・新疆での開発に便宜を図る（経済提携）」を意味している。そして、汪は予定通り重慶を脱し、国民政府を離脱した。

当初の予定では、汪が国民政府を脱すればそれに伴って党の要人や軍閥も従うはずであったが、そのような協力者は得られなかった。それどころか汪がいなくなったことで、蒋介石体制が強固に確立された。つまり、汪の担ぎ出し工作は国民政府の内部分裂には功を奏さず、和平派の汪を抜き取ってしまったために国民政府は蒋の指揮の下で団結を強めた。第三次声明には中国にとって肝心の撤兵が含まれておらず、和平の呼びかけにはならなかった。蒋と決別した汪はこの後の四〇年三月に、反共を標榜する「新国民政府」を南京に樹立することになる。

4　翻弄される日本外交

これまでの国際情勢では英の動向が各所に影響した。ブロック経済による孤立的な政策やストレーザ戦線の破壊は英の独善的な行動であった。特にソへの警戒が英に横暴な行動をとらせた。英は「宥和政策」によって危機の回避に努めたが、それは現状維持のために条約の不履行や理念がねじ曲げられることを見逃しても構わない態度でもあった。

①イギリスの「宥和政策」はどのような外交なのか―「ミュンヘン会談」

独伊に対する宥和政策は国際条約違反を助長した。英が宥和を方針としたのは当時の英の軍備状況では、日本や独の複数国と同時に戦争をすることが不可能だったためである。そのため英は日本に対しても軍事行動を非難するに留まっていた。

しかし伊がエチオピア侵攻を行った時、英は連盟体制を維持するか、それとも他の方針に切り替えるかの選択に迫られた。一つは連盟による解決を放棄することであるが、それは大戦からの取り組みを全て断念することになる。他方、連盟体制を維持するためには、新たな軍事同盟を形成する選択もあり得た。特に仏にとっては独を抑制することこそが連盟の意義なのであり、連盟の枠内で同盟を構築するのは現実的な手段と言えた。そうでなければ伊への制裁を行う他なかった。制裁を発動しなければ連盟の意義は失われ、連盟中心の欧州体制は瓦解することになる。英は戦争の勃発は避けねばならないが、戦争のリスクのある制裁発動も避けられない板挟みに遭った。

こうした英の事情を余所に、独は国際秩序の刷新を謳う枢軸同盟を形成した。三八年二月に満洲国を承認すると、それまで続けていた中国への武器輸出を全面禁止した。そしてヒトラーは墺の併合に乗り出した。翌三月、墺に在住する独人が迫害されているとの口実から墺に進駐したのである。それまでにナチの勢力を扶植していたため、墺の独系の住民がヒトラーを歓迎した。住民らは不況に喘《あえ》ぐ墺に見切りをつけて「ヒトラーの奇跡」に期待したのである。独は武力衝突なくして領土拡大に成功した。

墺の併合を果たしたヒトラーは、続いてチェコスロバキアの独人住民が多いズデーテン地方についても割譲を求めた（155頁地図参照）。またも独人が迫害されているとの理由であった。独が軍事的圧力をかけたため、チェコと仏および英は軍事動員を発した。ヒトラーは独民族の権利を認めねば戦争に訴えると主張した。緊張が高まったが、ヒトラーが領土の要求はこのズデーテン地方で最後だと声明したため、英のチェンバレン首相（Neville Chamberlain）が話し合いでの解決を求め、会議を開催した。この「ミュンヘン会談」は英・独・仏・伊による首脳国会談とされ、当のチェコ政府が招聘されないままに独への領土割譲が認められた。

独人の居住区が独領になっていないことは、民族自決権の不適用とも言えたため、それも割譲の理由にはなったが、英が割譲を認めたのはやはりソへの脅威認識が理由であった。

世界恐慌によって各国に失業者があふれる中で、二〇年代末からの「第一次五ヵ年計画」と、続く「第二次五ヵ年計画」によってソは目覚ましい経済発展を遂げたと宣伝した。「一国社会主義」が恐慌の被害からソを護り、高い成長を示したと思われた。実際の「五ヵ年計画」は過度な労働力の動員や莫大なコストが国民に犠牲を強いていたが、失業がなく階級もないとされたソの社会主義は、ファシズムに対抗できる新しい体制として評価された。英の著名人の中にもソを楽園であるかのように評価する者がいた。

そのため共産主義を敵視するナチはソに対する防波堤になり得た。つまり英にとって、東欧にナチが領土を得ることは不都合ばかりではなかった。チェコ領をナチに切り売りすることでヒトラーの膨張を抑制し、ソの脅威も解決する手立てとされたのである。

独は恫喝《どうかつ》によって欧州を動かしたのであり、英の宥和政策は失策と評価される。しかしそれぞれの当時の評価は全く正反対であった。宥和政策は欧州から戦争の危機を救ったと賞賛され、ヒトラーは今後の外交については英と協議するとの約束をさせられたことから会談は失敗だったと思っていた。但しこの会談を境に、英仏が領土問題において武力介入することはないとの確信が得られたことは確かであった。そのためヒトラーはわずか半年にして合意を破り、チェコの全土に進軍すると、さらに波蘭への侵攻を決意した。

独の国内では各所でユダヤ人の住居や関係施設を破壊する暴動が起きた（水晶の夜）。独の人々は、職場のユダヤ人が追放されればその分の役職を得られることなどからナチの迫害に反対しなかった。自分たちの努力も我慢もいらない差別に受益者として加担したのであった。何よりヒトラーは自分たちに仕事を与えてくれた。

他方、ソにとっての「ミュンヘン会談」は、英仏独伊による新機軸がソを排除してできつつあると思わせた。英の宥和政策に不信感をもったソも欧州情勢の中で揺れ動くことになる。

②誰が外交を担っていたか—外務省「アジア派」

ミュンヘン会談は日本外交にとっても一つの岐路となった。会談が行われるより前、リッベントロップ外相から先の「防共協定」を格上げして、伊も含めた三国の軍事同盟にしようと打診されていたためである。独の要望は、防共協定の対象をソ連以外の国にも拡大したいというものであった。既に墺とチェコの占領を計画していた独は、日本が英のアジア権益を脅かし、ソだけでなく英仏に対しても睨みを効かせるように期待した。つまり、英仏を牽制するための同盟案である。

日本側では陸軍が以前から同盟化を志向していた。蒋介石を支援する英を圧迫できることからも同盟化を求めた。しかし、英への圧力は必ず米の反発をも招くとして外務省が慎重論をとった。近衛は「五相会議」を同盟案の検討の場とした。独の提案は、独伊が第三国から攻撃を受けた場合に、日本もそれに伴って参戦する「軍事同盟」であった。焦点となったのは、その第三国に英米も含まれるのかという点と、独が戦争をはじめた場合には日本も自動的に参戦義務を負うのかの問題である。そして五相会議での話し合いが続いているうちに、ミュンヘン会談において宥和政策が行われたのである。宇垣が興亜院の問題で外相を辞任したのはミュンヘン会談の当日であった。宇垣辞任後の一ヶ月間は近衛が外相を兼任したが、その後は外務省のアジア派・有田八郎が就任した。

満州事変に至るまで日本の外務省の中枢は「幣原外交」の担い手たちが占めていた。幣原は田中内閣期には閣外に去ったものの、二四年から三一年までの五年間で、四つの内閣にわたり外相を務めた外交官だったのであり、そのためワシントン体制を基準にした幣原らが「主流派」を形成した。

しかし、満州事変によって「幣原外交」が退潮すると、国際連盟外交を重視する「連盟派」と、「アジア派」が主導性を持った。連盟派は脱退の通告後も連盟との関係を修復すべきとし、これに対してアジア派は連盟の圧力を無効化できるように努めた。そして、脱退国となった日本が連盟と併存していくことが困難になるにつれ、国際秩序を書き換えようとする「アジア派」が主流になっていく。

「アジア派」の人脈は、一七年九月に有田八郎が外務省の亜細亜局長となったことをきっかけに形成された。中国に同情・共感性をもったアジア主義的志向の人脈であった。有田の他には重光葵や白鳥敏夫などがその代表的な外交官となる。広田弘毅も、幣原外相の下で欧米局長を務めたことから幣原派に数えられることがあるが、心情的にはアジア派に近かった。広田が外交官を志したのは三国干渉への憤《いきどお》りからとされ、また頭山満に師事するアジア主義者であったことは既に見た通りである。

有田や重光はパリ講和会議に出席した経験に基づきながら中国外交を重視した。特に重光は満州事変以前から、満洲問題の解決のために中国の不平等条約の改正や租界の返還を率先して行うべきだと主張していた。しかし、幣原は中国の待遇は欧米との共同歩調によって進めるとし、また重光の案があまりに中国に同情的であると考えて採用することがなかった。重光はワシントン体制が北伐後の中国情勢に対応できる枠組みではなくなったと認識したが、幣原外交の下では蒋介石との提携は選択されなかった。そのためアジア派は、反幣原派としての性格をもち、外務省の改革を求める革新派として登場した。そしてミュンヘン会談で英が、連盟を無視した独への宥和を示したことは、連盟秩序の打破や形骸化を唱えてきたアジア派が台頭する背景になったのである。

③近衛内閣は何をして、何をしなかったか

五相会議では参戦義務の検討を残して同盟の強化方針のみ決したが、近衛は日中戦争の見通しを立てら

れない状態で、独と同盟することを危険視した。しかし、同盟化を求める現地の大島浩や、陸軍の要求を抑えきれず、閣内の統一ができないことで辞職した。近衛は今や「東亜永遠の平和を確保すべき新秩序の建設」段階に入ったので、そのための新しい内閣が必要だからと辞任の理由を発表した。

国民に虚勢を張って声明まで出した近衛は、「対支一撃論」が通用しないことが解ると、蒋との和平を望むようになったが、軍部の抑制ができないことで辞職を望んだ。そこへさらに閣内の意見を分裂させる同盟化問題が持ち込まれたことでついには辞職した。近衛内閣は日中戦争を拡大させたまま何ら解決せず逃げ出したのであった。政権を投げ出した近衛に対して、文人でジャーナリストの徳富蘇峰は「当人が戦局開始の当局者であり、重大なる声明を中外になして」おきながら「これが一段落だ」と逃げていくとは全く理解できないと新聞に掲載した。残された防共協定の同盟化問題は展望も無いままに次の平沼騏一郎内閣へ持ち越された。

同盟化問題は平沼内閣においても五相会議で検討された。会議では海軍が同盟化に反対した。独との軍事同盟が成立し、独が英との戦争に至った場合にはこれに巻き込まれるとの理由からである。

海軍は、独との同盟はソのみを対象にして、別個に伊との間に中立条約を結ぶことで、英との戦争に巻き込まれる事態を避けようと提案した。これに対して陸軍は、仮想敵国の問題はあくまでソを主とし、英米を従とすれば問題はないと反論した。外務省は二重外交によって誕生した防共協定をさらに拡大する同盟化には反対だったが、有田外相は参戦義務を回避できるのであれば検討すると提案した。石渡《いしわた》荘《そう》太郎《たろう》蔵相も外務省の意見に同調した。

海軍の米内光政海相・山本五十六次官・井上成美《しげよし》軍務局長が、外務・大蔵の意見を支持する形でなお反対したが、米内は「英米仏ソの海軍と戦って勝てる見込みはありません。だいたい日本の海軍は英米を向こうに回して勝てるようには建造されておりません。独伊の海軍に至っては問題になりません」と言明した。米内は上海戦においては閣僚の誰よりも積極攻撃を求めたが、米英との戦争には勝てないことを断言したのである。

海軍側が提案した伊との中立条約も打診することになったが、陸軍にとって独との同盟は対ソ挟撃だけでなく、ソによる中国への軍事介入や支援を抑制させられる点でも有益とされた。独が満洲国を承認し、かつ中国への軍事支援を廃止したことは、明らかに日本への優遇策であったが、それでも内閣と海軍が積極的に受け容れるには至らなかった。独の肩を持って英仏を敵に回すことには利点がなかった。日本にとっての英仏は軍事的脅威ではないばかりか、宥和的対応を引き出す方が望ましかったのである。

他方、伊は独との同盟締結に傾斜し、日本からの中立条約締結の提案を拒否してきた。これにより独伊との同盟を別々に結ぶ海軍の思惑は破綻した。同盟化問題をめぐる五相会議は通算で七〇回にも及んだが、それでもなお決定できなかった。

④ノモンハン事件の背後で何が起きたか―英米ソとの関係悪化

日中戦争の過程では、満洲におけるソ・蒙との国境紛争も激化した。ソと満洲の国境をめぐる紛争は三五年前後から急増し、三八年にはピークに達した。数百回に及ぶ紛争の中で、ソ満国境の張鼓峰《ちょうこほう》では日本側から武力衝突を起こした（「張鼓峰事件」）。この背景には三七年六月のカンチャーズ島事件において武力行使がソ連撃退に有効であったとして、以後の国境紛争には強硬対応で望むとの方針が関東軍で立てられたことが影響していた。ソ側も「五ヵ年計画」を経た後は満洲への強硬姿勢を見せつつあった。

三八年七月、ソが張鼓峰に軍隊を配備したのに対して、日本軍も中国での大作戦を控えていたことから、その際のソ軍の動向を伺うために威力偵察を行った。ソ軍が日中戦争に介入してくるのかどうかを確かめるための挑発行動である。日本側は朝鮮軍の一個師団と関東軍の一部の動員に限定し、かつ飛行機や戦車の使用はせずに、国境も決して超えないとの制限の下に攻撃した。すると、近代装備を備えたソ軍を相手に部隊の二割を失う損害を出した。日本側の予想を上回る被害であった（124頁地図参照）。

さらに翌三九年五月には、モンゴル人民共和国（外蒙）の騎兵が満蒙国境のハルハ河を渡河してきたことで、以後四ヶ月に渡る戦闘が行われた。「ノモンハン事件」（ハルハ河・ノモンハン戦争）である。蒙軍と満洲国の国境警備隊の衝突となったが、これをソ軍と日本軍がそれぞれ支援し、「ソ・蒙軍 vs 日・満軍」の構図の下にホロンバイルの大草原で交戦した。ソは蒙との間に援助協定を結んでおり、日本軍が戦闘機を使用すると、ソはその行動を許さないとの立場を明らかにした。ソの兵力・兵備は日本軍をはるかに上回り、日本側の四〜五倍に近い兵力でノモンハンに迫った。

満洲軍には内蒙のモンゴル人が動員されたが、彼らは外蒙のモンゴル人と戦わされることになった。同胞との戦争を避けて、満洲軍から脱走したり、蒙の統一を求めて多くの離反者が出た。また満洲国の反対側からもソ軍が攻撃し満洲軍に被害を与えた（東安鎮事件）。それはカンチャーズ島事件の報復でもあった。

日本側は、ソ軍が蒙まで兵を輸送するのは鉄道の不備により困難で、ソ軍は兵力を集められないと判断していた。しかし実際にはトラック輸送によって動員された。日本軍はソ軍の機械化部隊にも歯が立たず、砲撃戦に敗北した。死傷者の正確な数は不明であるが、日本側には死者約八〇〇〇名以上とされる甚大な被害が出た。ソ軍にも被害が出ていたが、陸軍には対ソ戦を行うだけの軍備がないことが露呈した。

また、この間にも日中戦争は深刻化したため、英米との関係悪化も進んだ。三八年一二月からは、陸軍が占領した漢口の航空基地から、海軍の航空隊によって、国民政府が遷都した重慶への爆撃を開始した。他方、海軍の強い要望により三九年二月に南シナ海の海南島を占領し、翌月にはさらに南の新南諸島（南沙諸島）の領有も宣言した。蔣介石は日本の海南島占領は第二の満州事変であるとして、列国への脅威になることを訴えた。

ノモンハン事件が続く六月、北支那方面軍が天津の英仏租界を封鎖した。日本が所有した銀行の中国人管理者が殺害される事件が起きたため、犯人らの引き渡しを求めて英租界を封鎖し、臨検に及んだのである（「第二次天津事件」）。日英間で武力衝突に至ると思われたほど緊迫した状況になったが、四月に伊がバルカン半島のアルバニアに侵攻し（伊はアドリア海対岸のアルバニア領を大戦期から狙っていた）、五月にはそれに助力するように独伊間で軍事同盟（「鋼鉄協約」）が締結されたばかりであったため、英は日本との衝突を避けた。

日本の一連の行動に対し、米は七月二六日に「日米通商航海条約」を半年後に破棄すると通告した。同条約は、日露戦争後に日本の不平等条約を完全撤廃させた条約である。米は、中国の主権侵害や南京攻略戦の際の「PANAY号誤爆事件」などを口実に条約破棄を通告したが、それは実際には英への間接的な支援だった。米との経済関係が絶たれれば、日本の英への依存が高まるため、英に対して強硬な対応はできなくなるであろうとの予測からである。

通商航海条約の破棄は対日制裁の前提となり、そして米は英とともに蒋介石政権へ巨額の借款を供与していく。それまでソの援助にほとんどを依拠していた蒋にとってはようやく諸国からの援助を得られる状況になった。そうした危機の中で日本はノモンハンにおいてソ軍に敗北するが、その最中には何よりも日本を動揺させる衝撃の知らせがもたらされる。

5 「独ソ不可侵条約」——独裁者の離れ業

①世界を驚嘆させた「全体主義」と「社会主義」の提携

日本に同盟を持ちかけた独は、伊と提携しながら戦争計画を進めていった。独が墺とチェコへの領土拡張を達成してからは、独軍の幹部を排除してナチ党による国防軍が軍全体の支配を固めていった。

三九年三月に、ヒトラーはチェコスロバキアのスロバキア人に働きかけ、チェコからスロバキア共和国を分離独立させた。それと同時にチェコを併合し、さらに独領と接するリトアニアのメーメル地方（155頁地図参照）を住民投票によって独領に編入した。これらは失われた「ポーランド回廊」返還を要求する前段階であった。翌四月に、英仏が波蘭への援助を表明すると、独は三四年に締結していた波蘭との不可侵条約を破棄し、「英独海軍協定」をも破棄した。英は宥和政策が全くの裏目に出たことを認識せざるを得なかった。英仏はソとの同盟を図り、独への対抗を考慮しはじめた。そして独も英ソの提携を阻止しようと、ソへの接近を水面下で模索した。

その後の八月、ノモンハン事件を戦っている最中の日本に一大衝撃がもたらされる。独がソとの間に「独ソ不可侵条約」を締結したとの知らせであった。ソが独への接近を選択したことは、日本のみならず世界中に衝撃を与えた。この年の初頭まで続いたスペイン内戦で、ソは反ファシズムを呼びかけていたはずであり、締結の直前まで英仏との同盟交渉を行っていた。そのため各国の共産党にも混乱をもたらした。しかし、何より動揺したのは日本であった。日独防共協定における共通の敵であるソとまさに戦っている最中であるにも拘わらず、独はソとの交戦を否定する不可侵条約を締結したのである。独ソ間の提携は防共協定を実質的に無効にするもので、これによって日本は孤立することになった。

日本は独ソ間の条約が防共協定の違反であると抗議したが、平沼内閣はこの情勢を理解することができないとして「複雑怪奇なる新事情を生じました」と述べ総辞職した（平沼内閣では日中戦争の仲裁役を米に依頼しており、米が承諾するなら独伊との同盟は結ばないとの意向を伝えていた。しかし米は日本や独への融和は戦争を拡大するとの判断から交渉に応じなかった。平沼内閣の総辞職は対米交渉の頓挫も背景となっている）。ソと交戦し、英米との対立が起こっていたタイミングでのあまりに驚愕の出来事であった。日本は独に裏切られたのだが、同時に日本には独から求められている同盟化に応えていなかった後ろめたさもあった。つまり日本の衝撃には、独に見捨てられたのではないかという懸念も含まれていた。

②なぜヒトラーはソ連に接近したか

ヒトラーが目指したのは、ソを打倒して東方へと「生存圏」を広げることであった。その際の最大の障害と考えていたのは英であり、ヒトラーは英との同盟を基に欧州での覇権を確立しようと構想していた。英との戦争を避けつつ欧州で領土を拡張するには、一旦はソを見方につけることが英への抑止になると考え、欧州を席巻した後にいずれ日本と共同してソを挟撃すればよかった。

つまりヒトラーにとっては、ソと戦うことは自明の前提で、英との衝突を避け続けることが重要だった。ヒトラーが波蘭の獲得を狙う際、英にはまた黙認してもらわねばならないが、その時にソと同盟を組んでいることが英への抑止になると考えた。また当時の各国の戦力のバランスから、ソとの連携は避けられない選択だと考えられた。

下表の数値は、戦争資材の基となる粗鋼（鍛造する前の鋼）の生産力比である。粗鋼の生産は工業力の指標であり、その生産力なしには戦力を構築できない。これを試算すると、日独の生産量を合計すれば比率四・二となり、それに対して英米は六・〇になる。もしソが英米側に付いた場合には、伊の二三〇万トンを足してもまったく及ばなくなることが解る。

ヒトラーは英が東欧のために宥和政策を放棄することなどないと予測してはいたが、ソと組むことなく

1938年時の粗鋼生産トン数（比率）

日	650万トン（1.0）	
独	2050万トン（3.2）	
ソ	1800万トン（2.8）＝	第三勢力としてのソ連
英	1060万トン（1.6）	
米	2880万トン（4.4）	（全世界の四割を占める）

英と対抗するのは不可能であった。そして、その状況に拍車をかけたのは日中戦争だった。日本が中国に兵を動員すれば、ソへの圧力はほとんど無くなり、ソは欧州へ傾注することになる。だから独は盧溝橋事件の際に戦争に反対して日本に抗議を入れていた。日本側は独に裏切られたと考えたが、独ソ提携を促したのは長期化した日中戦争でもあったのである。

他方、ソも共産主義を否定してきた独とはいずれ対峙することが不可避と考えてはいたが、現段階では独軍を倒す戦力がないため、時間かせぎのために提携するのであった。特にソは日本と衝突しているが故の選択であり、ノモンハン事件こそが独への接近を考えさせていた。こうした偽装的な提携を急旋回して行えたのは独ソ両国の指導者が独断的に外交を決定できたからである。

平沼首相はこれらを読み取ることができずに外交の指針を見失った。しかし、実はソへの接近については独から予め日本側にも伝えられていた。三九年四月二〇日のヒトラーの誕生祝いの席でリッベントロップは大島浩大使（陸軍の武官であったが防共協定を背景に大使に就任した）にこの情報を伝え、また大島もすぐに有田外相宛に電報を送っていたのだが、外務省ではこれを疑い、検討しなかった。

スターリンは先に交渉していた英仏との同盟交渉を敢えて長引かせながら、独との交渉を行った。自身がどちらに加担するかで情勢が変わることはもちろん自覚していた。有益な側に付こうと駆け引きする当時のスターリンを、後に米のニクソン政権で外交を担うＨ・キッシンジャーは「バザールの商人」と評したが、この時点のソは国際情勢のキャスティング・ボウトを握る存在なのであった。

こうしたスターリンに対して、欧州との連合を希望した蒋介石は一刻も早く英仏との同盟を結ぶようにと度々催促した。英仏ソの同盟を期待したのは米も同様だったので、ルーズベルトもまたソに働きかけた。しかし多くの期待とは異なり、独ソ提携がなされたのである。英が現状維持に腐心して一貫しない態度に不信感を募らせたスターリンはヒトラーを選んだ。

③裏取引で何を求めていたのか

従来のソは、独を仮想敵とした外交政策を立案してきた。それはユダヤ人で集団安全保障論者のリトヴィノフ外相によって担われていた。ノモンハンで日本との交戦が開始された時、スターリンは日独による挟撃のリスクを考慮し、独への接近を考え出した。

リトヴィノフを外相にしておくことは対独交渉の妨げとなるので、スターリンは首相のモロトフに外相を兼任させた。スターリン政権の樹立に最も尽力したのがこのモロトフである（Molotov はハンマーを意味するペンネーム）。不可侵条約は「モロトフ・リッベントロップ条約」の名で締結された。そして付属の「秘密議定書」では、波蘭の分割が密約された。波蘭を両国で分け合うことは条約締結の前提であった。ソは一九二〇年に国境画定をめぐる波蘭との戦争に敗れており、その挽回をしたいとの思いがあった（74頁／「ラパロ条約」の背景となったソの敗戦。この時にも独ソは接近したということである）。さらに、バルト三国（エストニア、ラトビア、リトアニア）およびルーマニアの一部（ベッサラビア地方）もソが併合することを承認させた。スターリンもヒトラーと同様に、かつての帝国時代の版図を求めたのであった。

英が長らくソを敵視し、ミュンヘン会談にも招かなかった挙げ句、ソの取り込みに失敗したのに対して、独の戦略上の安全性と欧州での地位を高めた独ソ提携は、ヒトラー外交の勝利とされた。独ソ両国は欧州秩序を踏みにじる武力行使とともに秘密協定を発動させる。九月一日の波蘭侵攻による戦争開始である。その一方、日本は九月一五日にソとノモンハン事件の停戦協定を結び、ソ満間の国境線について合意した。独との同盟化への対処方針は御破算になり、仕切り直さねばならなくなった。

第9章　再び起こされた世界大戦

日本の行動がどれほど世界に影響を与えたか。日本にはその重大さへの認識が不足していたように思われる。それは現在も大切な教訓の一つである。

1　第二次世界大戦

ヒトラーは宥和政策に乗じて欧州の秩序を乱した。平等の権利を訴えながら、民族問題を創り出すことで領土割譲を求め、また他国にナチ勢力をつくって併合していった。独が不当な利子を押し付けられたとヴェルサイユ体制を批判し、断固として権利を主張して見せたが、それは各国の戦争への悔恨につけ込んでの行動であった。

①なぜ再び大戦は起きたのか―日本が世界に与えた影響と責任

独は九月一日にスロバキア共和国と共同して波蘭に侵攻した。第二次世界大戦が開始された。飛行機と戦車を主とする独軍に対し、騎兵を中心とした波蘭軍は対抗できなかった。勝敗は一週間でほとんど決したが、首都ワルシャワだけはその後も抵抗を見せたため、独軍は無差別爆撃を加えた。武器を持たない市民も対象にした攻撃に対して、英仏は独への宣戦を布告した。

ソ連も一七日には波蘭に侵攻した。ソ軍がノモンハンの停戦に合意したのは波蘭侵攻に備えてのことだった。波蘭は四週間で敗北した。西半分を占領した独は総督府を設置したが、波蘭は最もユダヤ人虐殺が行われる舞台となる。東半分はソが占領した。

英仏は宣戦布告したものの、波蘭への援助など具体的な行動はしなかった(本来は波蘭への援助は相互援助条約によって英仏に義務づけられていた)。軍事介入をしても独軍の優勢を覆せないとの判断からであった。しかしヒトラーから見れば、英仏が独に対して宣戦布告してきたこと自体が計算外であった。そのためヒトラーは波蘭の侵攻後、英仏に和平をもちかけた。英の植民地帝国を認めれば、英は妥協して独の「大陸帝国」化を容認するとの甘い見通しがあった。英こそが最大の強敵と考えていたヒトラーはとりわけ英との衝突回避を求めたが、英はその目論みには乗らず、和平提案を拒否した。但し、英仏は軍備増強のためになお時間が必要であったことから、この後も積極的には戦おうとせず、兵器生産を急ぎながらも、独を経済的に弱化させる作戦を優先した。

かくして当初の第二次大戦は、宣戦布告後から半年間も戦わずにいたことから「奇妙な戦争」と呼ばれた。休止状態が続く中では、独仏国境で対峙する双方の兵士がタバコや菓子を交換するようにまでなっていた。

他方、ソは独との秘密協定に沿って、フィンランド(芬蘭)に領土割譲を要求し、交渉が決裂すると、一一月三〇日に侵攻を開始した(「冬戦争」)。ソにとっての軍事上の要衝であったバルト海最大の貿易港・

レニングラード（サンクトペテルブルク／革命発祥地であることからレーニンの名を冠して改名されたソ連第二の都市）の安全が最重視されたが、これと近接する芬蘭が安全保障上の問題とされていた。一九万の芬軍に対しソ軍は四五万を動員した。明らかなソ軍の侵略に対して、国際的非難が起こり、ソは一二月一四日に連盟から除名された。独と提携したソを連盟に加えることは害があるばかりとなった。ソは唯一の除名国となったが、除名措置は戦争に対する何らの実効性も持たなかった。

ソ軍は空爆も実施したが、モロトフはソ軍が爆弾ではなくパンを投下していると発表した。兵力で圧倒するソ軍に対し、劣勢の芬軍はソ軍に対し粘り強く抵抗した。ソの戦車に対して芬軍は手榴弾や火炎瓶で応戦した（火炎瓶のことをMolotov cocktailというが、「パン」の返礼にモロトフにお見舞いするカクテルという意味で使用したのが元）。ソ軍は多勢ではあったが、スターリンが独裁のためにソ軍の指導者を大量に抹殺しており、ソ軍の実力は極めて低下していた。対する芬は四〇年三月まで戦い抜いたが、消耗が激しく、戦後の独立を確保しようと講和を希望した。交通要所と工業の中心地を含んだ領土割譲をせねばならなかったが（モスクワ条約）、四ヶ月間の戦闘でソ軍には何十万人もの戦死者が出ていた。

また、ソの領土拡張はバルト三国にも及んだ。バル

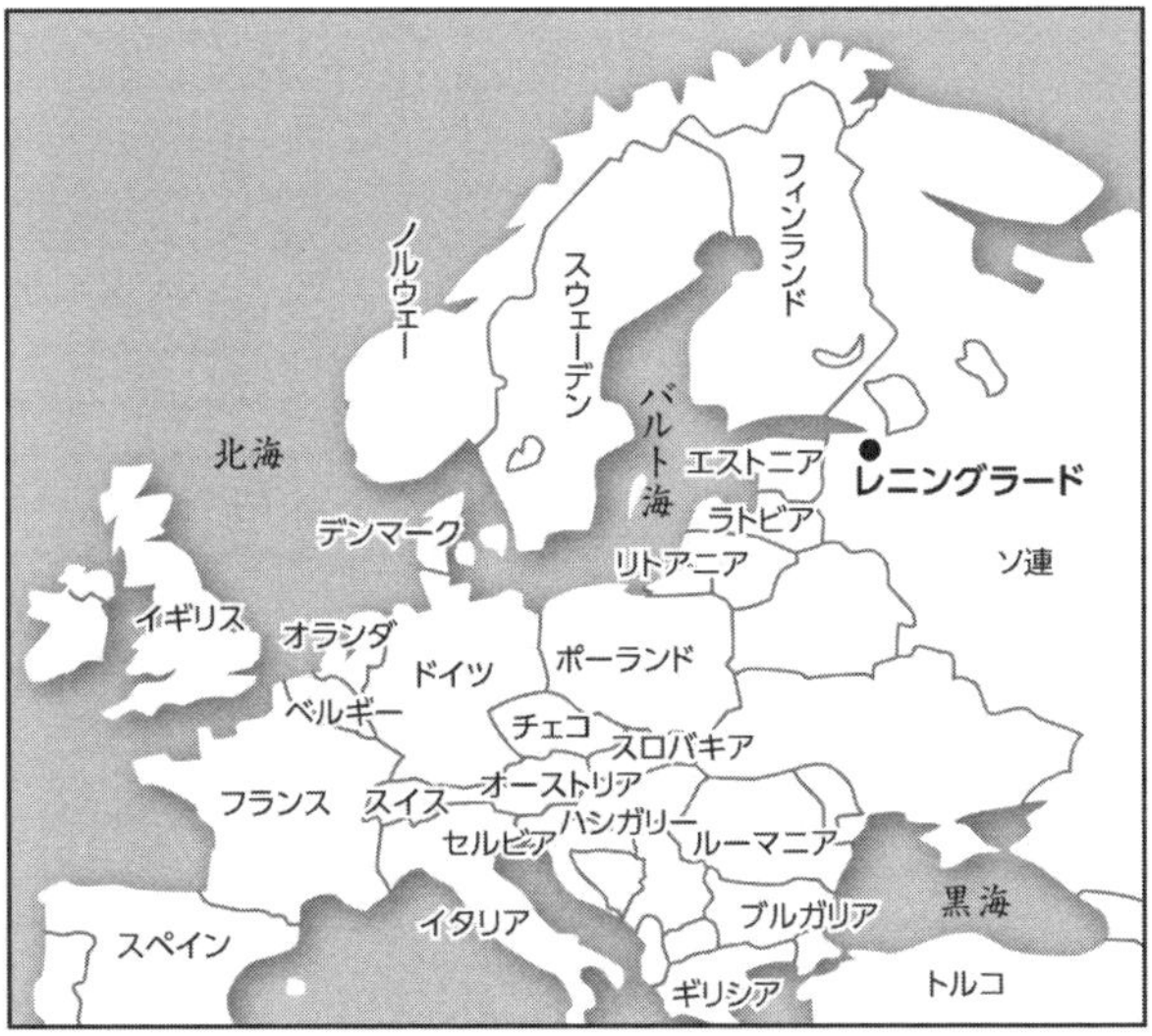

レニングラードとバルト海

ト三国とは相互援助条約を結んだが、翌四〇年八月には事実上併合した。ソが併合した波蘭、芬蘭、バルト三国はいずれもロシア革命によって露帝国から独立した領土であった。それは、レーニンが「平和に関する布告」で掲げた秘密協定の廃止・領土の無併合という革命理念に自らが反した行いである。

独ソは領土的野心から手を組み、戦争違法化の世界的合意は破られた。しかし、そうしたきっかけを与えることになったのは満州事変における日本の軍事行動であると言える。日本は、条約や連盟を無視してもさしたる問題にはならないという先例を創り出してしまった。独が連盟を脱退して再軍備を行ない、欧州を分割し、伊が連盟を顧みずにエチオピアを併合し、ソが除名されても侵略を遂行したのは、日本の先例があっての判断である。

満州事変は日本政府の計画ではない。そのため事変は日本が初めて国際的な了承なく軍事行動を起こした事例となった。さらに日中戦争には戦争計画すらない。しかし、政府は国内事情からこれらを追認し、主権国家である中国を侵略して、後にはアジア全土を侵略することになる。資源のない日本が生存のために行ったとする言い訳があるが、政府計画でない行動がどうして国家生存の根拠になるであろうか。それに、「持たざる国」だからこそ世界と協調せねば、資源の分配になど恵まれようが無いことは当時から自覚されていた。

日本は満洲に払ってきた犠牲を惜しんで秩序を否定したが、満州への投資などには比すべくもない犠牲に成り立つのが戦争違法化の教訓なのである。未だ理念として未熟であった戦争違法化には「自衛戦争」を認めるという欠陥が確かにあった。しかし、だからこそその後の時間をかけて練り上げるべき理念であったのに、「自衛戦争の抜け道」の問題をどう解決するのかに智恵が絞られるのでなく、その抜け道を利用して他国の犠牲の上に国益を得ようと執心した。歴史的叡智を生み出すのとは正反対の行為である。智恵も努力もいらない侵略の選択は、人類の違法化への取り組みを途絶させた。

②ドイツ軍は強かったのか―「電撃戦」とは何か

独の工業はスウェーデン（瑞典）から輸入する鉄鉱石で成り立っており、需要の約半分を瑞典に依拠していた。それはノルウェー（諾威）を経由して運搬されたが、英仏がこの輸送ルートを断つ可能性があったため、独は四〇年四月九日にデンマーク（丁抹）と諾威に侵攻した。丁抹は即座に降伏し、諾威は英仏軍を頼りながら抗戦した。英仏軍はこの段階で本格的に独と交戦した。

ヒトラーは期待していた英との和議の見通しがないため、仏への侵攻を計画した。仏を打倒すれば、諾威は降伏し、英も妥協せざるを得ないだろうと考えたのである。対する英仏は、独の石油を断つために、供給源であったソのコーカサス地方の爆撃計画を立てた。こうして「独ソvs英仏」の対抗が大戦の構造となった。

独軍は仏に迫るため、五月一〇日に蘭・白・ルクセンブルク（ベネルクス三国）を急襲した。ルクセンブルクは永世中立国で、独仏間の緩衝地帯の役割を果たしていた国である。蘭へはパラシュート部隊で橋や要所を急襲し、機械化部隊がなだれ込むと、わずか五日で降伏した。続いて白へも無差別爆撃を敢行し、二八日に降伏させた。ルクセンブルクには仏軍が移動して防衛に当たった。

独軍が瞬《また》く間に各国を撃破できたのは、相手の戦争準備が整わないうちに「電撃戦」と呼ばれる奇襲戦法を仕掛けたためである。「電撃戦」とは、航空機・戦車・装甲部隊を集中し、いち早く敵の要所まで突進して通信・兵站を麻痺させ、その後に後続兵力で撃滅・占領する戦法（機械化浸透戦術）である。独軍はこの作戦で英仏軍にも迫った。

仏は前大戦の教訓から独との国境線に沿って要塞を構築していた。全長七五〇㎞に及ぶ地下設備を有した「マジノ要塞」である。その要塞の北側には、丘陵地帯に大森林・アルデンヌの森が広がり、その険しい森林と湿地によって行軍は不可能であった。ラインラントからの独軍の攻撃には万全の備えがあった。

独軍は仏への侵攻作戦を、第一次大戦の際の作戦（シュリーフェン・プラン／前著『明日のための近代史』150頁参照）を踏襲し、開戦前から計画していた。しかしその作戦は前大戦で成功しなかったことから、軍部はその実行に極めて慎重で、作戦は度々延期された。そして開戦四ヶ月前の一月一〇日、作戦計画を所持した参謀将校が飛行機事故によって白に不時着し、仏に計画が漏れてしまった（メヘレン事件）。独軍は作戦の修正を迫られ、当初は白を経由して仏の北側から侵攻する計画だったのを、独の南西側から突破する作戦へと修正した（マンシュタイン計画）。それは行軍できないはずのアルデンヌの森を戦車で突貫する計画となった。独軍では多くの将校が作戦を危険視したが、ヒトラーはそれらを押し切って実行した。戦車部隊は仏軍の予測を裏切り、歩騎兵では通れない森林を突破した。仏軍の側面や背後から戦車が襲いかかると、極めて戦果を上げた。

仏軍の前線を貫いた独軍は、一〇日後には大西洋に到達した。一ヵ月の内に西欧州の大部分が独に支配されたのである。五月一一日に英で成立したチャーチル（Winston S. Curchill）内閣は英軍の撤退を決定し、六月四日までに仏のダンケルクから撤退した。続く一〇日にはそれまで経過を伺っていた伊が英仏に宣戦布告した。抵抗を続けていた諾威も五月中にほぼ全土を占領されており、同じく一〇日に降伏した。諾威には傀儡政権が設置された。

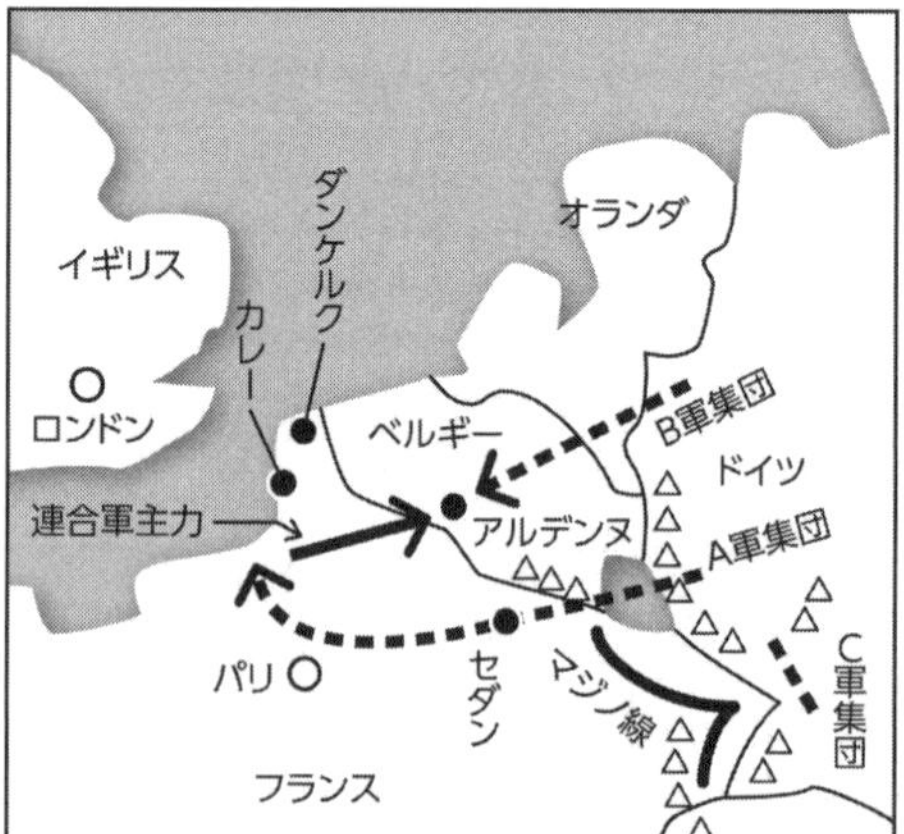

マンシュタイン計画

窮した英は一二日、日本との間に、日本が天津の英租界を封鎖していることを容認する仮協定を締結した。中国で日本に対抗することが完全に不可能となったからである。英軍の撤退によって支援を失った仏は二二日に停戦協定を結んだ。仏の北部は独の占領下となり、南部には独の主導するヴィシー政権が樹立された。ヴィシー政権には独への協力が義務づけられ、ユダヤ人迫害政策にも加担させられることになる。ルクセンブルクも併合された。

今や独に抗戦する国は英のみとなった。独軍はわずか六週間で仏を制圧したが、これにより独軍の誰もがヒトラーが軍を掌握することに反対しなくなった。ヒトラーには戦略的才能があり、偉大な最高司令官であると思われた。「外交の天才」であったヒトラーは「戦争の天才」にもなった。

③「近衛声明」はどのように評価されたか

独の快進撃は日本でも大きく報道された。それは独との同盟に消極的な政府への批判を伴う報道となった。世論は独との同盟支持に傾斜し、「バスに乗り遅れるな」という文句が流行した。

平沼の辞職後には、陸軍が推薦した阿部信行が組閣した。派閥色のない人物であったことから選ばれた。八月三〇日に組閣し、直後に世界大戦が開始された。阿部は世界大戦への不介入を表明し、日中戦争の解決に邁進するとして、対米関係の改善を求めた。米が通告してきた通商条約破棄への対応こそが最重要課題であったが、翌四〇年一月二六日に破棄失効が決定していた。

既に中国での占領地経営は米との経済関係なしには不可能になっていた。内閣は海軍出身の野村吉三郎を外相に新任して、グルー大使（Joseph Grew）との会談を開始した。しかし「東亜新秩序」を前提とした交渉は米側から拒否され、米は中国への援助を益々強化した。国内では、米との関係緩和を求める阿部内閣の外交が、米に媚《こ》びるだけで却って日本の立場を不利にしたと批判された。米との交渉を優先し、日中戦争や三国同盟問題は棚上げ状態となっていたことにも批判が出た。

また国内では、国家総動員法に基づいて物価を固定する「価格等統制令」を施行したが、この物価政策も失敗した。国民生活に必要な物資の高騰を防ぐための統制であったが、対象外の商品は却って高騰する結果を招いたのである。さらに凶作が起きていたために米価を引き下げようとすると、物価高騰に拍車がかかり、インフレを助長してしまった。阿部内閣は発足から四ヵ月にして、身内の陸軍が倒閣に動いて瓦解した。

次の首相には、天皇が三国同盟の推進を憂慮したこともあり、同盟に反対していた海軍の米内光政に大命が降下した。外相には有田八郎が就任したが、組閣の一〇日後には日米通商航海条約が失効することになり、日米間には一切の条約関係が無くなった。米は航空用燃料や屑鉄《くずてつ》など戦争資源の輸出に制限をかけるようになった。

米内内閣は宮中の意向も背景に、英米との関係改善を方針としたが、独との同盟推進を求める陸軍と当初から上手くいかなかった。またアジア派の有田は、条約失効を背景に米への姿勢を硬化させ、九ヵ国条約や中国での門戸開放を修正したいとの意向をグルーに伝えた。有田は同盟化には慎重だったが、英米にも懐疑的で、これまで日本が承認してきたはずの門戸開放原則に意義を唱え始めたのである。

二月に議会を迎えると戦争方針をめぐって政府批判が行われた。批判したのは二・二六事件後に「粛軍演説」をした民政党の斎藤隆夫である。斎藤は「近衛声明」が本当に日中戦争を解決するのかを問うなど、戦争に対する根本的な疑義《ぎぎ》を質《ただ》した（「反軍演説」）。演説は新聞に全文が掲載され、中国や米でも大きく報道された。すると、その内容が日本の国論が分裂している印象を中国側に与えるとされ、これにより斎藤は衆議院から除名されることになった。

斎藤が述べたのは、日中戦争が戦争ではないという言い訳の問題点を指摘したもので、戦争でないことを装うのではなく、戦時国際法を発動させて正式に中国に軍政を敷く（軍が占領地の政治を行う）べきとの意見であった。即ちその内容は「現実的な国益を目標に戦争すべし」との演説だったのである。しかし「近衛声明」への批判は蒋介石に利するとされ、排除されたのであった。

他方、中国では大戦の勃発により列国の駐屯軍が華北から撤退した。そうした状況から米は日本への警戒を強め、四〇年三月に樹立された汪兆銘政権（新国民政府）に対しても、合法政府としての承認を与えなかった。日本の工作は蒋と英米の関係を深めたのであった。

④第二次大戦が日本に与えた影響は何か

欧州で独が仏・蘭を屈服させたことは、それによって仏・蘭それぞれがアジアに有した植民地が「無主地」化したことも意味した。このうち、仏の植民地とは当時インドシナと呼ばれた現在のベトナム・ラオス・カンボジアを指す。印度と中国の間に位置することから仏が印度支那と名付けた（タイとミャンマーを含めてインドシナ半島とすることもある）。その仏領インドシナ（仏印）が空白地帯になったと判断した軍部は、独との同盟化を進めるとともに、インドシナを奪取する「武力南進論」を主張するようになった。対ソ戦争を想定した北進を戦略にしてきた陸軍は、ノモンハンで敗北したこともあり、南進論に日中戦争の打開を求めるようになったのである。

他方で、海軍にとっての南進は従来からの想定であったため、武力南進は海軍でも望まれた。そして独が欧州を席巻する時流に乗るべきだとする世論がこれを後押しした。独は既にロンドンへの空襲を行っており、英の敗北は時間の問題との見方が出ていた。

米内内閣は対米交渉を断念しつつあったが、独が欧州を席巻すると、米は日本の南進を防止しようと、再び対日交渉に乗り出した。外交による説得を試みたのである。六月から有田外相とグルー大使の間で会談が行われると、両者はそれぞれ東亜新秩序と九ヵ国条約の双方の原則を求め、日本は蒋への援助の停止を、米は南進を行わないことを求めた。結局、有田は米からの譲歩がなければ交渉しないとの頑《かたく》なな態度を崩さず、交渉は決裂した。東亜新秩序によってワシントン体制を塗り替えようとする限り、日米交渉には可能性がなかった。

他方で、阿部・米内の政権期には、近衛が官僚と政党との団結による新体制の構築を目指して策動していた。陸軍の抑制に失敗して辞職した近衛は、宮中の木戸幸一内大臣とも合議して、陸軍を抑制できるよう自身の政治基盤を強化しようとした。その方法は、ナチを模倣した独裁政党を結党することであった。政党の内部にも一党体制（衆議統裁）を望む勢力があり期待が集まった。各党が軍部から政党政治を護りたいとしながらも、党内の派閥の対立を解消して一致協力するような見通しはなかったので、一党体制に賛同する政治家も少なくなかったのである。またヒトラーの「国民社会主義」こそが不況を脱する合理的な体制であるとの判断もあった。

近衛は「近衛新体制」と銘打って新党の構想を発表すると、各政党から同調する勢力が集まった。そして、この状況から陸軍も近衛の新体制に期待した。陸軍は再び近衛内閣を出現させるため、米内内閣の陸相を辞任させることで倒閣した。

2 「東亜新秩序」から「大東亜新秩序」へ

世論は独との同盟に傾斜し、英米仏への「依存外交」は失敗だったと国際協調を否定する報道などが出るようになった。既に日中戦争には八五万人を派遣しており、早期解決が何より必要であった。こうした国内状況の中で一党独裁を目指す第二次近衛内閣が成立する。

①近衛内閣の再登場で何が決まったのか

再組閣が決定した近衛は、組閣直前の七月一九日に東京の荻窪にある私邸・荻外荘《てきがいそう》において、松岡洋右（外相候補者）・東條英機（陸相候補者）・吉田善吾（海相に留任予定／この後体調不良により実際の海相には及川古志郎が就任）らと会談を行った。日中戦争の早期解決を第一の課題としながらも、突如浮上した仏領インドシナ（仏印）の領有問題によって、独との関係強化を図る必要が話し合われた。

その結果、英仏蘭葡の植民地を「東亜新秩序」に組み入れ、ソとの関係改善を図りながら、積極的にアジアから列強を排除する方針を定めた。「東亜新秩序」は、「第二次近衛声明」で謳った理念であるが、「第一次声明」（対手とせず声明）との間にある多大な矛盾を再定義したいとの希望が近衛自身にあった。そのため、「第二次近衛声明」で和平を求めるために出されていたはずの「新秩序」が、今度の内閣においては、米英による国際秩序を打破してアジアを開放するための秩序という意味にすり替わった。中国を対象にしていた声明を、アジア全体へと拡張させているのである（「大東亜新秩序」）。

この「荻窪会談」によって、植民地獲得のために独伊との軍事同盟に踏み切って英に対抗すること、さらに必要に応じては米との対立も辞さないとの方針が決定された。独軍によって期待される成果（英国敗北）を見越して、早期の軍事同盟締結が求められることになり、こうして近衛内閣が再登場したのである。

かくして第二次近衛内閣では、アジアの植民地を解放するとの理念によって、アジア圏の国家連合を築こうとする「基本国策要綱」を定め、武力南進の遂行を発表した（「世界情勢ノ推移ニ伴フ時局処理要綱」）。三国同盟と南進を重要国策と定めて、日中戦争の状況がどうなろうとも東南アジアの領有を進めるということである。

特に仏領インドシナの北部（北部仏印＝ベトナム北部・ラオス）は、英が蔣介石に援助する戦争物資の輸送路・「援蔣ルート」であったため、これを遮断することで中国軍を弱体化させる狙いがあった。東南ア

荻窪会談

ジアへの武力侵攻は英の東南アジア資源を奪うことにもなるため、英との対立は不可避であった（英の属領はマレー・ボルネオ・ビルマ。また援蒋物資の輸送のためにビルマ－雲南省間の道路開鑿《かいさく》も行われていた）。日本は独軍の英国本土への攻撃を予想して、これに合わせて南進し、マレー・シンガポール・ボルネオを占領する計画を立てた。また、独との同盟を締結することで、独と不可侵条約を結ぶソとの関係改善も図れると期待した。

しかし、陸軍は一方で和平工作によって中国との停戦を試みようともしていた。三九年末から開始されていた「桐工作」では、蒋の重慶政府と汪政権とを合同させようとした。ノモンハンで敗北した後にソへの備えを行おうとすると、中国に兵力を展開させておくことが負担になり出し、陸軍は派遣部隊の撤退も考え始めた。いくつもの和平工作の中で「桐工作」は陸軍が強く望み、中国からの撤兵という大きな譲歩を材料にした停戦交渉であった。天皇からも期待された和平案だったのだが、蒋介石からは単なる謀略と疑われて進展しなかった。そればかりか、蒋は交渉に応じる姿勢を見せることで、米からの援助を引き出す画策にこれを利用した。実際に米は蒋が日本に妥協しないように援助を強化していく。近衛内閣は三国同盟の決定に伴って工作を打ち切ったが、そもそもは「対手とせず声明」で自ら交渉を閉ざしたために、正式外交ではなく工作でしか和平を持ち出せなくなったのであり、そしてまた工作であるが故に信頼を得られなくなっていた。

②日本はナチの影響をどれほど受けていたか―「大政翼賛会」

近衛内閣は新体制の整備にも着手し、全国民を結合する新政治組織の結成を目指した。「全体主義」（ファシズム）への移行は既に世界的趨勢《すうせい》であるとして、一党独裁（衆議統裁）による権力の一元的な集中によって強力な指導体制を築こうとした。「全体主義」は自由主義を超克する新時代の方式とされ、政府と国民組織との協力・融合が説かれた。そして新党を組織するため、それまでの各政党を解散させて「大政翼賛会」を組織した。先述の通り、党内の派閥分裂に苦慮していた政党からは率先して参加があった。もともと政友会の内部には、民政党との協力内閣をつくるために、政党を解消して挙国一致を生み出そうとの意見があった。民政党は協力内閣をつくっても軍部に迎合する結果になるだけだと反対したが、三二年九月にはヒトラー・ユーゲント（青少年組織）を模倣した民政党青年部を設立しており、ナチ方式による国民の統合には期待していた。

また、労働者の権利を保護しようとする社会大衆党（社大）も賛同した。日中戦争が拡大していくと次第に農村の男性たちが戦場や軍需工場にとられるようになり、農村では残された女性らが働き手となりつつあった。そこで社大は女性の労働を支援して、託児所や互助機構など生活向上対策を出した。そして表向きには国家総動員体制を支えるとしながらも、総動員による労働者の一元的な管理を、資本家による支配から解放する手立てとして利用しようとした。総動員体制に加担しつつ、同時に資本主義改革を水面下で進めようとしていたのであった。それは、政府に対抗していくよりも、与党的立場に立って生産手段の国有化を進めることで、社会主義的政策を実現しようとの意図である。こうして左翼政党までもが大政翼賛会に協力した。

一般社会では、町内会や隣組などを統括した国民精神総動員運動と翼賛会を連結させた。初めは精神動員を指導していた総動員運動は、貯蓄や金属回収を求める物的協力運動に変化し、国民の生活様式を統制するようになっていった。満州事変から軍事費が膨張し、二・二六事件後にはさらに増大したが、それを賄うために発行した赤字公債を皇室と日銀が引き受けていた。膨張財政にはインフレの恐れがあるため、それを解決するために統制経済が求められた。

これらを背景に、大政翼賛会は国民を政治基盤にしつつも少数の幹部が一元統制し、また「統帥権の独立」を認めつつも、政略全般は政府が決定できるようにとの意向から目指された形態だった。憲法・制度を変えられない制約の中で、国家の総論を束ねて軍部抑制や経済統制ができる強力な指導体制をつくろうとしたのが翼賛体制だったと言える。

同時に翼賛体制は全く異なる目的や意図を包摂することになり、内閣と陸海軍による別々の外交政策を併存させた。例えば、三九年五月段階の閑院宮載仁参謀総長（閑院宮は満州事変の後から太平洋戦争開戦の前年まで参謀総長に就いた皇族軍人。211頁に前出）による天皇への上奏では、同盟締結によって独と協同してソを撃破するとしており、内閣が同盟締結によってソとの関係改善を期待したのとは正反対の目的であった。その一方、海軍においてはそもそも独が英との戦争に本当に勝利できるのかを疑問視しており、大型船をもたない独軍が海を渡って英に上陸戦を展開するのは不可能と見ていた。海軍の懸念は、陸軍が日中戦争を解決しないうちにソとの戦争までをも始めてしまうのではないかということであり、三国同盟によってソとの戦争を回避できるのであれば、同盟締結を進めてもよいとの考えであった。そして内閣では、外相に就いた松岡洋右が同盟締結を促進した。

松岡は陸軍との関係が良好と思われたことから、陸軍を抑える役割を期待されて外相に迎えられた。米への留学経験から英語が堪能で、連盟脱退の際の全権になっていたのも語学が理由とされる。そしてその留学経験から、米と交渉する際には決して妥協してはならないというのが松岡の経験則による信条であったと言われる。

外交官出身の松岡はやはり陸軍が外交に干渉することを嫌い、外相が主導性を発揮できるよう強く希望していた。同時に、外交とは国家理性によって判断されるべきとの考えから、外交を政治争点にしがちな政党に対しても批判的で、そのため松岡は大政翼賛会による政党解消を積極的に進めた。

また松岡は、リッベントロップが大戦に勝利した後に日独伊ソの四国で世界を分割しようと語った戦後構想に強く惹かれていた。その構想においては、ソが三国の指導的地位を承認して、日本が南洋を領有し、独は中央アフリカを領有、伊は北アフリカを、そしてソはイラン・インド方面を獲ることで、南北アメリカ大陸を除く領土を四国が分割するとした。松岡は三国同盟にソも加えて「四国同盟」とすることでその構想の実現を企図した。かくして日本は世界情勢の判断、国内の統合、外交方針の各領域においてナチの影響を受けながらそれぞれを策定していった。

③「日独伊三国軍事同盟」は何を変えたのか

松岡は外相に就任すると、各国に新任大使を配置し、在外外交官の大規模な入れ替え人事を行った。何よりそれは「四国同盟」によってリッベントロップと共有しているはずの世界分割構想を実現するためであった。松岡にとって「四国同盟」は以下のような多角的戦略となっている。

まず「四国同盟」が有する対独的意義として、独が打診してきた同盟を承諾することで日独関係を強化できる。さらに、独ソ間は既に「不可侵条約」で提携しているので、この提携に日本も加わることで日ソ関係も同時に強化できるという対ソ的意義もある。また、四国が同盟すれば米も容易に手を出せず、欧州の大戦に参戦できなくなるであろうと考えられた。即ち、米の参戦を阻止する抑止力となる点で「四国同盟」には対米的意義もあった。さらにまた国内の政治問題においても有益と考えた。ソの同盟加入は、陸軍が望む独との提携を叶えるのと引き替えに対ソ戦争を諦めさせることができる。そしてそれは海軍に三国同盟に賛同させる理由にもなるのである。

松岡にとって、対米戦を抑止して、対ソ戦を予防する「四国同盟」の構想は、国際関係の好転だけでなく、国内での軍部抑制にまで効果を発揮する完璧な構想なのであった。松岡は後藤新平と懇意であったので、後藤の「新旧大陸対峙論」(68頁)から影響を受けた構想だった可能性がある。

松岡の方針は、四一年二月三日の大本営政府連絡懇談会(政府連絡会議から改称。懇談として柔軟性をもたせようとした)で決定され、大東亜圏、欧州圏(アフリカを含む)、米州圏、ソ連圏(イラン・印度を含む)の「四大圏」分割を独伊ソと共有するものとした。「東亜新秩序」に東南アジアを加えて「大東亜共栄圏」を創出することで、対中政策の行き詰まりを打開して、さらに英米中心の秩序を刷新する新秩序を打ち立てようとの決定であった(「大東亜共栄圏」の語は外務省内で南洋の資源獲得を重視して唱えられはじめた南進論を背景に考え出されたものと言われる)。

戦後構想は独が英に勝利することが前提なのであったが、松岡は独が本当に勝利できるかということよりも、独が完全に勝利した後になってから三国同盟締結を承諾すると返事をしても、その勝利に貢献しなかった日本は世界分割に参入できなくなるであろうことを心配した。即ち松岡は、世界分割での日本の取り分を確保するために、速やかな同盟締結を求めた。そして四〇年八月に独の英本土空襲が行われると、独の勝利が間近と判断し、締結を急いだのであった。ソもバルト三国の併合を進めていた。

松岡は同盟締結により、日独伊を欧州と東亜の指導国として、ヴェルサイユ体制を否定する世界再分割を目指すとした。またその際に予想される米との関係悪化については、三国同盟で圧力をかければ、米の大戦参戦は挫折し、日本に対する圧迫も解消されると主張した。

第一次近衛内閣から平沼内閣時の五相会議では陸軍のみが同盟締結を希望したのが、この第二次近衛内閣では外務省(松岡)が同盟化を志向したという変化があった。また、植民地の空白問題が浮上したことで、海軍においても南進論を背景に同盟を求める声が出てきた。それにより海軍では同盟反対で一致することができなくなったが、陸軍の北進（対ソ戦）を回避させ得る点では一致したので、総意としてはソを含めた同盟締結に傾斜した。松岡は同盟が対米戦を義務付けないことを条件として説得し、海軍もソを含む条件付きで同盟を承認した。また天皇も、日本への輸出制限を始めた米に対して打つ手がないのであれば仕方あるまいと締結を認めた。

独との防共協定を三国の軍事同盟に格上げすると、それまでは対ソ協定であった日独の協定は、英との対立関係を意味する同盟へと変化した。近衛内閣はそれと同時に北部仏印への進駐を決定し、「援蒋ルート」遮断のため東南アジアへの軍事行動を実施する。即ち、独の世界戦略に乗じて三国軍事同盟が結ばれ、その後の方針も同盟締結の結果として決定されたのである。

3 「独ソ戦」の衝撃—揺れ動く外交と戦略

第二次近衛内閣は、独が屈服させた仏・蘭それぞれの植民地である仏領インドシナ（「仏印」）と、蘭領東インド（「蘭印」：現インドネシア）の支配権獲得を目指した。そして四〇年九月に北部仏印進駐が実施される。

①「日独伊三国軍事同盟」を結ぶことは何を選んだことになるのか

蒋介石に対する英米の軍事援助を阻止するために行われた北部仏印への進駐は、仏の降伏後に独の傀儡政権として成立したヴィシー政府と松岡外相との協定によって進められた（「松岡・アンリ協定」／形式的には仏との合意の上に実施されたため「侵略」ではなく「進駐」になった。米との衝突を懸念した海軍が武力進軍には

仏領インドシナと蘭領東インド

反対していた）。このアンリ駐日大使との協定では、仏印において第三国に優越した日本の権利を認めさせたのだが、それは三国同盟締結に先立って日本が東南アジアでの主導的地位を確保するための既成事実づくりであった。この上で三国同盟の締結に進むのである。

締結に際しては、独からスターマー特使が日本に派遣され、四〇年九月二七日に「日独伊三国軍事同盟」が締結された。独にとっては英米への圧力としての同盟で、米は対日戦を負担してまで英との戦争に介入してこないと見ていた。

事実として、同盟は圧力として機能した。三国同盟と武力南進より圧迫を受けた英仏両国は「援蔣ルート」を閉鎖したのである。英は日本が独側に立って参戦し、英のアジア権益を奪うことを懸念して、日中戦争を一時的に傍観する立場をとった。天津租界封鎖を容認した仮協定に続く日本への妥協策である。

日本軍は武漢から西進して四川省への関門である湖北省の宜昌《ぎしょう》を陥落させ、重慶に迫ろうとしていた。その状況での援蔣ルート閉鎖は、中国の反英感情を一挙に高めた。国民政府内では、孫科が米英仏との提携を見切って独ソとの提携に切り替え、さらに伊との友好を図るべきとまで主張した。孫科が枢軸側へと傾斜したのは、米も中国を見捨てると予想したからであったが、実際には違った。日本の仏印進駐は平和進駐の体裁をとってはみたが、米の強い反発を招いた。そして米は中国への二五〇〇万ドルもの借款供与を発表するのである。さらに、北部仏印進駐への制裁として、屑鉄の輸出を禁止した。最大の屑鉄の輸出国である米の制裁が発動された。この措置は、援蔣ルートを閉鎖した英がこのまま日本に妥協することがないよう釘を刺す意味でもあり、中国への支援であった。

松岡は三国同盟を締結しさえすれば、米からの圧迫も解決されると主張していたが、結果的には米の対応は全く逆になった。しかも、この後にかけて独軍は英を屈服させるに至らず、米が英の支援を明確にし始めたことからも、南進政策はむしろ日本の対外政策を逼塞《ひっそく》させることになった。その結果、一〇月一八日には英は援蒋ルートを再開して、国民政府への支援を継続した。日本が仏印を抑えた後も、英はビルマルートで輸送を続け、援蒋ルートの遮断はできなかった。

その後の一一月一一日、独軍が英の機密文書を奪う事件（オートメドン号事件）が起きた。そこには英が日本の仏印進駐に対して武力による抵抗を行う余裕がないことや、シンガポールの防備の情報が載せられていた。独からこれらの情報を提供された日本は、南部仏印への進駐や、マレー半島の攻略を検討するようになる。

他方で、仏印問題は日本だけでなく、隣接するタイ（泰）にとっても重要問題であった。泰は英仏の植民地の緩衝地帯としての意味をもたされ、領土の一部は獲られたものの植民地にはならずに済んでいた。英仏が迫ってくる中で早期に自由貿易の条約を結んだことも植民地化を避ける要因となったが、それは泰が積極的に近代化を進めた内発的努力の結果でもあった。アジアで植民地とならなかったのは泰と日本だけである。そして仏印にはその泰の旧領が含まれていた。失地の回復を希望した泰は、一一月から武力を背景にヴィシー政権に対し旧領の返還を迫った。陸軍は泰に協力し（仏印進駐の準備として六月に「日泰友好和親条約」を結んでいた）、泰は仏印の一部を得た。これにより泰は日本の同盟国となる。

②日本は何を見落としていたか―「独ソ戦」

仏印進駐による諸国との関係悪化に対しても、松岡外相はソさえ見方に引き入れて「四国同盟」構想を推進できれば乗り切れると考えた。松岡は構想実現のために四一年三月から独伊ソへと赴いた。独ではヒトラーに日本とソとの同盟締結の斡旋をも依頼した。松岡としては「独ソ不可侵条約」を根拠にソとの仲介を依頼したつもりであったが、ヒトラーには依頼を拒否されてしまった。仲介を断られたものの松岡はモスクワでソとの直接交渉を開始すると、スターリンはこれを承諾し四月一三日に「日ソ中立条約」の締結にこぎ着けた。満洲国と蒙古の支配権を認め合う分割協定である。この条約締結にはソを英米側につかせない意味もあった。

　欧州では、ヒトラーがルーマニア・ハンガリー・スロバキアを三国同盟に加入させ、北アフリカに侵攻した伊を支援するために四一年二月に同地へ侵攻した。三月にブルガリアも同盟に加入させると、それまで中立を宣言していたユーゴスラビアも同盟に加盟し、参戦も表明した。ところがユーゴでは、翌四月に同盟に反対した国内の勢力がクーデターを起し、同盟から離脱させようとしたため、独伊は直ちにユーゴへ侵攻した。ユーゴ内ではクーデターに反対して独伊側に留まろうとする勢力がクロアチア州を独立させ、ナチを模した独裁体制を敷くと、独軍に従ってユーゴ本国への侵攻も行った。独は一週間でユーゴを制圧した。独立したクロアチアは独の保護国となり、三国同盟に加入した。

　また独はユーゴ侵攻と同時に、伊のギリシャ侵攻の支援も行った。英軍の五万がギリシャを支援しており、伊軍は侵攻に失敗したが、独が大規模な空爆を行い、英軍を撤退させた。ギリシャを制圧したことで独はバルカン半島の全域を支配した。

スターリンと松岡洋右

　こうした情勢下で、松岡の「四国同盟構想」はヒトラーの同意を得ていないながらも実現し、「枢軸連合」が形成できたかに思われた（枢軸＝新秩序の中心の意）。ところが、そこにまたも衝撃が起こされる。頼みとしていた独が突如としてソに侵攻する「独ソ戦」を開始したのである。

独は四一年六月二二日「バルバロッサ作戦」と称して、三〇〇万の兵力でソへの奇襲攻撃を開始した。英との戦争の最中であるにも拘わらず、英ソ二正面作戦を始めたのである。独は電撃戦によって欧州を席巻するも、英にはなかなか勝てなかった。そもそもヒトラーは欧州を席巻すれば英が妥協すると見ていた。ところが、英は宥和政策を転換して宣戦布告し、その後の講和交渉も拒否してきた。やむなく戦うものの、独軍はドーバー海峡を超えるための十分な船舶がなく、民間の小型船まで動員したが、渡海して英の本土を攻撃する軍備がなかった。そのため航空戦をしかけたが（「バトル・オブ・ブリテン」）、それにも敗北し、英国上陸に失敗した。

英攻略の展望を失ったヒトラーは英と講和する方法を模索し、その際にソを破ることが英との和平を促進すると考えた。ソが脱落すれば日本の軍事力が米への抑止力となり、英を孤立させられると考えたのである。また、英との長期戦に備えることが必至となったために石油の確保が必要となった。独が石油を確保するためにはトルコに侵攻して近東を支配せねばならず、その際にはソと衝突することになる。あるいはソ領の油田の獲得を狙うかであるが、どちらにしてもソを先制することが有利と思われた。そうでなければ、独が確保していたルーマニアの油田をソに攻撃される可能性もあった。さらに、このまま対英戦が長期化すると米が参戦することになるとの焦りも出てきた。ソを屈服させれば米の参戦も防げるであろうと思われたのである。つまり、ヒトラーは英に講和を拒絶され、攻略もできずに手詰まりになったが故に独ソ戦を開始したのであった。

対するソは独ソ戦によって英と軍事同盟を締結することになり、連合国に加わることになった。

③独ソ戦はどのような戦いだったか

そもそも独が占領したルーマニア・ブルガリア・ユーゴスラビアはスラブ系民族の地域で、かつての帝政ロシア領に属した地域であり、独ソ間にはこれら東欧地域やバルカン半島の覇権をめぐる確執が潜在していた。独ソ間の提携など一時的な偽装に過ぎなかったのである。ヒトラーの喧伝する「生存圏」は、はじめから東への勢力拡張を意味していたし、共産主義の破壊も標榜していた。ヒトラーは共産主義を絶滅させねばならないと、ソ軍や人民の抹殺を命令した。

ヒトラーは、「冬戦争」で弱小の芬蘭すら満足に撃破できなかったソ軍には、独軍に対して長期間抵抗する能力などないと見ていた。スターリンが独裁のためにソ軍の軍事指導者を大量に抹殺して、芬蘭にも劣るほど自ら弱体化させたのだとして、わずか三ヶ月もあればソを屈服させられるとした。そのため英ソへの二正面作戦の敢行を躊躇しなかった。かくして対英戦の最中に、数千kmにもおよぶ戦線で数百万の軍を激突させる対ソ戦を開始した。

一方、独が対ソ戦を準備しているとの報告は開戦の数週間前よりソ側に多数寄せられていたが、スターリンはそれらを信用せず、対独戦に備えなかった。スターリンは報告を誤情報と決めつけ、あるいは独ソ間をぶつけようとする英の謀略だと疑った。それは独軍の大奇襲を招くことになった。

不意打ちで開始された戦争は独軍の快進撃を容易にした。大規模な戦車戦が展開されたが、ソ軍は通信や指揮ノウハウに欠陥をかかえており、物量を揃《そろ》えながらも独の電撃戦に太刀打ちできなかった。独軍もソ軍主力を撃滅することはできなかったが、初戦の段階でソ側には百万を超える捕虜が出た。独軍は予想を超えた大量の捕虜の管理に窮することになり、捕虜や市民を虐殺していった。

大戦開始から貿易封鎖を受けていた独には食糧がなかった。そのため食糧供給をソに依拠していたにも拘わらず、そのソとの戦争を始めたのであった。独軍は現地調達を行い、ソの人民を飢餓に追い込んだ。

独軍に九〇〇日間の包囲を受けたレニングラードでは八〇万人以上の餓死者を出すことになる。ソ軍も報復として捕虜を虐待・殺害し、双方が国際法に背いて戦争犯罪を行った。とりわけ独はナチの世界観のために単なる勝利ではなくスラブ人の絶滅を目的とし、際限の無い戦争を始めた。

英ソへの二正面作戦に踏み切ったヒトラーの判断については、ナチの中にも懐疑的に見る者があった。多くの人民も英への勝利で戦争が終結すると考えており、それ以上の戦争の継続は望んでいなかった。しかしヒトラーは勝利を確信し、八月にはモスクワで勝利パレードが挙行できると楽観視した。そしてソ軍を過小評価したまま戦争の最終目標も明確にせずに戦争に突入したのであった。

ところが、ソは大量の犠牲を出しながらも独軍の侵攻に耐えた。ソは冬になれば戦争を有利に展開できると考えた。ソの冬にはナポレオンを屈服させた実績があり、最も強い味方は「冬将軍」であるとした。そして冬期に突入すると、一一月末には独軍に凍傷の被害が出始めた。冬までに勝利できると思い込んだヒトラーは部隊に冬の装備を与えていなかった。独軍はなおも一千㎞以上も進撃したが、しかし進撃も一度伸びきってしまえば、予備兵力もなく、電撃戦によって単独で突出した先鋒部隊への補給もできなくなった。

致命的となったのはソには舗装路がなく、雪が降ると泥沼を行軍せねばならなかったことである。膝《ひざ》まで浸《つ》かる泥の道で、頼みの機動力を失った独軍は各所で停滞し、ソは多大な犠牲と引き換えにしながらも独軍を押し戻していった（即ち対仏戦での電撃戦は仏の交通・補給インフラに支えられた戦法だった）。一二月からはソ軍が反撃を開始した。芬蘭が冬戦争の挽回を図り独側として参戦したが芬軍は敗れた。

スターリンは独ソ戦がかつてナポレオンの侵略を撃退した「祖国戦争」以上に国民の命運がかかった「大祖国戦争」だと規定して、祖国愛と抗戦を訴えた。この後の欧州では四二年の秋頃から徐々に連合国側に主導権が移っていくことになる。人口一億九千万を抱えるソは次第に国内統制の合理化、戦闘ノウハウや部隊の練度を手にし、物量で独軍に迫っていく。

一方の独は、再軍備を始めた時から支出の半分を軍事に当てており、「ヒトラーの奇跡」による景気を消費し尽くしていた。独ソ戦はヒトラーの戦争計画をはっきりと挫《くじ》く転換点となった。

④日本は独ソ戦をどのように見たか

日本側にとって、独ソ戦の開始はそれまでの戦争計画を根底から覆される出来事であった。ノモンハン事件と同様に、日本の事情を無視した二度目の裏切り行為である。しかし、松岡がソとの仲介を依頼した時にヒトラーがこれを断ったのは、その段階でソへの侵攻を決めていたからであった。

実際のところ、独には日中戦争を解決できない日本への苛立《いらだ》ちがあった。独は三八年二月に中国への支援を停止したが、その後の一〇月には経済上の利点から中国との貿易を秘密裏に回復していた。満洲国に承認を与えたにも拘わらず、同盟化を進めない日本を当てにしなくなっていたのである。

ヒトラーが独ソ戦を決意した時期には諸説あるが、四〇年の七月から一一月の間とされている。リッベントロップは四国同盟を基礎にスターリンと世界分割案の交渉をしたが、スターリンは東欧から近東にかけての広大な領土の割譲を要求したことからヒトラーが憤慨し、四〇年一一月には独ソ間の提携は見込みを失っていた。この段階でヒトラーは既に英本土上陸を断念しており、翌一二月には対ソ戦の準備を命令していたので、松岡の構想が閣議で方針化された四一年二月三日には、既に「四国同盟構想」の実現はあり得ないものになっていた。独ソ間で既に破綻していた交渉を後から追いかけていたわけである。

独ソの交渉が物別れに終わった様子は一一月時点で大島からも報告されており、英のチャーチル首相も、独が近くソに侵攻するとの情報を得たことから、松岡に手紙を送ってそれを知らせていた（この手紙は「東京裁判」に英の資料として提出されることになる）。またソも松岡の四国同盟の提案を拒否していたが、ソは独がバルカン半島を支配したことを嫌い、独との対決を想定するようになっていた。日本との中立条約では、日本が北樺太の権益を手放すことを条件にしたが、ソにとってはその権益と独への対抗を準備するための締結なのであった。日ソ中立条約はソにとって日独からの挟撃を回避し、独との戦争に集中できる条件をつくった点で、独ソ戦を促してしまった。

独ソ戦は近衛内閣の方針を瓦解させたが、しかし欧州における独の連戦連勝から、独ソ戦が始まってもなお独が大戦に勝利するとの考えが支配的であった。外務省もソの敗北は時間の問題であるとして、独の勝利を前提に、ソの領土を如何に独と分け合うかを検討し始めた。独軍が満洲に接する極東ソ連領までも領有してしまうのではないかと懸念したのである。陸軍でも独の勝利が確信され、むしろ対ソ戦略を復活させられる点で独ソ戦を歓迎する声すらあった。

但し、松岡の世界分割構想は独ソ戦によって破綻が明白になった。そして三国同盟の意義も著しく低下した。当初は米も三国同盟と独ソ不可侵条約の連結を恐れたが、独ソ戦によってその危険は去った。同盟締結の結果として残されたのは、日本も英と対立することになったことと、米との関係悪化だった。

四〇年一一月六日に米ではルーズベルトが大統領選に勝利し、改めて日独伊三国への対決姿勢を打ち出した。そして日本では一一月二四日に最後の元老・西園寺が死去した。独との提携に反対し、英米協調外交を堅持しようとした有力な天皇の輔弼《ほひつ》が去った。

松岡は独ソ戦の報に接すると直ちに天皇の下に参内し、自身の結んだ「日ソ中立条約」を直にでも破棄して、ソに攻め込んで欲しいと進言した。松岡も独が勝利するとの前提で、独ソ戦に参戦しないことで領土を得られなくなることを懸念したからである（松岡は現下の最大の障害である米は日本が対ソ戦を行っても干渉しないが、南進すれば米ソ両国から攻撃されると判断しており、南進には反対していた）。松岡の豹変に驚いた天皇は、直ちに近衛と相談するよう求めた。

そして近衛内閣は国内政策においても大きく躓《つまづ》いた。新体制運動によって成立した大政翼賛会が、議会において憲法違反の指摘を受けたのである。独裁政党としての翼賛会は、内閣が議会の上に立つ国策決定機関を設置することを意味した。これは、憲法の規定にない新組織による独裁であり、違憲ではないかとの指摘であった。憲法学者の佐々木惣一による意見であったが、言うなれば翼賛会は幕府をつくるようなもので、内閣にはそのような権限が無いことを指摘したのである。近衛はやむなく大政翼賛会は政党ではなく、「公事結社」(公共利益を目的とする非政治結社)だと宣言した。それは独裁政党の構想から大きく後退し、新体制を無意味なものにした。

4　蔣介石から見た三国軍事同盟

①世界大戦と日中戦争はどのように関係したのか

蔣介石は米に対日制裁を訴え続けていた。米も三国同盟への対処として、三九年一〇月に知日派として知られたグルー大使を帰任させた。知日派は、日本がこれまでに海軍軍縮を受け容れるなど平和秩序を担ってきたとの認識から、日本を評価していた人脈である。そのグルーが日米協会主催の晩餐会で、中国における日本軍の行動が独善的野心によるものとの批判を行った。

独ソ不可侵条約は、蔣介石にとっても大きな衝撃であった。世界的に領土を山分けしようとする枢軸同盟にソが加わろうとしていることを意味したからである。さらにソが日本との間に中立条約を締結したことで、蔣介石はソとの提携に期待できなくなった。最大の援助国であるソが敵側につき、中国への軍事援助も停止するのではないかと懸念した。

中国側の観点からは日本が英米に妥協することは中国の利益にはならず、むしろ日本が独伊とともに大戦に参戦し、それによって英米が日本と対決することにこそ展望があった。そのためには日中戦争を欧州大戦と連動させることが必要となる。そうでなければ各国は対独問題に専心してしまい、日本と対立してまで中国問題に介入しようとはしなくなる。従って日本が自ら欧米と衝突することが望ましかった。そして、その機会は訪れた。仏印進駐である。日本がついに独と同盟し、さらに南進して英を敵に回したことは、まさに日中戦争と大戦が連動することを意味した。つまり、武力南進は大戦と日中戦争を一体化させて、英米中の連合を形成する直接的な契機になったのである。独ソ戦によってソと枢軸の同盟が崩れた時、蒋の国際戦略はほとんど成功していた。

援蒋ルートが遮断された四〇年の夏に英が本土決戦にまで追い詰められようとしていた時には、中国でも独軍がこのまま大戦に勝利するとの見方が出ており、一時は独との提携すら模索された。英が頼みにならないのであれば、他の諸外国と友好を図ることでしか日本を孤立させられないからである。しかし、独軍が戦果を上げるほど日本は行動を拡大したので、米は中国に接近し、英米中による対枢軸連合を形成することになった。そして三国同盟締結を見た蒋介石は、これで日米決戦が不可避であると確信し、あとはソの動向にさえ注意すればよくなった。

米との対決を避けて「大東亜共栄圏」を実現できるはずの日本の構想は、対米関係を悪化させる結果に終わった。三国同盟と武力南進は日中戦争を有利に進めるどころか、実際には米の介入を希求していた蒋の戦略に利していたのである。

②連盟脱退から日本の立場はどう変わったか

日中戦争を開始させた近衛が再登板した時、蒋介石は近衛が再び首相となれば中国侵略は一層進められるであろうが、それは結果的に中国に有利に働くとして、第二次近衛内閣の成立を歓迎していた。蒋は、近衛は名声を好むが決断力がなく八方美人で、確たる思想がないうえに物事を貫徹する気力もないと評して、近衛内閣の下では陸海軍の意見対立が激しくなるであろうことを予測した。それは全く予想通りであった。

英米仏ソを結束させて日中戦争に巻き込もうとしていた蒋は、独ソが不可侵条約を結んだ際には、ソと英仏が対立関係になってしまったことに動揺した。しかし、四〇年の八月段階では既に独ソ戦が起こることも予測しており（バルト三国併合などソの領土拡張をヒトラーが嫌うと読んだ）、英米仏ソの反枢軸連合が形成できると見た。

四〇年一一月に、松岡は四国同盟構想を背景にしながら、独の仲介によって講和を打診してきた（「銭永銘工作」－浙江財閥の重鎮の銭永銘に蒋との仲介役を担わせた工作）。日米関係の改善はもはや望めないが、四国同盟を築いて日中戦争を解決することで米に妥協させようとの構想であった。

蒋は日本と対等の条件が成立し、汪兆銘政権の樹立を阻止できるのであれば日本と講和しても構わないと考え、日本軍が占領地から全て撤兵すれば講和に応じる姿勢であった。この時も中国との講和が成立する機会であったが、汪政権の樹立によって蒋の政権を取り込む方法を選んだ日本側から交渉を絶った。そして汪政権が南京に樹立されると、蒋は以後の日本の和平工作には決して応じないと述べたが、この時には既に日本に勝利できることを確信していた。

日ソ中立条約に対しては、ソが日本の満洲支配を容認したことに憤慨しながらも、それが日本の南進を促進すると観察しており、さらに予測の通りに独ソ戦が発生すると、これでソの英米への接近が必至となったと喜んだ。国内では共産党を警戒していた蒋にとって、独ソ戦はソの関心と影響力とを中国から逸《そ》らす点でも好都合であった。四一年七月一日に独が汪政権を承認すると、蒋は独伊との国交を断絶した。あとは米が日本との対決を決意するよう促せばよかった。

従来のアジア秩序では、長らく中国を孤立させる体制が敷かれ、各国が合意の上で中国支配を維持するものだった。それはアヘン戦争以来、中国が国際秩序の破壊者だと位置づけられたためである。「ワシントン体制」の下でも、蒋介石の北伐や「革命外交」（主権回復運動）は「無法者」による紊乱《ぶんらん》であった。そのため中国には集団安全保障が適用されることなどなかった。それが日本の軍事行動を黙許していた。蒋は連合国に位置付くことでこの構造を転換したのである。その地位は日本と入れ替わった。

グルー大使は、東亜新秩序が国際秩序に反していると指摘したが、有田外相は九ヵ国条約による秩序がもはや中国の実情にそぐわず、米の要請は中国の平和に資することがないとの声明を出した。新秩序を正当化する有田の声明は、日本が中国権益を侵害しているとした米の批判に応答したものであったが、有田の対応は米の外交原則を否定する主張に他ならず、今や日本が秩序の破壊者となったのである。

第10章

日中戦争からアジア・太平洋戦争へ

太平洋戦争への進路は四一年七月二日の「御前会議」で定められた（「情勢ノ推移ニ伴フ帝国国策要綱」）。そこでは、南進遂行のためには英米との対決も辞せず、独ソ戦で独軍が優勢であれば陸軍も対ソ戦に踏み切って北進することも考えるという、南北併進が決定された。仏印の南部にまで進駐することを決定したが、それはさらなる領土拡大を含んだ計画であった。

その翌月の八月一四日、英米はナチとの戦争目的を掲げた「大西洋憲章」を発表した。戦後世界の基本的原則として、「領土不拡大・不変更」（不承認主義）、「ナチからの主権・自治の回復およびナチの撃滅」、「機会均等の世界通商」を掲げたものである。それは、民主主義と民族の自治を基礎に、国際的な経済協力が成り立つ世界の再構築を理念とした。第一次大戦後の独に過度な制裁を下したことが却ってナチの台頭をもたらしたとの認識から、報復を行うよりも民主的な戦後世界を如何にして成立させるかとの観点から作成された性格がある。かくして枢軸との戦いは民主・民族を護る正義の戦いとされた。

1　強硬なる陸軍

陸軍では対ソ戦に備えて、七月七日に「関東軍特種演習」(通称「関特演」)を発令した。日本本土より五〇万人が極秘召集され、関東軍は七〇万にまで膨れ上がった。陸軍は、満洲国境の極東ソ連軍が独ソ戦に動員されると予想して、その西送に合わせて侵攻するつもりであった。しかし欧州へ送られた部隊は二割弱程度だった。また夜中の列車移送で日本側に知られぬよう密かに動員した。

海軍は陸戦が主となる北進には反対してきた。ソとの戦争では、海軍は駆逐艦による輸送船の護衛任務などしか行えない。そのため国策としては、北では独ソ戦の推移を観察し、南では仏と交渉して南部仏印へ進駐する陸海軍の妥協案となったわけである。

この間に米では「武器貸与法」が成立し、独と交戦する英ソに積極的な輸出を行えるようにした。またグリーンランドを占領し、大西洋の哨戒《しょうかい》(見張りや警戒行動)を始めた。モンロー主義的「中立法」を捨てて大戦への介入を決定したのである。

独ソ戦においては、独軍がモスクワに迫りながらも反撃準備を整えたソに勝利することができなかった。対するソはこの四一年から女性も兵士として動員し、一〇〇万と言われる女性兵士が戦った。「大祖国戦争」の戦場は決して男性だけの世界ではなかった。ソは終戦までに二六〇〇万人以上の戦死者を出すことになる。

①「独ソ戦」の世界的影響とは何か

近衛内閣は武力南進を実施しながらも米との緊張緩和を模索していた。松岡が世界分割構想を進める裏で、米との関係改善を求めることは、全く相容れない外交を同時に行うことだった。外相の松岡が枢軸同盟を進めているので、日米交渉は民間ルートによる非公式な経路で実施された。米の宣教師と、日本の井川忠雄（産業組合中央金庫理事）による民間人レベルでの交渉とされたが、日本側は野村吉三郎駐米大使が実質的に主導していた。

交渉では、日本は三国同盟を根拠とした参戦を行わないこと（参戦条項の空文化）を前提に中国から撤兵し、それらと引き換えに米は満洲国が中国側に承認されるよう協力して、日米間の通商関係を正常化するとの「日米諒解案」が作成された。近衛と陸軍の岩畔豪雄《いわくろひでお》（大使館付き武官補佐）とが連絡をとって作成した案であった。そして四一年四月一六日に米側からこの「諒解案」を基礎に交渉を行う旨が打診された。松岡外相が「日ソ中立条約」を締結した三日後のことである。

これに対して、四国同盟で米を抑制できると考える松岡は、米に対して望むことは蒋介石に日本との和平を勧告することであり、日本は米から干渉されずに中国問題を解決するとの立場をとった。そして野村に対し、三国同盟の参戦条項は保持したまま、米には汪兆銘政権を承認させるようにと諒解案の修正を指示した。松岡は、日本が三国同盟の参戦条項を空文化すれば、米は心置きなく独との戦争に参戦するかもしれないと懸念し、交渉をわざと引き延ばそうともした。武器貸与法を成立させた米が参戦しないように、日本が強気に出ることで太平洋側に引きつけようとしたのである。

米の関与を拒否しながら、単に中国との和平を仲介せよという日本の要望に対して、米側ではコーデル・ハル国務長官（Cordell Hull）が強く反対し、日本側への対案を出した。ハルの対案では、「満洲国」や日本の駐兵は認めず、日本による「新秩序」も否定するとして、暗に枢軸同盟からの離脱も要求されていた。そして六月から独ソ戦が開始されると、米はさらに強硬になった。

英を支援したい米にとっても独ソ戦は有利に働いた。米が非公式ながらも日本との交渉の場に出てきたのは、三国同盟が圧力となっていたからである。ところが、独の兵力がソに集中するならば、英の負担が軽減されるため、英への援助に時間的余裕が生まれた。米にはもはや日本との交渉に焦って妥協する必要がなくなったのである。

そもそも米側は、北部仏印に進駐しながら交渉しようとする日本に疑心を抱いていた。何より外相の松岡が三国同盟を推進していたことで信頼を得られなかった。また米は芬蘭へ侵攻したソへの感情を悪化させていたため、近衛内閣は米ソのどちらと交渉するかを選択すべきだった。松岡がソとの同盟を進めたことは、米との関係改善とは相容れない選択だったのである。松岡構想を破綻させた独ソ戦は、同時に日米対話の機会も喪失させたのであった。

この過程は、米が日中戦争を妨害することはあっても和平を仲介してくれることはないとの認識を陸軍に与え、日中戦争の解決はますます他国の干渉を排除して行わねばならないと考える要因になった。

閣内では、南部仏印（ベトナム南部・カンボジア）への進駐が進められようとしていたが、松岡は独ソ戦が開始されたことから、南部仏印進駐を延期してソへの攻撃を即時行うように主張するようになった。松岡は、日本が対ソ戦を行っても米が干渉することはないが、南進すれば米ソ両国の干渉を受けるようになると考え、南進に反対した。しかし規定の南進政策を中止して北進すべしと急旋回する松岡の発言には、他の閣僚から批判が噴出した。近衛は松岡外交に見切りをつけて、松岡を更迭するために内閣総辞職と再組閣を行った（戦前の大日本帝国憲法体制の下では閣僚は天皇に直属し、総理大臣には大臣の罷免権がなかった）。再組閣した第三次近衛内閣では、野村吉三郎の後輩に当たる豊田貞次郎を外相に就け、対米関係の改善を目指した。このように外相の人事とは、それ自体が外国へのメッセージになり得るのは時代を問わず不文律と言える。

②アメリカは南部仏印進駐をどう見たか

日米交渉を担当した野村吉三郎は和歌山出身の海軍将校で、国際法研究で知られたことから駐米大使に抜擢されていた。外相に就任した豊田も和歌山出身の海軍将校で、かつて軍縮推進に実績を挙げたことや、三国同盟の反対論者であったことから、日米交渉にも理解のある人物として野村の支援を期待された。

しかし、近衛内閣はその後も既定方針に沿って南部仏印進駐を実施した。北部仏印進駐でも閉鎖できなかった「援蒋ルート」（ビルマルート）をつぶすために、英領ビルマに侵攻するとともに、さらなる南方への侵攻に備えて航空基地を確保しようとマレー半島を攻略する作戦であった。マレー南端のシンガポールには東洋最大の英の海軍基地があった（三八年二月に開港／日英同盟の破棄によって日本が南洋に進出するのではないかと懸念する豪・新の意向を背景に建設された。海軍が海南島を占領したのはこれへの対抗との見方がある）。

陸軍は南方作戦に伴って対ソ戦を一時的に諦め、「関特演」で集結させた兵力も満洲の国境警備にのみ当てた。それは使用しない兵力に巨額の費用をかける結果になった。南部仏印進駐は北部進駐の時と同様に、ヴィシー政権に容認させて実行した。豊田外相は七月二三日に野村を介して米に南部仏印進駐を伝達し、進駐は平和的な性格のものであり、日米交渉は継続するよう申し入れた。米からは進駐の中止が勧告されたが、軍部は以前の北部仏印進駐の折りに米が鉄資源の禁輸を実施したものの、他には大した制裁をしなかったと認識し、南部仏印進駐についても楽観視した。

ところが、南部仏印進駐は独の戦争への加担と同じだとした米は、七月二六日に英とともに日本の在米・在英資産の凍結を決定した。米英の国内で日本の銀行や企業が活動することが禁じられた。それでも日本が進駐を実施すると、八月一日には対日石油輸出を全面禁止した。事実上の対英戦争を始めた日本に対する本格的な制裁の開始であり、同時に独ソ戦への支援でもあった。

それに対して、独がソに勝利すると考えていた陸軍は、日本が南洋の資源地帯を占領し、その上で独が英を屈服させれば、米は妥協すると見た。和平交渉によって確実に満洲を失うよりは、南進して米との対決を選ぶべきとの判断があった。一方近衛にとっての仏印進駐は陸軍が対ソ戦を始めることを予防するための選択であった。仏印は米にとっての死活問題ではないとの判断から、陸軍を南方に向けておき、その間に米との関係を改善するつもりでいた。しかし、南部仏印は米の領有するフィリピンや蘭印を攻撃圏内に捉える領土であり、米にとっての妥協の範囲を超えた行動だった。

米の制裁は日本側の予測を上回って行われた。米の禁輸が続けば日中戦争自体も継続不可能でありながら、近衛内閣は日米交渉の目途を失った。そして外務省では親独外交のみが展望を持ち得るとの見方が大勢を占めるようになる。

③圧迫と強硬の悪循環

政府は、日本への禁輸制裁を米英中蘭からの圧迫であるとして、「ＡＢＣＤ包囲陣」が形成されたと報道した。実際には、その四国に連携はなく、蘭は既に敗れていたし、英などは米が単独で日本に妥協してしまうのではと憂慮していたほどで、包囲網の実態などはなかった。しかし、実際問題として、米の制裁を受けながら日中戦争を遂行するのは不可能なため、近衛は対米関係の改善を求めたが、そのためには中国と仏印からの撤兵が必要で、またそのためには軍部との合意が必要であった。

しかし、九月六日に開かれた御前会議で決定されたのは、対米戦争の準備完了の期限を一〇月下旬までとし、一〇月上旬においても交渉の目途が立たなかった場合には直ちに開戦するという方針であった（「帝国国策遂行要領」）。石油の禁輸制裁によって「ジリ貧論」が起きたことから、交渉期限を区切ろうとしたのである。

英米への最低限の要求を定めようとしたところ、陸軍は既に巨額を消費している日中戦争の成果を失うことは絶対に認めないと高唱した。とりわけ東條陸相はその成果や三国同盟を犠牲にしてまで米との交渉を行おうとはしなかった。また仮に交渉できても、英米は独軍を撃破した後には必ず日本を攻撃すると判断していた。

海軍は、「蘭印」の油田が確保できれば、米からの輸入がなくとも自給自足の長期体制が確立できるとした。油田を獲っても船舶による輸送の見通しが不確かで、航空機も不足していたが、それでもこのまま交渉などしているうちに時間が経過すれば、国内の備蓄燃料を消耗するだけなので、今のうちに打って出ねば戦争自体が行えなくなるとの「ジリ貧」への焦りがあった。また冬期には波が荒くなり、洋上作戦が困難になることからも、開戦するなら早期にしかける必要があった。及川古志郎《おいかわこしろう》海相は対米交渉の妥協点はどこかに見つけられるとし、また対米戦に勝利する確信がないことを東條に伝えながらも、このまま戦わずして敗れるよりは戦争に踏み切ることを選ぼうとした。

「帝国国策遂行要領」の内容を御前会議の前日に近衛から上奏された天皇は、米との開戦を準備するとの方針に驚き、これでは「戦争が主で外交が従である」と述べて、杉山元参謀総長と永野修身《ながのおさみ》軍令部総長を呼び出した。短期間で米との決着をつけたいと述べた杉山に対して、天皇は日中戦争を始めた時には一ヵ月で片付くと言っていたはずが、四年も経った今も片付かないではないかと詰問した。杉山が中国は奥地に広いため時間がかかっていると言い訳すると、中国が広いというなら太平洋はなお広いではないかと叱責した。天皇はこの年の一月に、「軍部も政府も中国を見くびっていた。速やかに戦争をやめて向こう十年くらいは国力の充実を計るべき」とのことを侍従《じじゅう》（天皇の身の回りの世話などをするために側に仕える職）らに語っていた。天皇は翌日の会議で自ら発言したいと述べたが、天皇が責任問題に巻き込まれることを懸念した木戸内大臣が反対した。

会議では東條が強硬論を展開し、及川海相は対米交渉での大幅な譲歩を認めながらも、対米戦争での勝算がないことについては明言を避けた。及川は、戦争を避けるなら政府が米と交渉するべきと、首相一任の態度をとった。海軍はこれまで対米戦を想定して予算を獲得してきたために、米に勝てないとは言えなくなっていた（満州事変は陸軍が巨額の費用を得る機会となった。海軍が日中戦争を拡大させたのには海軍も予算を獲ろうとしての行動であったとの説もある）。

原嘉道《よしみち》枢密院議長が天皇に代わって軍部の考えを質したが、参謀本部と軍令部がはっきりと返答しなかったため、天皇はその様子を批判して、外交での平和的解決を指示した。天皇が支持を与えたことは異例の事態であったが、政府案である「帝国国策遂行要領」を覆すことはせず、最終的には開戦方針が決定された。

④陸軍はどうして強硬なのか

内閣に残された「日米諒解案」の交渉には、野村の補佐役として親英米派の外交官の来栖《くるす》三郎（特命全権大使：第二の大使を意味する異例の役職）を派遣した。日本は中国の領土保全と、枢軸同盟を根拠とした戦争拡大を行わないことを条件に、それと引き換えに米は満洲国を承認して、日本と中国との和平を斡旋するとの条件で交渉しようとした。しかし来栖は三国同盟の調印時に駐独大使であったことから調印を行った当事者であり、本人は親英米派であったが来栖の参加は米の心象を悪化させただけだった。

ハルは「主権尊重と領土保全・勢力の不変更・他国不干渉・通商の自由」を原則に、中国と仏印からの撤兵を絶対的な条件としていたが、東條陸相にその譲歩を認めさせられないと感じた近衛は、ルーズベルト大統領との直接会談を望んだ。ルーズベルトと合意ができれば、その段階で天皇の同意を得てしまい、軍部が介入せぬうちに和平を進めようとした。近衛とルーズベルトの直接会談は、グルー駐日大使も賛同したことなどから期待が高まった。

しかし米側の回答は、直接会談は最終段階に行うべきもので、それよりも先に日米交渉での合意がなくてはならないとの返事だった。大統領は近衛との会談に前向きだったが、ハル長官ら国務省が反対した。そして一〇月二日には、ハルから太平洋の現状不変更を交渉の原則とする旨が伝えられ、近衛の申し入れは事実上拒否された格好となった。

米との交渉は中国からの撤兵が必須であったが、東條陸相は日中戦争の戦果を得ないまま撤兵することなどはあり得ないと、決して譲歩しなかった。一〇〇万の将兵が投入され、十数万の死傷者と数百億の費用をかけてきた日中戦争に得るところが無く撤兵などすれば、その後の陸軍は議会や国民からの責めを受け、大規模な軍事予算など二度と獲れなくなるであろう。それを陸相として認めることはできないと、組織防衛が優先されていた。また東條は、撤兵すれば満洲を失い、朝鮮統治までも危うくなり、そうなればこれを挽回するために結局は戦争が必要となると訴えた。撤兵は戦わずに降伏するのと同じであるとして、米への妥協を許そうとしなかった。

大統領との直接会談を実現できなかった近衛は東條の説得もできず、対米交渉の期限に定めた一〇月一五日を迎えて退陣することになった。後継首班を皇族に頼みたいとの案が出され、近衛も賛同したが目当てにしていた東久邇宮《ひがしくにのみや》の同意は得られなかった。

2　桎梏の「国益」

後継内閣の首班には東條英機が選定された。米の要求する中国からの撤兵は東條の他にはできず、最強硬派の代表である東條こそが陸軍を抑えられるとされたためであるが、近衛内閣を瓦解させた東條自身に責任を求める意向もあった。それが木戸幸一を中心とした重臣会議の決定であった。

①なぜ東條英機が選ばれたのか

東條は天皇への忠義を絶対視する軍人であった。平素から自分の考えを天皇に報告することを心がけたが、それはいざ決断する時に東條がなぜその結論に至ったのかを天皇に知ってもらうためだとしていた。そうした東條には天皇の信任も厚かった。

天皇は東條に日米交渉による対米問題の解決を命じた。対米交渉の期限を設定した九月六日の御前会議決定・「帝国国策遂行要領」を白紙に戻し、国策の再定義を行うことを組閣の条件とした。天皇の命令を受けた東條は、一〇月一八日に内閣を成立させると、それまでの強硬論を一転して対米関係の好転に尽そうとした。天皇の意向を絶対視するが故に、この局面で首相に選定されたのが東條である。そのため対米協調を求める東郷茂徳を外相に任命した。

東郷茂徳《とうごうしげのり》は鹿児島の薩摩焼の陶工・朴寿勝の長男で、その祖先は豊臣秀吉の朝鮮出兵の際に連行された陶工だったが、寿勝が士族株を購入したことで東郷姓を名乗った。外務省の代表的な「ソ連通」として知られた人物で、かつては「日ソ基本条約」の実務を担い、満州事変が起きた後もソとの関係構築に努めていた。一次大戦期から赴任したスイスにおいて共産主義を研究したことでソへの関心を高めた。当時のスイスには各国から亡命中の革命家などが集まっており、レーニンもその一人であった。ノモンハン事件に際しては、駐ソ大使であった東郷がその処理交渉に当たった。日本軍が大損害を出した後の停戦協定は、満蒙間の国境線についてソの要望を認める協定になったが、困難な交渉をまとめた東郷はソからも評価された。その後に松岡の四国同盟構想が登場すると、東郷はこれには反対の立場をとった。ソへの接近を求めた点では松岡と同じだったが、東郷はナチを評価しなかった。その結果東郷は松岡に更迭された。そして、今度は東條内閣の外相として困難な対米交渉に臨むことになったのである。

内閣は、対米交渉の要件である中国および仏印からの撤兵を基礎に日米交渉に臨もうとした。しかし、それは軍部の要求と米の原則との板挟みに合う交渉であった。海軍軍令部は「ジリ貧論」のために即時開戦を主張するようになっており、東條や東郷が日米交渉の期限延期を求めても承諾しなかった。また、対ソ戦に備えて南方の占領を急ぐようになった参謀本部も「帝国国策遂行要領」で定めた一〇月下旬の開戦準備の予定を堅持しようとした。

東條は天皇の意向であることも主張して対米交渉の延長を計ったが、一一月五日の御前会議では、期限を一一月末日に延ばせただけだった。日米交渉に対しては、米がハルの「四原則」（主権尊重と領土保全・勢力の不変更・他国不干渉・通商の自由）を放棄して日本の中国に対する主導的立場を認めるよう求めた「甲案」を作成し、これによって交渉することにした。甲案では、中国からの段階的な撤兵（華北・内蒙・海南島には二五年間を目処に駐兵するが、他は二年以内の完全撤兵を目指す）と、中国での通商において日本は第三国への差別待遇を行わないとしており、部分的な撤兵と日本の特別的地位を放棄する点が米への譲歩であった。陸軍にとってはそれが最大限の譲歩のつもりであった。

一一月七日に甲案を提出したが、米からは中国問題については中英蘭の各国とも協議しており、中国を含めることなく交渉に応じる考えはないと返答された。これで米が中国と連携していることが明らになり、日中戦争を中国との二国間協議で有利に解決したいとしてきた日本の思惑が通じないことが分かった。

この過程では、日本が独ソ戦を仲裁してソを枢軸側に引き入れることで打開しようとの腹案も出された（大本営政府連絡会議決定・一一月一五日）。駐独海軍武官から独ソ和解を打診してみたが、これには独側が応じなかった。但し、ソの背後には英米の支援があったことから、仮に独が応諾してもソが枢軸側につい たとは考え難い。英はソと共同してイランを占領したが、その目的は米がソへの援助物資を輸送するための補給路の確保で、米英両国は一五〇億ドル以上の支援をソに与えていくのであり、独ソの和解には可能性がなかった。

そのため東郷外相は、南部仏印からの即時撤兵と三国同盟を実質上無効化する（米が対独戦争に参戦しても日本は参戦しない）とした「乙案」を作成して、二〇日には米側へ提示した。南部仏印に進駐した直前の七月時点まで時間を巻き戻すのがこの乙案の意味である。それと引き換えに、制裁の解除と、蒋への支援の停止を要求した。これに対してハルは援蒋行為の停止を不可として、妥協は成立しなかった。その背後では、蒋が日本軍の撤兵なくして米の援助が停止されることを許してはならないと、米に強く要望していた。

交渉の現場では、野村の判断によって南部仏印からの撤退と引き替えに、石油禁輸の解除を要求する暫定的な交渉案をさらに出した。乙案が日本側の最終提案であることを暗号解読によって把握していた米側は、南部仏印から撤兵し、さらに北部の兵力も減らすのならば、三ヵ月の期限付きで民需用の石油の輸出を再開してもよいとの対案を用意した。米はこの案を日本に示すより前にまず中英の両国に打診すると、蒋は中国からの撤兵が含まれていない同案に強く反対し、米の参戦を求めるチャーチルも反対した。英にとっては日中戦争が解決せず、独ソも戦い続け、ついには米が参戦することが望ましかった。対案が日本に示されることはなかった。

日米交渉は、米を仲介にすることで蒋と和解しようとの試みであったが、中英の意向を受けた米は日本に対する妥協的交渉の一切を取りやめた。米側は一一月二六日に日本側の交渉案に回答する代わりに、米の外交原則を再確認する「ハル・ノート」を提出した。そこでは絶対条件としていた満洲国の承認も否定されていた。東條は交渉案に対する回答がなかったことから、「ハル・ノート」を最後通牒と認識し、御前会議で決定していた交渉期限を以って一二月一日午前〇時の開戦を決定した。

②日本にとっての満洲と三国同盟

日独伊三国軍事同盟が締結された時、知日派のグルーは「過去に私が知っていた日本ではない」と述べ、枢軸国に加わる日本の選択に否定的な感想をもった。英も抗日戦を指導する蒋への支援の継続を決意し、閉鎖していた援蒋ルートを再開した。蒋も三国同盟を境に日本との和平交渉を打ち切る決意をした。

三国同盟は防共協定の格上げとして打診されたはずであった。もともとの防共協定については、政府が警戒する共産主義への対策や、陸軍の対ソ戦略など、そもそもの日本の政策とも合致する性格があった。ところが、英米を対象とする三国同盟は全く性格の違う協定だったと言える。

三国同盟は当初こそ米への抑止力になっていたが、独ソ戦の開始によってその効果は無くなり、国際的な信頼を損なうだけの結果となった。松岡は独ソ関係を見誤ったが、対ソ関係を基軸に欧州情勢を判断していた陸軍も「独ソ不可侵条約」以後はそれまでの姿勢を一転してソとの関係改善を求め、独ソ戦が始まるとやっぱりソへの対抗姿勢をとるとして変転した。日本は急変する国際情勢を読み切れず、独の動向に振り回されて一貫した路線を定められなかった。

三国同盟と武力南進を容認した第二次近衛内閣の方針により、英米との対立は決定的なものとなった。二次にわたる近衛内閣は、その都度に何事かを決意しながらも、遂には確固とした方針の一つも成立しないまま対外関係を悪化させていった。第一次内閣時に二転三転する声明を出したが、そうした逡巡《しゅんじゅん》は第二次内閣期においても全く繰り返された。軍部と米との間で板挟みにあった近衛は後継内閣が定まる前に内閣を投げ出し、東條が選定された。この板挟みは東條内閣においても続き、米への妥協案は成立し難かった。陸軍は中国からの段階的な撤兵を認めても、それまでに犠牲を払ってきた中国権益を諦めようとはしなかった。また陸軍は、仏印から撤兵した場合には対米戦の勝算を失うことになるとして、仏印についても譲ろうとはしなかった。それに対し、「ハル・ノート」では満洲の全面返還が要求された。

この頃までに日本は中国に国策会社を進出させ、民間でも大企業から個々の商売人に至るまでが進出していた。それら皆の生活基盤が占領地と結びついた上に、工業生産においては満洲の石炭に依拠するなど、経済体制そのものが占領地支配と密着した構造になっていた。日本にとっては実際問題として満洲の放棄はできなかった。しかし、満洲支配を庇《かば》い立てる交渉案は通用せず、日本は交渉を断念した。米との開戦の報を聞いた松岡は、三国同盟の締結は「一生の不覚だった」と涙を流した。

3　英米蘭との戦端

開戦期日の前日となる一一月二九日、「重臣会議」で阿部・林・広田が東條首相の開戦決定に同意した。開戦に踏み切り、早期に講和を申し入れることで解決しようとの判断であった。政府は対米戦における独の支持を確認して開戦を決定した。

①太平洋戦争はどのように始まったのか―陸海の同時作戦展開

一年半分の備蓄燃料の限りでしか戦争のできない日本は、米の真珠湾とフィリピン（比島）、英のシンガポール要塞の攻略作戦を同時展開する計画を立てた。一二月二日午後八時に、開戦に備えて択捉《えとろふ》島の単冠《ヒトカップ》湾に集結していた連合艦隊の機動部隊（南雲忠一司令長官）に八日に開戦との電報が送られた。そして八日の午前一時三〇分（ハワイ時間七日午前六時）、オワフ島の北三五〇㎞地点の海上から攻撃隊が飛び立った。山本五十六連合艦隊司令長官は、開戦劈頭《へきとう》に物心両面で救い難い挫折感を敵に与えるとして奇襲作戦を決行した。米艦隊の空母を壊滅させる狙いであったが、真珠湾に空母はいなかった。第一目標であった空母を逃しながらも奇襲攻撃に成功した日本は、日中戦争と同時に英米蘭との戦端を開いた。

米側には、「ハル・ノート」を出せば日本が戦争に訴えてくるとの認識はあった。但しそれが真珠湾攻撃として実行されることが予想できたわけではない。その結果、停泊した戦艦八隻のうち三隻が沈没し、一隻は転覆、その他残りの艦艇が大破する被害を出した。日本海軍が実施した空母の集中運用による機動攻撃は世界初で、航空機が戦艦を撃沈できることが証明された。それは二日後のマレー沖海戦でさらに確実となる。

日本の宣戦布告が攻撃よりも遅れたことはよく知られた事実であるが、実は日本が米に通達しようと用意していたのは交渉打ち切りの通告だったので、これが戦時国際法上の正式な宣戦布告となったかは定かではない。実際にも海軍は奇襲の効果を求めて宣戦布告をせずに無通告奇襲を行う主張をしており、外務省も宣戦布告に躊躇していた。結果的にその通告書を米英加豪に手交したということである。

華北では天津の英租界に進駐して、英米の権益を接収した。同日に米英も対日宣戦を布告した。蔣は九日に日独伊に対する宣戦を布告し、一一日には独伊が米に宣戦布告した。

英領を攻撃する陸軍部隊は、真珠湾攻撃より一時間以上前にマレー半島に上陸していた。陸軍の「南方作戦」の開始である。陸軍はマレー半島・香港・比島の三地域を占領した後、蘭印を攻略する目標を立てた。中国と米英との連絡を分断し、蘭印の石油資源を狙う計画である。「援蔣ルート」の遮断は戦争の推移によって進めることとした。

寺内寿一総司令官の下に南方軍が編成され、さらにその下に四つの軍が編成された。マレー作戦（山下奉文司令官）では、シンガポールの攻略が目指された。シンガポール要塞はインド洋から東南アジアへ入るマラッカ海峡の要衝で、その攻略に以後の南方作戦の進捗がかかっていた。海からの要塞攻撃は困難なため、背後からの陸上攻撃によって攻略しようとした。海軍が占領していた海南島から陸軍部隊を輸送し、泰領のシンゴラ・パタニと、英領のコタバルの三地点から上陸した。泰の首相との秘密交渉によって通行の許可を得ていた。泰とはほどなく同盟を結び、泰も英米に宣戦布告する。コタバルでは英軍から激しい抵抗を受けたが、その陣地を制圧して上陸した。

マレー半島の一一〇〇㎞の行軍には半年以上がかかると思われた。しかし、日本軍は不休の行軍によって五五日間で南下し、英軍を奇襲した。増援の来着が十分に間に合うと油断していた英軍は給水施設の被害と食料不足のために降伏した。シンガポール攻略は二月一五日までに完了した。

作戦開始直後の一二月一〇日のマレー沖海戦では海軍の陸上攻撃機によって英の東洋艦隊の主力戦艦が撃沈された。上陸部隊を輸送する日本の艦隊に対して、英がシンガポールに配備した戦艦で攻撃しようとしたのを仏印のサイゴンから出撃した航空部隊が攻撃したのであった。史上初の飛行機対戦艦の戦いとなった。英の戦艦は前大戦での戦歴を誇る新鋭艦であったが攻撃機の魚雷で撃沈された。真珠湾攻撃・マレー沖海戦は航空機時代の本格的到来を象徴したはずの戦いであった。また同日、海軍は米領グアムも占領した。米の太平洋における拠点を奪うことで、反撃を防ぐ目的である。

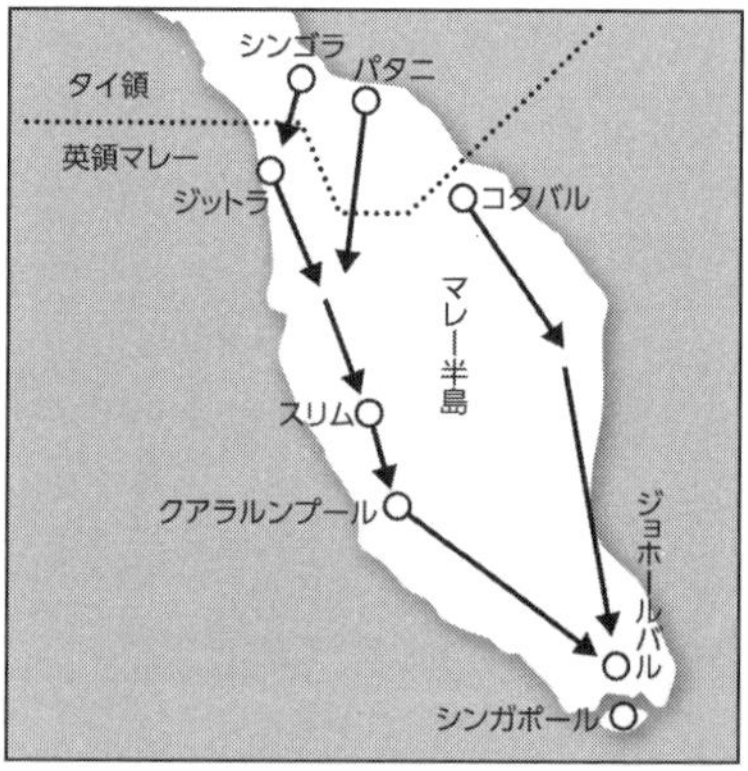

マレー作戦

香港島の攻略（酒井隆司令官）では、夜襲をしかけて給水施設を抑え、二週間の戦闘で英軍（印度・カナダ兵を含む）を降伏させた。しかし、香港攻略を支援しようとした中国の部隊は長沙で中国軍に撃退された。中国軍はその後も道路を破壊して退却するなどの撤退戦術を継続した。

比島攻略（本間雅晴司令官）は一二月二二日に上陸し、陸海軍の攻撃隊により比島の米空軍を全滅させた。比島は米の統治下にあったため、現地のケソン大統領は米からの独立と、その上での中立を希望した。

米はこれを認めなかった。

比島には現地軍が存在したが、米軍も駐屯していたため、両軍を統合した米比軍（アメリカ極東陸軍）が編成されていた。この司令官となっていたのがマッカーサー大将（Douglas McArthur）である。日本軍の攻撃を受けた米比軍はマニラ西方のバターン半島に撤退し籠城した。兵力では米比軍が四倍程度上回っていたが、備蓄食料の問題から交戦を継続できず、マッカーサーも逃亡したため、残された米比軍は投降した。市民を含めた捕虜は、日本軍の予測をはるかに超えて約七万人にもなった（日本軍は米比軍を二万五千人程度と思って戦っていたが実際には八万人がいた）。日本軍は、猛暑の中で衰弱する捕虜に列車のある地点までの八〇km以上を徒歩移動させたが、予想外の捕虜の数に対して食料も移動工程も計画しておらず、食料を与えることなく行軍させた。餓死者が多く発生したことから、これが「バターン死の行進」と呼ばれるようになる。

比島の戦いでは米軍の抵抗から予定以上に日数を費やしたが、この間には、ニューギニアのラバウル（ニューブリテン島）・ウェーク島を攻略した。このうちラバウルは以後の海軍最大の航空基地となる。

②拡大する戦果は何をもたらしたか

戦況を有利に進めた日本軍は予定を繰り上げて蘭印作戦（今村均司令官）に推移した。「石油の国」である蘭印の攻略である。資源確保のための最重要地帯はボルネオとスマトラで、特にスマトラ島には蘭印最大にして東南アジア有数の油田であるパレンバン油田があった。作戦は一月一一日から開始され、翌月にはスマトラ・ボルネオ・ティモールを占領し、最終目標とされたジャワ島への上陸も三月一日までに達成した。ニューギニアの北半分も占領し、広範囲にわたる島嶼の制圧を進めた。一方、援軍の見込みがない蘭軍は士気も上がらず、蘭印作戦は予想外の早さで終了した。またマレー作戦の成功の上に、英領ビルマ

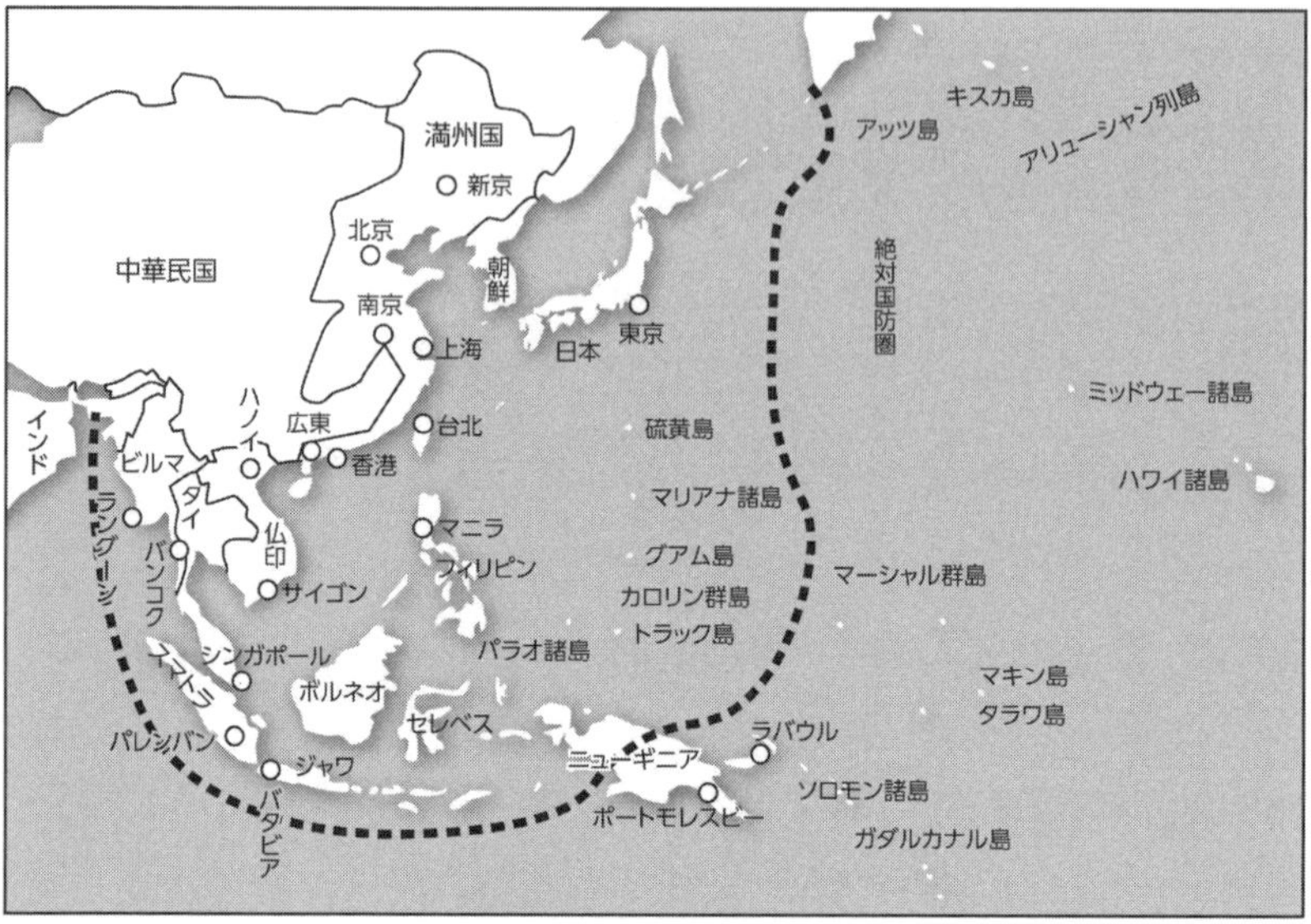

アジア・太平洋戦争の戦域

（緬甸）に開かれた「新援蒋ルート」の遮断を目的とするビルマ作戦（飯田祥二郎司令官）も行われた。

この時点で日中戦争からは約四年半が経過していた。「対支一撃論」によって楽観視された戦争が長引く原因は、中国軍の実力ではなく、英米からの支援が原因と考えられた。既に中国には六八万人の派遣部隊および関東軍七〇万人が展開していた。

陸軍は四二年一月に泰とビルマの間に応急道路を建設して、ビルマ南部に侵攻し、英軍および米軍・蒋介石軍と交戦した。現地では英からの独立を目指そうと蜂起した「ビルマ独立義勇軍」（指導者はアウンサン）が組織され、日本軍は義勇軍の協力を得て英軍と戦った。三月八日には南部にある首都ラングーンを陥落させ、その後に北上した。

ビルマ中部から北部にかけての戦いでは、蒋介石が派遣した軍が加わり激しく抵抗したが、五月下旬までには日本軍がビルマ全土を制圧した。日本軍は、目的の「援蒋ルート」の遮断に成功したものの、米が中心となりまた新たに「第二ルート」が開かれた。英米は蒋への支援を決して止めようとはしなかった。

南方作戦は全般的には計画を上回るスピードで進行した。バターン半島では米軍の抵抗を強く受けたものの、当初の作戦目標であった蘭印の油田確保についても完全に達成した。この後も米軍は各地で日本軍の攻撃を受け、後退を余儀なくされていく。しかし、予想を越えた戦果を生み出した南方作戦は、同時に敗戦の原因となる大問題をも抱え込ませることになった。一つは陸海軍の作戦上の対立を激化させたことであり、もう一つはあまりに急激な領土の拡大が戦争計画を手に負えないほどに困難にしたことである。

予想を超えた成果を得た日本軍は、当初には想定していなかった「第二弾作戦」へと戦争段階を進めた。南方の資源地帯を獲った余勢から、さらに勢力の拡大を図ったわけであるが、想定外の戦線の拡大は陸海軍それぞれに異なる計画を想起させた。

陸軍は中国と印度を攻略するために、セイロン島まで進出して独伊と連携したいと希望した（独ソ戦以後の「世界分割構想」ではセイロンまでが「日本圏」であった）。これに対して海軍はソロモン諸島に進出することで米と豪とを分断し、孤立した豪大陸を攻略する米豪遮断作戦を希望した。しかも海軍においては、軍令部が豪州孤立を立案したのに対して、連合艦隊司令部は米海軍の機動部隊と決戦することを望み、海軍内部ですら一致していなかった。想定外の段階に急遽突入したために、各組織が個別分散的な作戦の立案しかできず、軍部内の対立が起きたのである。

中国を主戦場とする陸軍は海軍の豪州作戦を拒否したことから、最終的にはミッドウェー島の占領により米海軍の機動部隊を誘い出し、その後に米豪間の交通を遮断、さらにその後に孤立した豪を休戦に追い込む計画となった。そのため海軍は、ニューギニアのポートモレスビーを攻略し、ミッドウェーを攻略した後、海軍の一大根拠地であったトラック島（連盟によって日本が委任統治された南洋群島の一つ）からフィジー・サモア・ニューカレドニアを攻略するとした。

陸軍案であったインド方面への進出については、連合艦隊司令部と軍令部とで争った結果、真珠湾攻撃を担当した空母機動部隊をインド洋に転用して英の東洋艦隊を殲滅する計画とした。マレー沖海戦で主力艦を喪失した東洋艦隊は、その後セイロン島を拠点にして、英本国からの増援によって大艦隊になっており、日本が占領した蘭印を脅かす存在になりつつあった。実施されたセイロン沖海戦では日本軍の爆撃隊が高い爆撃率を発揮し、東洋艦隊をアフリカまで駆逐した。また四二年上旬からは米の西海岸へ潜水艦による砲撃を行うなど、日本は米の本土への先制攻撃を行うに至った。

4 太平洋戦争の過誤と「大東亜共栄圏」

太平洋戦争が開始されたことを背景に、蒋は四一年一二月末に連合国軍への参加を果たした。日中戦争は第二次世界大戦における「中国戦区」（仏印・泰を含む）となり、蒋は連合国軍の司令官の一人となった。日中戦争を大戦に組み込み、連合軍として日本と戦う蒋の国際戦略は成った。米は日中戦争を支援することで日本軍の太平洋上での行動を抑えようと、中国への軍事援助を強化する方針を定めた。四二年一月一日、自由と人権の擁護を謳った「連合国共同宣言」が米英ソ中を中心とした二六ヵ国によって調印され、反枢軸連合が結成された。

①日中戦争との連結は何を意味したのか

四二年四月一八日、突如として東京が米軍の爆撃機によって空襲された。一六機のB25爆撃機による「ドーリットル空襲」である。東京の他にも、横須賀・川崎・名古屋・四日市・神戸が爆撃された。米軍が本土を攻撃するためには、爆撃機が往復できる航続距離の圏内にまで空母を近づけ、そこから発艦させねばならないが、Ｂ25の航続距離圏内は日本の警戒が厳しく空母を接近させられなかった（Ｂ25の航続距離は約四三〇〇㎞／攻撃範囲は二一七〇㎞程度が限界）。そこで米軍は、Ｂ25を圏外から発艦させ、攻撃後の機を空母に引き返させるのではなく、そのまま日本上空を通過して中国大陸に着陸させることで航続距離の問題を解決しようとした。中国の飛行場の使用については蒋が許可した。

かくしてＢ25爆撃機による奇襲が敢行され、爆撃隊は攻撃の後に中国東部に着陸したのである（一機はウラジオに不時着し、日ソ中立条約の建て前からソに捕縛された）。小規模とは言え、それまで本土への被害の可能性を考えていなかった日本軍は大きな衝撃を受け、本土の防空のためにもミッドウェー攻略作戦を急いだ。

連合国軍の中での中国の役割は、英米の空軍に四川省（重慶・成都）の基地を提供することであった。東京への空襲に中国の基地が使用されたことを知った陸軍は、中国の航空基地を破壊する作戦（浙贛《せっかん》作戦）を立て、杭州―長沙間を走る浙贛鉄道の沿線を占拠した。

海軍は計画に沿ってニューギニアの攻略を進めようと、上陸部隊の支援のために珊瑚海に出撃した（第四艦隊・井上成美司令長官）。五月八日に米海軍を主力とする連合軍の機動部隊と遭遇し、艦隊同士の交戦となった（「珊瑚海の海戦」）。航空母艦同士が戦う世界初の「空母戦」となり、双方の艦隊が搭載した攻撃機・爆撃機を飛ばして交戦した。双方とも空母を失う被害を出したが、日本側はミッドウェー攻略の後顧《こうこ》の憂《うれ》いを断つつもりで行ったこの戦いにおいて空母二隻を損失（一隻撃沈・一隻中破）した。海軍はこの被害によって、ニューギニア攻略を断念し、空母二隻を欠いたままミッドウェーに向かうことになった。

そうして急がれたミッドウェー攻略では、空母赤城を旗艦とする第一機動部隊（南雲忠一司令官）がミッドウェー島に向かった。米軍の機動部隊を誘き寄せて撃滅する作戦であったが、艦隊では作戦の主目的がミッドウェー島の攻略にあるのか、米機動部隊の撃滅にあるのか正確に理解していなかった。敵機動部隊を索敵できないまま島を攻撃したが実際には米の機動部隊が迫っていた。島を攻撃した飛行隊が戻り、空母に収容していると、そこに米の航空機から攻撃を受けた。日本側でもその前に米の艦隊を発見したが、攻撃機に搭載する爆弾の種類の選択に戸惑い、発艦の準備が出来ないうちに爆撃を受けた（航空機に搭載する爆弾は攻撃目標によって種類を換える。攻撃目標が敵艦か島かで二転三転したため、無駄に取り換え作業を繰り返した）。赤城はアンテナが低く、米機動部隊の所在情報を傍受できなかったことで一方的な攻撃を受けた他、暗号が解読されていたことや、情報不備などの多くの欠陥が敗因を生んだ。海軍は、赤城を含めた四隻の主力空母を撃沈された他、多大な被害を出した。日本の優勢は完全に覆り、以後の海軍は攻勢作戦に出る力を失ってしまった。

作戦では米の機動部隊を誘い出すはずが、実際には本土爆撃の被害に焦った海軍が引きずり出され、米艦隊の待ち伏せを受けていた。かくも大敗北を喫したミッドウェー海戦であったが、日本国内の「大本営発表」では、日本は空母一隻を撃沈されただけで、米側にも相応の被害があったと偽りの戦果を伝えた。

②満州事変の負の遺産―軍部独走の報い

ミッドウェーでの敗北の後、海軍はニューギニア沖のガダルカナル島（ガ島）に飛行場を建設した。ハワイと豪州の間に位置するガ島を押さえることで米豪を分断できると考えた。飛行場は島民も動員して八月には完成したが、完成直後に米海兵隊の約一万人がガ島に上陸してきた。日本軍のガ島守備隊は数百名しかいなかったためほぼ全滅し、ガ島は占領された。日本軍の最初の占領地の喪失となった。

日本は米軍の反攻が四三年以降になると予測していたため、ガ島への大挙は予想外であった。海軍はガ島奪還のために直ちに反撃に移り、米艦隊への夜襲で戦果を得た（「第一次ソロモン海戦」―世界初の艦隊夜襲戦）。しかし輸送船団を見逃したことから、米軍はガ島への武器弾薬の輸送を成功させた。海軍は陸軍にガ島の奪還を依頼し、陸海軍の協同作戦が立てられた。陸軍はこれに「一木支隊」を派遣する。盧溝橋事件を引き起こした豊台の駐屯部隊である。一木支隊はミッドウェー島の攻略後に上陸する予定で中国戦線から移動していたが、その前に海軍が敗退したためグアムに転じて待機していた。そこからガ島への攻撃が命じられたのである。

しかし、一木支隊は二〇〇〇名強の兵数しかなかった。それが約一万強の米兵が守備するガ島に向けられた。陸軍は米軍を二千名程度と誤認していたのである。容易に勝てると思った支隊には十分な装備も食糧も用意がなかった。隊を率いる一木清直は戦闘が始まってもなお米軍の規模を把握していなかったという。米軍の水陸両用戦車に対して、対戦車装備の無い一木隊は白兵攻撃を続けた。隊は三日間で壊滅し、一木は自決した。この間、海軍は米の空母を補足したとしてそちらに戦力を向け、一木隊への支援を一切しなかった。協同作戦を依頼しながら陸軍を見殺しにしたのである。ミッドウェーの失態から海軍もまた組織防衛ばかりを優先した。

米の空母を捉えた海軍は機動部隊を新編成して八月二四日に再び米艦隊と交戦した（「第二次ソロモン沖海戦」）。双方に損害が出るも、日本軍は空母一隻を失いガ島への兵員輸送が阻止された。陸軍は未だ米軍の規模を把握しておらず、後続部隊約六〇〇〇名を派遣した。ガ島に上陸すると一木隊の生き残りの兵が痩せ細った身体で出てきたと多くの証言が残されている。そして、後続部隊もたちまち同じ状況に陥った。

陸軍はその後も小出しに部隊を送って被害を重ねた。火力で劣る日本軍はジャングルを利用した奇襲を行うが、米軍の集中砲火に被害が出るばかりであった。以後も食料不足が続き、ガ島は飢餓の島として「餓島」と呼ばれるようになる。累計死者二万人を出したが、戦闘での被害は五千程度であったという。

食糧を携帯していなかったのは、中国から転用された部隊であったことを原因としている。中国では必要物資を「現地調達」することが常習化しており、中国戦線のイメージを引きずってガ島に赴いていたのである。しかしガ島に調達できる食糧などなかった。ガ島の奪還が容易ではないことを理解した軍部は、一二月三一日の御前会議においてガ島からの撤退を決定した。

5　日中戦争の末期段階へ

蒋介石の戦略が功を奏して日中戦争が大戦の一部となり、米の反攻も開始されると、四二年の暮れ頃からは中国戦線においても中国側が攻勢に移ろうとする日中戦争の末期へと向かっていく。

①奇襲作戦の歪み

日本軍は四二年七月から四三年一〇月にかけて、泰と緬甸（ビルマ）を結ぶ泰緬鉄道の建設工事を行い、捕虜に強制労働をさせた。現地の司令官が命令したものだが、捕虜の動員については東條と杉山の間で決められた。労働は不衛生な環境の下で強制され、虐待が横行した。虐待の事実が判明すると東條は部隊長を軍法会議にかけたが、それ以上の対処はしなかった。泰にも工事の負担があったため、以後は泰との関係も冷え込んでいく。

急速に拡大した占領地を背景に、東條は占領地の経営を外務省とは切り離して軍が管轄できるよう、外務省の機能の一部を大本営が吸収する案を立てた。東郷外相は外務省の権限が不当に奪われることや、占領地の独立を否定することから植民地化の野心を疑われるとして反対し、外相を辞任するに至った。東條はそれでも後任の外相を得て、四二年一一月に中国・東南アジア占領地の政治経済を一元化するための「大東亜省」を発足させた。

同時に、朝鮮と台湾は内務省の管轄下に置かれ「内地」に組み込まれた。「東亜新秩序」ではアジア各国を欧米の支配から解放すると謳ったため、アジア各国を独立させることが前提となった。そのため朝鮮・台湾を日本の一部とすることで、その独立を認めないための措置である。内地となった朝鮮・台湾にはこの後に兵役義務が課せられる。

日本軍は、汪の南京政府の協力なしには南方の占領地からの物資輸送ができなかった。年明けの四三年一月に汪政権は英米に対して宣戦布告した。蒋政権に対抗する立場から宣戦布告を選択したのであった。これに対して英米は蒋との間に新条約を結び、不平等条約を撤廃した。中国はアヘン戦争以来ようやく条約改正を達した。宋美齢が米国紙で中国への平等と自由を訴えるなど宣伝活動をしていたこともあるが、中国への対等条約は日本と汪政権に対抗する報酬として与えられたのであった。

東條は大東亜省の設置に基づく新外交の実施のために四三年四月に内閣改造を行い、重光葵が外相に就いた。予てより中国との和平を重視してきたアジア派の重光は、中国問題を解決するには汪政権に自立を認め、対等な国家間関係を築く必要があるとしていた。その考えを基に、真に独立した南京政府と協力する「対支新政策」を打ち出した。重光は汪政権と「日華同盟条約」を結び、治外法権の撤廃や租界地の返還を南京政府に対して認め、不平等条約を解消した。また蒋介石政権に対する従来の威圧的な外交も転換しようとした。

また東條が汪と会談し、蒋が英米と手を切れば日本軍は中国から撤兵するとの条件で仲介を依頼した。ここに来て東條ははじめて完全撤兵を条件として認めた。重光が汪と「日華同盟条約」を締結したのは、英米が先に不平等条約を撤廃したためでもあるが、同時にそれは蒋に対して和平に応じれば日本も不平等条約を撤廃するとの合図でもあった。そのため条約には、防共政策の放棄も含まれており、中ソ関係には抵触しないとの配慮も含めていた。しかし汪の政府とは、国民政府を否定して南京政府を名乗っているのであり、汪政権を前提に蒋と交渉することは望み難かった。

またこの間に、華北では共産党軍（八路軍）との戦闘も続いていた。共産軍は「第二次国共合作」の後、四〇年には四〇万の兵力になっており、日本の占領地においてゲリラ戦を展開してきた（「百団作戦」）。宜昌を落とした日本軍が華中に集中した隙の攻撃であった。ソを背景にした共産軍は被害を出しながらも日本軍を翻弄した。

②大義の追加－「大東亜共栄圏」

四三年二月にはガ島から撤退し、四月には山本五十六がソロモン諸島上空で撃墜されて戦死した。そして戦局はさらに悪化していくことになる。

政府は「大東亜共栄圏」を実現するため、四三年一一月に東京で「大東亜会議」を開催した。日本・満洲国・南京政府・泰・緬・比によるアジアの首謀会議であるとした。このうち、緬と比は開催に先立ち英米からの独立を承認するとして参加した。また独立運動を展開していた「自由インド仮政府」もオブザーバーとして参加した。仮政府は日本軍に協力することで英からの独立を目指していた（指導者はチャンドラ・ボース。印度の国旗はヒンディー・ムスリム・その他の宗教を表す三色の中央に糸車が描かれるが、英の綿製品による圧迫に抗する糸車をデザインしたもの。植民地の暴力に対抗する非暴力を説いたガンディーの教えから糸車は国内の宗教的分断を超えて結束する象徴とされた）。

会議では、各地の自主独立を尊重して助け合い「大東亜建設」を目指すことと、人種差別を無くして世界の進歩に貢献することなどが謳われた。これを「大東亜憲章」として発表したが、その中で「自主独立の尊重」を謳ったのは、英米の大西洋憲章に対応させたものだった。また、アジアから英米を駆逐することが日中戦争の目的であり、日本は中国側との和平を望んでいると主張した。

重光が主導的に進めたこの大東亜会議は、東條にとっては占領地の民心を掌握する方策であったが、重光には各国の独立を前提にした戦後構想があったとされる。そのため、重光は新外交の理念に根ざした国際連盟を擬して、大東亜共栄圏に基づく機構を創設しようと考えた。しかし、連盟に類似する組織は適当でないと軍部が反対したため実現しなかった。結局は重光の望む日中戦争の終結や対中外交の転換には至らなかった。

国内では、同じく四三年一一月に、工業生産を統括するための「軍需省」が設置された。従来の商工省と企画院を統合し、東條が軍需大臣を兼任したが、実質的には次官の岸信介《きしのぶすけ》が軍需関連会社の指導に当たった。軍需省設置の目的は航空機の増産だったが、それは敵艦隊に爆弾を抱えた十数機の飛行機が飛び込んで打撃を当たえるとの発想を元にしており、後の特攻作戦を予兆させる案から生まれていた。岸は次官であると同時に無任所大臣に任命されており、大臣格であった（無任所大臣は特定の省に属さない国務大臣）。ところがその後、他の人物も大臣格として軍需省に参加するとしたことから、岸はそれを不満として東條と対立した。それは内閣崩壊の要因の一つになる。

③戦域を極大化するとどうなるのか

日本軍が拡大した戦域は、東西約七〇〇〇㎞・南北約五〇〇〇㎞という広大な範囲に達した。急激に拡大したことで、前線までの補給線が伸びきり、物資の輸送問題を引き起こした。またそれは日本の暗号が解読される原因にもなった。

それまで海軍の暗号は容易に破られることはなかった。海軍はワシントン会議において米に暗号を破られた経験から、暗号機の開発に力を入れた。それにより開発された「九十七式欧文印字機」は極めて解読困難な暗号機であった。但し、暗号の強度を維持するためには日々の暗号パターンを換えねばならず、交換のためには暗号書を部隊に配布せねばならない。それが戦域の拡大のために暗号書の配布に時間がかかり、同じパターンの暗号の使用が長期化することになった。それによって暗号は破られた。

さらに日本軍は、本国から遙か遠い前線への無線連絡に「短波」を使用するようになった。南半球まで電波を送るには、波系が短く遠くまで飛ぶ短波を使用せねばならないが、それは米にも届いた。日本軍の電波は米本土においても受信され、日本軍の計画や行動は米側に筒抜けとなっていった。

ミッドウェー海戦の後に攻勢に転じた連合軍は、四二年三月より太平洋方面連合軍の総指揮官・ニミッツ（Chester Nimitz）の指揮による中部太平洋を西進するコースと、米・英・豪・蘭の部隊を率いるマッカーサーの指揮する南西太平洋を北進するコースによって日本軍を追い詰め、比のルソン島で合流する計画を推進した（「ウォッチタワー作戦」）。

日本軍の攻勢は停止し、物量で勝る米軍に圧倒されるようになる。ソロモン地域での敗走に続いて、北のアリューシャン列島のアッツ島でも日本軍は玉砕した。太平洋戦争の中頃からは中国戦線の兵力・資材を引き抜いて南方作戦に転用するようになったが、戦争末期までには満洲の邦人をも動員する「根こそぎ動員」に至る。国内では、珊瑚海の戦い以降、海軍の過大な大本営発表が行われるようになり、虚偽報道が続いた。

大本営は、四三年九月末の御前会議において「今後採ルヘキ戦争指導ノ大綱」を策定し、年内に大勢を決するとした。日本の本土への被害を防ぐための死守すべき防衛線・「絶対国防圏」を定めた（千島・小笠原・内南洋及西部ニューギニア・スンダ・ビルマ地域／276頁参照・「東條ライン」とも呼ばれた）。この「絶対国防圏」は、拡大してしまった戦線を縮小しなければ対抗できなくなっていることを意味している。

日本軍が英米蘭に対し優勢であった期間はわずか一年足らずであった。また太平洋上での戦局が悪化したことで、中国戦線で予定されていた重慶への侵攻作戦も中止せざるを得なくなった。

「ウォッチタワー作戦」による米軍の攻勢は、ギルバート諸島・マーシャル諸島から、日本海軍最大の航空基地であるラバウル攻略に達した。ラバウルの陥落は艦隊の根拠地であるトラック島が米の空襲圏内に入ることを意味した。そしてトラック島が制圧されると、蘭印が攻撃圏内に入った。蘭印の天然資源に依存した日本の戦争経済計画は立ちゆかなくなり、日本本土が米軍の爆撃圏内に入る目前となった。

米はＢ25爆撃機の倍の航続距離をもつＢ29スーパーフォートレスを開発し、東京から約二四〇〇㎞のマリアナ諸島から爆撃できるようになっていた。大本営はこのマリアナ（サイパン・テニアン／グアム・ロタ）に関東軍の派遣を決定したが、輸送よりも早くマリアナ諸島に大空襲が行われた。そのため、関東軍はマリアナ派遣を中止し、海軍がラバウル失陥後に新根拠地にしたパラオ諸島に向かうことにしたが、その輸送船は途中の台湾沖で撃沈された。パラオも大空襲に見舞われた。

海軍は絶対国防圏を死守すべく、九隻の空母を全て投入して、米の機動部隊との空母戦を行った（マリアナ沖海戦）。米艦隊は空母一五隻を基幹とした。海軍の予想を上回る兵力であった。さらに米軍は開発したレーダーで待ち伏せ攻撃を行い、また新しい対空砲弾（命中しなくても金属を探知して爆発するＶＴ信管）で一方的に攻撃した。海軍は三隻の空母を失う大敗北を喫した。

サイパン島は守備軍（歩兵三個連隊）のみで戦った結果に制圧され、東部ニューギニアも陥落すると、南方占領地の資源を内地に輸送して戦力化することを前提とした戦争経済は完全に破綻した。「絶対国防圏」はたちまちに破られたのであった。

日本では、大量の船舶を徴用した上にガ島作戦で多量に船を喪失したため民需輸送が激減し、その後の戦いによっても船舶の損失は一層増加した。そして、船舶喪失によって輸送力を失くしたことは、軍部の内部分裂をも生み出した。限られた船舶の奪い合いが起こり、それぞれの作戦に船舶を確保したい陸海軍は、東條首相に対して作戦行動を明かさないようになった。また、占領地の行政・管理に関する軍政を重視する本省と、作戦を重視する統帥部（参謀本部・軍令部）の意見対立が目立つようになった。

大本営政府連絡会議は情報共有どころか、予算や資材をめぐって対立する場となった。それぞれの対立は、やがて天皇の臨御を求めなければ決着できない事態へと深刻化した。調整ができなくなった東條首相は、四四年二月に陸相と参謀総長をも自身が兼任し、嶋田繁太郎海相に軍令部総長を兼任させた。東條と嶋田は軍人であるとは言え、閣僚である首相・陸海大臣が統帥権を担う統帥部の長を兼任するのは、「統帥権の独立」を自ら消滅させたことを意味する。当初は、統帥権独立への対処として設置した連絡会議が、対立を顕在化するだけの場となり、本来は軍人であろうと国務大臣の立場では関与できないはずの統帥権を軍部は自ら否定せざるを得なくなったのであった。

④「絶対国防圏」が破られるとどうなるか

四四年六月一六日、中国の成都から飛び立った米軍の爆撃隊が北九州に飛来し、Ｂ29爆撃機による空襲がはじめて本土に行われた。米は中国から日本を爆撃するために成都に飛行場を建設するよう蒋に依頼していたのであった。また印度の英の基地からも成都を経由して日本に攻撃できるように、英にもカルカッタの基地を整備するよう依頼した。成都では四〇万人もの労働力を動員してわずか三ヶ月で飛行場を完成させた。成都から飛行した場合、当初の最新爆撃機Ｂ24の航続距離では九州までしか攻撃できなかったため、マリアナの攻略も急がれた。

そして北九州が爆撃を受けた六月、太平洋ではサイパン島に米軍が上陸した。日本国内では六月三〇日の閣議において空襲被害を避けるための学童疎開《そかい》の促進が決定された。七月七日にサイパン島の日本軍が玉砕すると、サイパン島を占領した米軍は飛行場を建設し、一一月二四日にＢ29による初の東京空襲が行われた。

サイパン陥落によって、米軍の爆撃機が日本各地の上空に現れるようになったが、これで日本のほぼ全土が爆撃圏内となった。この後は東京・川崎・横浜・名古屋・大阪・神戸の軍需工場を主目標に爆撃が続けられ、四五年二月以降は市街地への無差別爆撃まで行われるようになった。

東京は終戦までに一二〇回の爆撃を受けるが、三月一〇日の「東京大空襲」では昼夜を問わず激しい爆撃が続き、木造家屋が集中した下町では焼夷弾による延焼被害が拡大した。B29の搭乗員はその火災によって六〇〇〇メートルの上空でも腕時計の文字盤が読めたとの報告がある。五月末までに市街地の半分が焼失し、軍事施設や工場の多い多摩地区や、交通要所である八王子もほとんど焼失した。東京全体では死者一一万五〇〇〇以上、負傷者一五万以上と推定されている。太平洋戦争の開戦時には、七〇〇万あった東京中心部の人口は、終戦時には二四〇万になっていた。ちなみに夜間空襲の被害を避けようと白亜の国会議事堂には墨が塗られた。現在も外壁にその跡が残っている。

空襲は地方都市へと拡大し、沿岸地域では米艦隊の艦砲射撃も受けるようになった。マリアナの基地からは終戦までに延べ二万七〇〇〇機以上のB29が出撃した。日本全体では死者四三万人、罹災者一〇〇〇万人の被害が出たと言われる。

東條内閣はサイパン島の陥落により七月一八日に引責辞任した。重臣会議は陸海軍の統合を求めて陸軍の小磯国昭と海軍の米内による連立内閣を企図した。小磯は南次郎とともに宇垣一成の人脈に位置し、宇垣・南の後任として朝鮮総督に就任していた人物である。米内は海相に就き、小磯内閣として成立した。

小磯内閣はまず「大本営政府連絡会議」を「最高戦争指導会議」に改組した。それまでの連絡会議よりも、さらに出席者を限定して一元的な戦争指導を行おうとしたものである。しかし、会議を改めても戦局の悪化が進んでいくにつれ、戦果の過大な報告や、被害を隠蔽する虚偽報告は後を絶たなかった。広報を陸海軍のそれぞれの報道部で扱っていたことが原因となっていた。撤退を「転進」、全滅を「玉砕」と言い換えるなど、真相を隠蔽する「大本営発表」が繰り返された。政治と軍事の一元的な戦争指導は最後まで実現しなかった。

小磯内閣の外相に留任した重光は、持論の「対支新政策」を継続しようとしながらも、汪政権の取り扱いについては小磯首相との間で構想が一致しなかった。重光は南京政府を重視したが、小磯は期待しなかった。対中外交は閣内で齟齬を生じさせたまま展望を失い、内閣は次第に宮中の木戸らとともに「聖断」を求めるようになる。

その後の日本軍は敗退を重ねる一方であった。ビルマ奪回のために進行した英軍は「援蒋ルート」を断たれた後も、さらなる新ルート開拓や空からの補給物資の投下を行った。北ビルマには米中の連合軍が攻勢をかけ、中部ビルマにも空挺部隊が降下された。ビルマ方面軍の司令官・牟田口廉也《むたぐちれんや》は劣勢挽回のため、インパール（印度のアッサム州都）の占領を決行した。大本営は補給を問題に反対したが、牟田口は数千頭の牛を徴発して、牛に食料を運ばせることで印度の山脈を越え、インパール街道を遮断する作戦を計画した。だが実践してみると、高地の寒冷に耐えられずに牛が次々と死に、結局兵士が荷駄の運搬をせねばならなかった。三個師団による進行が強行されたが、これに対して英軍は補給線の延び切った日本軍を分断し、日本軍には餓死者が続出した。八万とも一一万とも言われる大損害が出た。日本軍が英軍に敗北すると、アウンサンが率いるビルマ義勇軍は連合国側へと離反し、ラングーンの日本軍を駆逐してビルマ独立を目指した。また泰も連合国との交戦を避け、日本との接点を避けるようになった。

第11章　敗戦　―新たなる対立

1　本土に迫る連合軍の攻勢

①「第二戦線問題」とは何の問題か

ソ連は独ソ戦開始の翌月に英との軍事同盟を締結し、連合国に加わった。翌四二年にその同盟を強化して英との軍事協力を約束した。スペインのフランコ政権は、独ソ戦の開始時には独に加担してソ軍と戦ったが、枢軸側の敗色が濃くなると、四二年には枢軸側を見限り中立を宣言した。

四二年一一月、北アフリカ戦線のエル・アラメインの戦闘で、独伊軍が連合国軍に惨敗した。英のアジアからの補給ルートを遮断する目的で、エジプト侵攻・スエズ運河の掌握を目的にした作戦であったが枢軸側の失敗に終わった。

四三年二月二日、スターリングラードの独軍が降伏したことにより、ソ軍は独への反攻を準備する。これで英が敗北する心配はなくなり、米は一層有利に太平洋戦争を展開するようになった。五月には北アフリカの独軍も降伏し、米英軍は七月に伊のシシリー島に上陸した。敗戦の責任を追及されたムッソリーニは国内で逮捕され、失脚した。伊の政府は九月八日に無条件降伏し、翌月には独に宣戦布告したが、独軍はムッソリーニを救出し、独立政権を樹立させて戦争を継続させた。

ソは四三年にコミンテルンを解散し、他国での共産主義活動を停止した。英米にさらに接近するためである。しかし連合軍の間には「第二戦線問題」と呼ばれる戦争計画上の問題があった。

独軍の侵攻は停止したが、独ソ戦の負担からソ軍も疲弊していた。スターリンは英軍に仏から上陸して独へ攻撃するよう要請したが、チャーチルは敵前上陸は困難であるとして、バルカン方面から攻撃するとした。即ち「第二戦線」をどこに設定するかの問題で、英ソ間に食い違いが発生したのであった。そしてそれは、ソが戦後にバルカン方面に進出することを防ごうとする英との確執を元にしていた。第一次大戦時からの問題を引きずっていたと言えよう。これに対して米はソを対日戦に引き込みたいと考えたため、四四年五月に仏からの上陸作戦を実行することを約束した。かくして六月六日、米英軍はノルマンディー上陸作戦を決行した（この問題の背景は「テヘラン会談」においてさらに言及する。302頁）。独の支配下にあったルーマニアやブルガリアは連合軍に解放されると、独への宣戦布告を行った。

独の東側ではなおもソ軍との戦車戦が続き、独軍は後退するばかりであったが、ソのあらゆる施設を破壊しながら退却していった。ソに奪い返される占領地を不毛地帯にする狙いである。攻勢をかけたソ軍は独軍主力を壊滅させ、一〇月に独国境に到達した。西部戦線でも米の爆撃機が絶えず独の占領地の上空に飛来し、夜には英の爆撃機が入れ替わりにやってきた。独の国内も焦土と化し、四五年一月にはソ軍がベルリンへの侵攻を始めた。

独ではそれまで増税することなく軍事費を調達してきた。大戦開始からは高所得者への高課税を行ったが、基本的にはナチは増税しなかった。それは戦時においても国民生活を護っていると説明されたが、実際には現金を手にしてもほとんどの品物が配給で統制され、市場には国民が買える物などほとんどなかった。買い物をすることのない国民は貯蓄を増やしていくのであったのだが、その貯蓄が戦争の財源となった。この仕組みを独の国民は理解していなかった。敗戦後にはその貯蓄が負債の清算に当てられると、個人貯蓄の九割が価値を失った。それは資本主義史上最大の財産没収となる。

ヒトラー政権の一二年間に国民が見た奇跡の繁栄は幻に過ぎなかった。支出の半分が軍需に当てられ、夢の国民車も量産できなくなった。ユダヤ人や共産主義に滅亡させられることに比せば些細な問題だと、戦時下で無理に重ねた我慢や苦労は徒労に帰した。ヒトラーが約束した未来が来ることはなかった。

②組織防衛の悪癖―海軍の偽り

太平洋では連合軍が比島に迫り、四四年一〇月にはマッカーサーの指揮の下に一〇万人がレイテ湾に上陸した。既に「絶対国防圏」を破られた日本軍は、陸海軍の協同作戦による決戦を求めた。燃料資源がないため、艦船を動かせるうちに艦隊と航空戦力および地上部隊をこの戦いに投入しようとしていた。

米軍は比への上陸直前に空母機動部隊によって台湾を爆撃し、日本軍の台湾基地航空部隊がこれを迎撃した（台湾沖航空戦）。この台湾沖航空戦による米側の被害は艦船二隻の損傷程度だったが、日本側の戦果報告では、米空母一一隻を撃沈し、八隻を大破した大戦果であったとされた。これは虚偽の報告だったのではなく、パイロットらが若く未熟であったことから座標を読み違え、一～二艦の敵艦に与えた被害を各員がバラバラに報告し、複数ヵ所で被害を与えているかのような報告になってしまっていた。あまりに過大な戦果報告を受けた海軍では、それが誤りである事に気付いたが、陸軍に誤報であることを知らせたがらず大本営ではそのまま発表した。実際の戦闘では日本側にこそ被害が出ていたにも拘わらず、架空の大戦果となってしまった。

そしてこの過大な戦果を信じた陸軍は、比に米艦隊が現れた時、わずかに残った米艦隊の残党がレイテ島に上陸したものと誤認した。しかもその誤認を基に、陸軍はマニラを決戦地としていた作戦を変更してレイテ島を決戦地に定めた。陸海軍の協同を前提としたはずの戦いを、陸軍は米軍の戦力を誤認したまま迎えるのである。

その弊害はレイテ島への兵員輸送において直に現れた。米艦隊が壊滅したと思っていた陸軍は攻撃を受ける想定などしなかったために、兵員と物資を長時間にわたって海上に曝《さら》し続ける輸送を行い、米航空隊の標的にされた。一部の兵員は上陸したが、物資搬入にも失敗したためにまたも物資不足に陥った。

海上での「レイテ沖決戦」では、海軍が空母を囮《おとり》に使用して米艦隊を引きつけ、米軍の上陸部隊と輸送船団を戦艦で攻撃する作戦とした。戦闘では囮作戦は成功するも、主力艦隊が米側の待ち伏せを受けて作戦は失敗した。この戦いで海軍は主要な大型艦船をほとんど失い、連合艦隊は事実上壊滅した。神風《しんぷう》特攻隊による攻撃が行われたのもこの戦いである（カミカゼの読みはニュース映画によって定着したもの）。レイテ沖決戦における米軍の被害は小型空母三隻のほか艦船三隻の沈没で、それは日本側に比せば極少ない被害であった。

レイテ島の陸軍部隊は一部の上陸部隊だけで山中でのゲリラ戦を展開し、一〇日間の戦闘で約一万人を失った。弾薬に困窮する日本側が砲撃を一発加えると、米軍は四千発の反撃で応えるという物量の差があった。餓死や伝染病による戦病死者を多量に出した日本軍は一二月末まで抗戦を続けながらも敗退した。比の各島々でそれぞれの戦闘が続いたが、日本軍はこの比島の戦いで最も多くの戦死者を出した（推定五二万人）。その大半が餓死と推定される。台湾沖航空戦での敗北によって補給路を喪失していたため、比島の防衛はそもそも不可能であった。特攻作戦はこの後に陸軍にも拡大し、特攻兵員は終戦までに四四〇〇人に達する。

③「特攻」は何のために行われたか

米艦隊が次第に本土に迫り、四五年二月には「硫黄島の戦い」が行われた。硫黄島（東京都小笠原諸島）の攻略は、さらなる本土への戦略爆撃と、沖縄上陸の前提として計画されたものである。米艦船四五〇隻に対して、約二万三千人の小笠原兵団が守備した。守備兵団は米軍の艦砲射撃と空襲に対して、地下道を利用した陣地戦で対抗した。硫黄島の地形が変わるほどの米軍の圧倒的な砲爆撃力によって、組織的な戦いは三月二六日に終結したが、米軍側にも二万五千人の死傷者数が出ていた。そして米軍は、四月一日に沖縄に上陸する。

サイパン陥落の以後、軍部は最前線化した沖縄を戦場にした戦いを想定し始めた。四四年八月に疎開児童を鹿児島へ輸送すると、その輸送船「対馬丸」が潜水艦の攻撃を受けて沈没した。一五〇〇名の児童が犠牲になった。一〇月一〇日には沖縄への空襲が行われ、那覇の九割が焼失した（「十・十空襲」）。沖縄戦をめぐっても陸海軍の作戦は合致しなかった。海軍にとっては沖縄戦こそが最後の戦いだったが、陸軍にとっては「本土決戦」の準備のために時間をかせぐ戦場だった。こうした沖縄戦では持久戦のために住民までもが動員され、推定約一〇万人の県民が犠牲となった。

特攻は沖縄戦で最も多用され、二三五五機に及んだ。鹿児島の知覧基地や万世飛行場をはじめ、九州各地と台湾から出撃した。特攻は志願によって行われたとの証言と、命令であったとの証言とが混在しているが、断れない空気の中での「志願」であったことの証言が多い。本土決戦の心得を説くとした「本土決戦訓」には、米軍が日本の女性や子どもを先頭に進軍してきたら「日本人を先に撃て」とあった。そんなことなら一人で死んだ方がいいとの理由から特攻を志願した兵もいた。

また特攻は航空機以外によっても実施され、特に本土決戦のための特攻兵器が造られた。人間魚雷と言われた「回天」が知られているが、他にもグライダー型の「桜花」、潜水艦型の「海龍」や「蛟竜」、モーターボート型の「震洋」、棒の先に機雷を付けた「伏龍」（人間機雷）、敵艦へ肉薄攻撃するための攻撃艇など、使用すれば生還できない兵器が開発された。米軍の人的被害を増やして、米の議会に厭戦《えんせん》をもたらそうとした。

そして特攻作戦の極めつけとも言えるのが、海軍が誇った戦艦大和による特攻である。沖縄戦を最後の決戦とした海軍は、巨砲を誇る大和を陸地に乗り上げて砲台として使用する作戦を考案した。大和は、艦数で劣る日本艦隊の戦力を世界一の戦艦でカバーしようとの発想から、二億八千万の費用をかけて建造された。敵艦の砲撃に耐え得る装甲を有した巨大戦艦であった。航空兵力が優位となると、戦艦は艦砲射撃に活用されていくが、大和にその出番はなかった。四月七日、沖縄へ向かう大和の艦隊に米の攻撃機が飛来し、大和は沈没した。枕崎沖に現在も沈んでいる。

2　自衛と正義で行う戦争――「アジア主義」は戦争を求めたか

日本は「東亜新秩序」や「大東亜共栄圏」といった理念を鼓吹《こすい》して戦った。また独伊も「生存圏」や民族共同体を掲げたが、そこには戦争が理念的価値を推し出して行われる新しさがあった。

諸国が米の経済に依存する中で起きた世界恐慌は、各国のシステムを崩壊させたが、とりわけ米への依存度が高いアジアにおいては多大な影響を受けた。米主導の経済体制の下で、満洲だけは独自に利益を確保しようとしたのがそれまでの日本外交であったが、恐慌によって満鉄経営も一層の不振に陥った。

こうした行き詰まりを転換する方法として、対外膨張を含む全体主義が求められた。現に統制経済の下では、雇用の創出による生活苦の改善や資源の安定的供給が促されていた。それは貧困層に経済的地位の向上をもたらすことも意味した。平時では決してできない戦時体制による画一化が、社会の不均衡を是正しているように思われたのである。そして、それが成せるのは軍部だけであった。

一次大戦後の世界では、各国が経済を連動させ、多国家間での貿易や国際分業によって発展していた。世界は一つの大きな経済共同体としての性格を強め、その上に人口を増加させた。そうした構造の中で、総力戦を一年以上も自給自足で継続することなど、特殊な条件でも無ければどこの国にも不可能だった。燃料・食糧の自給自足は巨大な経済圏を創出しなければできないので、他国の領土を求めるようになった。しかし、他国への領土拡大は既に国際秩序において否定されていた。

戦争を起こすのにアジア解放の正義を謳ったり、傀儡国家や傀儡政権を創ろうとしたが、そうした言い訳をせねばならなかったのは、領土の変更や収奪を認めない戦争違法化のためである。だからこそ植民地解放を唱えたが、それは自らの行為が国際秩序に反するとした意識の裏返しでもあった。日本政府が戦争違法化に合意してきたからこそ、それを打ち消すための理念を後付けしたのである。そして、欧米資本の圧迫にアジア連帯で対抗するとした大義名分を主張した。しかし実際には、独が仏印・蘭印まで獲ってしまうことを懸念して三国同盟を選んでいた通り、その動機は英米の圧迫やそれからの解放ではなかった。日本の中国権益は国際政治の構造の下で獲得されていたのであり、それは日清戦争から続いた性格であったのが、その方針を転換して独と領土の分割を協議し、アジアを支配したのが共栄圏の実態である。

そして戦争の言い訳は国内に向けても必要になった。戦争という行為自体がいずれの参戦国においても国内外での収奪や国民の我慢を強いることになるためである。「日本国の根本精神」にまで昇華された「八紘一宇」の文言は、アジア主義的な言説とも結びついて国民の間にも流布した。アジア主義の言説には中国との二国間関係に限定された主張が多く、欧州外交への視点の弱い意見もあったが、それには欧米の帝国主義を模倣して追随してきた近代日本を乗り越えようとの意識があった。翼賛政治が目指していた

「衆議統裁」の形式が、英米型の民主主義を超克する「次なる政治段階」と謳われていたのにも、「文明開化」以来追随してきた西洋文明を上回ろうとの意味があった。

実際には帝国主義へと逆行していても、「八紘一宇」や「大東亜共栄圏」がかつての欧米流の帝国主義を否定するとしていた点で、復古や民族的回帰には留まらない新しさがあった。単に帝国主義に立ち戻っているのではなく、新しい世界観を生み出そうとする運動でもあったのである。このように、戦争を宗教的・哲学的に粉飾したり、多民族の救済を装わねばならない事情は、かつての戦争にはないことだった。

そしてまた戦争の理念は戦場でも必要だった。徴兵された一般国民としての兵士が戦地に送られる時、それは初めて国外に出る体験となる。そして初めての海外でやらなければならないことが、殺し合いだということにもなるのである。兵士に何らかの動機付けが必要だったことは容易に想像されよう。「八紘一宇」や「大東亜共栄圏」などの正義を語らうのは、戦場において解消せねばならない日本兵の精神的負担への対応でもあった。

中国戦線では、鉄道・橋・道路を破壊して撤退する「支那軍」と、架橋・敷設して追撃する日本軍という構図ができていた。新秩序の建設とはインフラ建設のことではないのだが、日本兵はまさに「建設」しながら行軍しており、「文化的な皇軍」と「野蛮な支那兵」というコントラストが描かれた。建設の大義を実質的に担うことも中国においては戦争体験であり、それを支える正義が同時に現地徴発を正当化してもいた。

但し、元来のアジア主義者らは皆戦争に反対していたという事実を差し置いて、「大東亜共栄圏」が日本の国是を反映したなどと評価できようはずがないことも付言しておく。

3 「ポツダム宣言」とアメリカの誤算

①敗戦は何が問題だったか

小磯国昭内閣で組織された「最高戦争指導会議」では、四五年一月から本土決戦構想が話合われていた。既に米軍がルソン島上陸を準備しているとの報を受けていた。天皇は首相経験者ら重臣に意見を求めた。拝謁《はいえつ》の段取りは木戸がとったが、それは本土決戦に反対して、講和を進めたいがためであった。「重臣会議」を開くと軍部を刺激するとの配慮から、重臣が個々に天皇に拝謁する形式にした（拝謁したのは、平沼・広田・近衛・若槻・牧野・岡田・東條）。

この意見聴取の中で、二月一四日に拝謁した近衛は、「国体護持」（皇室の存続）の見地から最も懸念される問題は、敗戦自体よりも戦後の社会における共産主義であると述べ、早期に講和するよう上奏した（「近衛上奏文」）。つまり、戦争に敗れた後の天皇制存続のために戦争を止めるべきと進言したのである。近衛の発言の背景には、国民が連日の空襲と空腹で戦意を喪失し、不敬言動などが表れていたことがあった。近衛は敗戦に伴う政治的な混乱を何よりも心配した。その態度からは、あたかも敗戦を楽観視し、むしろ戦後も自己の政治的立場を護ろうとしている意識が見て取れる。

近衛の上奏に対して、天皇は「一度敵を叩いて」からの講和を求める「一撃講和論」に拘る姿勢を見せた。即ち、少しでも講和の条件が有利になるように、米軍に一度大きな被害を与えてから講和に持ち込みたいとして、反撃の機会を窺ったのである。

天皇と近衛の認識の違いには、当時の政府内にあった二つの講和論の影響がある。一つは、敗戦後の共産化を避けるために英米との和平交渉を早期に行うべきとの講和論と、もう一つは、共産主義の流入をある程度は容認することでソを仲介とした講和を模索する論である。木戸などは、ソの仲介によって講和となれば、ソは共産主義者を内閣に入れるよう要求するようになるだろうが、条件次第ではそれでもよいとまで述べ、「共産主義はそれほど恐ろしいものではない」とまで語っていた。

天皇は、四三年九月にニューギニアが陥落して絶対国防圏が破られた段階で勝利の見込みを失ったと自ら判断していたが、「一度何処かで敵を叩いて速やかに講和の機会を得たいと思った」と回顧している（『独白録』）。しかし、その後も反撃の機会がないまま経過し、約一年半後の「近衛上奏文」に対しても「一撃講和論」を述べたことになる。天皇は沖縄戦についても、陸海軍が「乗り気であるから」戦闘を停止するのが適当でないとして、沖縄戦を最後の決戦に認めた。しかし、その後も「沖縄で敗れた後は、唯一縷《いちる》の望みは、ビルマ作戦と呼応して、雲南を叩けば、英米に対して、相当打撃を与えうるのではないか」と思ったとして、あくまで「一撃講和論」に拘った。そして、その雲南作戦が「望みなしということになったので、私は講和を申し込むよりほかに道はないと肚《はら》を決めた」としたものの、結局は原爆投下の後まで降伏の申し入れはできなかった。

以後の宮中では、木戸を中心に和平工作が進められていくことになるが、天皇はむしろ積極的に作戦に介入し、沖縄での「断固抗戦」や、米軍に占領された沖縄への逆上陸を示唆するようになる。戦後には、天皇の意向としてＧＨＱの外交顧問に「沖縄メッセージ」が伝えられるが、この「沖縄メッセージ」とは、米軍が沖縄を租借方式によって軍事占領することを容認するとした意向であり、現在も続いている沖縄問題の本質に関わる発言となった。優位な講和のために、そして戦後の日米関係においても、沖縄は犠牲と負担を強いられた。

戦局に見込みが立たず、対中方針も定まらないことから小磯内閣は退陣することとなり、敗戦処理と講和を行うために鈴木貫太郎内閣が成立する。

②連合国の正義とは何か―「ポツダム宣言」の前史

海軍出身の鈴木は侍従長を勤めた経歴もある人物で、二・二六事件では襲撃を受けて重傷を負ったが一命を取り留めた。外相には再び東郷茂徳が就いた。組閣の同日に戦艦大和が沈没し、米軍はすでに沖縄上陸を始めていた。日本は鈴木内閣の下で「ポツダム宣言」を受諾し、敗戦を迎えることになるが、その「ポツダム宣言」とは単に日本に降伏を勧告するだけの文書ではなく、また終戦処理において突如作成されたものでもなかった。

連合国が戦後世界の秩序づくりを構想し始めたのは、四三年一月のモロッコでの「カサブランカ会談」に遡る。ガ島撤退が始まる頃である。仏の植民地があったモロッコは独軍（ヴィシー政権）が占領していたが、これを駆逐した連合軍が会談を開いた。ルーズベルトとチャーチルの間で、日独伊の枢軸三国に無条件降伏を要求することが合意された。「無条件降伏」は宥和政策の反省に基づく考えだったが、会議の会期中に突発的に出てきた案であったとも言われている。この年、連合軍は北アフリカを制圧して伊の本土へと攻め上がり、七月にはムッソリーニ政権を壊滅させたが、講和交渉をしている間に独軍が伊に展開してローマを占領した。ムッソリーニが救出され、その後も独軍の庇護の下で政権を継続したのは既述の通りである。

その後の一〇月一九日から三〇日に開かれたモスクワでの「米英ソ三国外相会談」では、戦後の占領統治は対象国を占領した国が独占的に行う方針が定まり、スターリンは独の降伏後に対日参戦を行うことを明言した。

そして、一一月二二日から二七日に開催された「カイロ会談」において、ルーズベルト、チャーチル、蒋介石の間で、日本との戦争における軍事協力および将来の領土についての話し合いが行われた。開催地のカイロも伊軍からの奪還地である。そしてこの会談は「大東亜会議」への対抗として開催された意味があった。

「カイロ会談」では、連合国の理念として、米英中の三国は将来にわたって領土的野心を持たないことを掲げ、またその理念こそが連合国の正義であるとした。太平洋戦争の開戦時には、米が対日戦争を行う理由は真珠湾攻撃に対する「自衛」に求められていた。しかし、カイロ会談においては侵略国に対する制裁として対日戦が意味付けられた。日本の場合は「自衛」を大東亜共栄圏による新秩序と結びつけようとしたが、米は「自衛」と「戦争違法化」を結び付けたことが解る。

この会議の席上では、蒋介石が戦後の日本の政体は日本国民が自ら決定すべきとの発言をした。民族自決を原則とした発言であったが、それは香港を主とする英の権益地が中国の領土であることを確認したものだった（蒋はこの年の二月に印度に訪問し、印度の自由が尊重されるべき発言を行っており、英の警戒を招いていた）。蒋は連合国に加わる中で、水面下では列強からも中国の国益を護る戦いを行っていた。また、英は対日戦において印度・ビルマ方面への作戦を優先させたがったが、それにも反対せねばならなかった。米が日中戦争への支援を優先させるべきとしたため英領よりも優先されたが、英との潜在的な確執が生じようとしていた。

カイロ会談では、日本の無条件降伏と併せて、満洲・台湾・澎湖諸島を中国に返還させること、朝鮮を独立させることが合議された。会談の最終日にこの内容を声明したのが「カイロ宣言」で、この宣言が「ポツダム宣言」の基礎となり、日本の占領政策や東京裁判の基礎となる。このように太平洋戦争が開始されてから二年後には、連合側は個々の思惑を食い違わせながらも、既に戦後の日本の処遇まで話し合っていた。

「カイロ宣言」の翌日、米英の両首脳は英ソ軍が独軍を駆逐したイランに場所を移し、一一月二八日から一二月一日まで、米英ソの各首脳および外相らによる「テヘラン会談」を開催した。先のカイロ会談は

「大東亜会議」を開く日本への対処を議題としたため、日ソ中立条約の建て前からスターリンは参加しなかった。そのため今度は米英ソによる会談が用意されたのであった。米英ソの最高指導者が初めてそろった巨頭会談となった。

既に連合国側の優位が顕在化する中で、英米による独ソ戦の支援の継続と、英ソが占領したイランの独立復興が話し合われたが、英ソの間では先の「第二戦線問題」が伏在していた。スターリンはソ連だけが対独戦に貢献していることを強調して、その代価に中・東欧の支配権を要求した。それは戦争前にヒトラーと分け合おうとしていた領土を、今度は英米を相手に認めさせようとしたことを意味している。結局この問題は持ち越されたが、その代わりに実施されたのが翌四四年六月のノルマンディー上陸作戦だった。「第二戦線」がスターリンの希望に沿って構築されたのにはこうした背景があったのである。独ソ戦ではソ軍が奇襲包囲攻撃による大攻勢をかけて独軍を大敗させた（「バグラチオン作戦」）。

③なぜ「ヤルタ協定」だけは秘密協定なのか

テヘラン会談で合意に至らなかった東欧の問題をめぐり、四五年二月四日から一一日に再び米英ソの間で会談が開かれた。黒海沿岸のクリミア半島南端のヤルタにおいて開催された「ヤルタ会談」である。ポーランドの再建国が焦点となったが、この会議中に、米ソの間ではソ軍がどのような条件で対日戦争に参戦するかを決定する秘密協定が結ばれた。

スターリンは会議において、独の分割統治の他にポーランド・バルト三国・チェコスロバキア・バルカン諸国の割譲を求めたが、ルーズベルトとの秘密会談では、対日戦の参戦条件として満洲の旧ロシア権益復活と南樺太返還および千島列島の割譲をも要求した。ソの要求は、「カイロ宣言」における連合軍の「正義」としての「いかなる領土的野心も持たない」という理念を捻《ね》じ曲げる要求であったが、ルーズベルトはソの対日参戦と引き換えにこれを聞き容れることにした。しかも蒋を排除した形で満洲の割譲までもが決められた。カイロ会談において満洲の中国返還を合議していたにも拘わらずである。だからこそ「ヤルタ協定」は「秘密協定」として成立したのであった。

英ソ間では、東欧やバルカン半島の支配権を分け合うことで合意はしたが、東欧の戦後体制をめぐっては対立が残った。

ソに領土の獲得を許してまで参戦を促したこの協定によって、米は対日戦に終止符を打とうとしたのであったが、ここには米の大きな誤算があった。そしてその誤算がこの後に生み出す問題は、新たな世界的対立の一因にまで膨《ふく》れ上がっていくことになる。

「ヤルタ会談」が行われた当時、中国戦線では日本軍が大作戦を展開していた。それは、日本軍が華北から華南まで縦断して駆け抜けるという「大陸打通作戦」(一号作戦)で、中国大陸と南方の占領地とを陸路でつなげるための突貫作戦であった。船舶不足から海上輸送が不能となったため、南方の占領地の資源を活用するために、東條首相が大本営参謀に依頼して立案された。約四〇万人(二五個師団相当)を動員し、作戦距離二四〇〇㎞におよぶ開戦以来最大規模の作戦であった。

劣勢であるはずの日本軍が、米の予想を裏切り四四年四月から四五年一月にかけてこの大攻勢をかけると、米は日本が予想以上に長期戦に耐えられる可能性があることを憂慮し始めた。戦争の最終段階では日本本土への上陸が必要となるが、米は犠牲をともなう直接上陸を米軍に行わせることを避けたいと考えていた。上陸作戦を避けるのは米の戦争方針の基本で、独との戦争においても自国は空爆を中心に行い、上陸は英に依拠していた。そして対日戦においても、上陸戦での人的犠牲は中国に負わせようと考えていた。しかし「大陸打通作戦」の展開を見たことで、早期終結を不安視した結果、米はソの参戦を選択したわけである。

ソはヤルタ会談の翌月には、中国に外蒙古の独立も要求した（中ソ友好同盟条約）。実際の中国戦線では陸軍が最後の死力を振り絞るように攻勢をかけていたのであり、日中戦争の継続は困難であったばかりでなく、国内では密かに戦争終結の工作が進んでいた。近衛が「近衛上奏文」を提出して早期講和を促し、天皇が「一撃講和論」に拘ったのは、「ヤルタ協定」が結ばれた三日後のことであった。しかし、戦争がさらに一年以上継続されるのではないかと懸念した米は、ソ連参戦の裏取引を行った。そしてこの取引は、「ポツダム宣言」と原爆投下に至るそれぞれの動向を規定することとなり、さらに戦後の領土問題にまで影響することになる。

4　原爆はなぜ二発落とされたのか

①日本はどのような終戦を考えたのか—日中ソの提携構想

「ヤルタ会談」から二ヵ月後の四月一二日にルーズベルトが急死すると、副大統領のトルーマン（Harry Truman）が後任となった。ルーズベルトは以前より下半身麻痺の障害を抱えており、世界中で行われていた連合国の会談に体調の悪化をおして出席していたのだった。ルーズベルトにとってヤルタ協定は自らの存命中に戦後世界の秩序を再建するための取り組みだったのである。同じ四月の三〇日、独ではヒトラーがベルリンの地下壕で自殺した。東西から連合軍の攻撃を受け、ベルリンは既にソ軍に侵攻されていた。ヒトラーは後継の大統領に宣伝相を務めてきたヨーゼフ・ゲッベルスを指名したが、そのゲッベルスも翌日に自殺し、政府機能は崩壊した。さらに翌日の五月二日、ベルリンがソ軍に占領された。独政府は五月八日に降伏文書に調印し、無条件降伏した。以後は英米仏ソの四国に分割統治され、占領行政が開始される。独軍の庇護下にあったムッソリーニもこの四月に伊の国内で蜂起した共産勢力に処刑された。

また一方では、この四月から六月にかけてサンフランシスコで国際会議が開かれ、「国際連合」の発足が正式に決定された。日本は完全に孤立状態に陥った。

宮中では、木戸が天皇に対して「至上の目的」のための「勇断」を迫る進言を行った。「国体護持」を唯一の条件として降伏しようとの進言である。降伏を決定した鈴木内閣は、ソを仲介にして和平交渉を行う講和方針を定め、東京とモスクワの間で外交官レベルの交渉を開始することにした。ソはヤルタでの秘密協定によって対日戦を決定していたのであるが、日本側はそのことを把握しておらず、満洲に侵攻して樺太と千島列島を占領しようと準備しているソに対し、仲介役を依頼したのである。

ソとの提携は小磯前内閣でも検討されていたことで、重光外相は日中ソの三国の間で安全保障条約を締結するとの構想を抱いていた。今や共産主義の容認は世界の趨勢であるとし、日本も防共を取りやめて日ソ関係の改善を図るとしていた。この日中ソの提携構想は、四五年四月段階に最高戦争指導会議で了承され、政府方針となる。そして、六月から広田がソの駐日大使との交渉を実際に始めたが（広田・マリク会談）、その間にソが米英と進めたのは、日本に無条件降伏を求める「ポツダム会談」であった。

ソは領土獲得のための対日参戦を準備するために、日本が依頼した講和の仲介役を果たす振りをして、それを時間稼ぎに使った。しかしながら、ソは四月五日の段階で「日ソ中立条約」の更新を断ってきていた。その二日後に小磯内閣が退陣したが、条約の更新を断られたことも退陣の理由であった。さらにスウエーデンの駐在武官・小野寺信《まこと》が、ソは独が降伏した後に九〇日以内に満洲に侵攻するとの情報を得て、これを参謀本部に報告している。しかし、参謀本部はこの情報を採用しなかった。中立条約は更新を断られたとは言え、まだ一年もの有効期限があったのであり、また交戦国ではないソに依頼する他にはもはや当てがなかった。

②本当の誤算は何であったか―ルーズベルトの負の遺産

七月一七日、ポツダムでソ連参戦のための英・米・ソの首脳会談が行われた。米ソの間では開催前の一五日時点で既にソ軍の対日参戦が確かめられていた。そして会議の場において、スターリンは八月一五日に対日参戦を行うと宣言した。生前のルーズベルトの誤算はこの首脳会談の当日から現れた。会談の初日に、トルーマンは本国での原子爆弾の実験が成功したとの報告を受けたのである。原爆が完成したのであれば、ソの参戦などなしに日本に無条件降伏をさせられる。米にとっては、ソが領土を得ることは戦後の世界秩序を再構築する上では余計な制約なのであって、それを無くして終結できるのであれば、その方がよほど望ましい。何よりソへの領土の提供はトルーマン自身の約束ではなかった。

「ヤルタ会談」の際には、上陸作戦を避けたいがために理念を曲げ、領土の割譲を許してまで依頼したソの参戦は、もはや不都合な約束でしかなくなった。そのため米は、ソの極東進出と引き換えに終戦する方針から、原爆投下による即時終戦に転換するのである。七月二五日、広島・小倉・新潟・長崎の何れかに投下する決定が下された。

戦争をどのような形で終結させるかは、戦後世界における主導性に影響する問題であった。そしてその過程で、日本に無条件降伏を勧告する「ポツダム宣言」が作成されたが、原爆の登場は「ポツダム宣言」の内容にも影響を与えた。

「ポツダム宣言」の当初の草案では、皇室の存続を認めるとして「現皇統のもとにおける立憲君主制」という文言が含まれた（起草はスティムソン）。しかし、原爆実験成功後にはこれが草案から削除された。日本の無条件降伏は、天皇制を否定しないことを唯一の例外として認める「条件付き無条件降伏」だったが、原爆が完成してからはその配慮すら不要とされ、「即時無条件降伏」へ変更されたのである。米はこれらの内容をソに相談することなく、英との協議のみで策定した。英ではこの会議中に行われた総選挙によって政権交代が起こり、英の代表は途中でチャーチルからアトリーに代わったが、英米がソを排除して対日戦の終結を主導する構図ができていった。

こうして成案された「ポツダム宣言」は、八月二日に英米中三国の名において発表された。日本が民主化・非軍事化を前提とする連合国の「対日処理方針」を受諾し、即時無条件降伏が要求された。この内容は、翌日に日本国内の新聞に掲載されたが、鈴木内閣はこれに重大な価値があるとは認めないとして黙殺した。「ポツダム宣言」にはソが加入していなかったからである。内閣はソを仲介とする和平交渉に望みがあるとの期待から、無条件降伏による終戦を認めたがらなかった。この黙殺行為は、結果として原爆投下の口実を米に与えることになる。

③二発目の原爆は何に必要だったのか―「聖断」

八月六日、広島に原爆が投下された。壊滅的な被害が出ると(推定死者一四万人)、八日にはソが対日宣戦を布告し、九日未明に満洲に侵攻した。またこの参戦をもってソは「ポツダム宣言」に加盟した。一五日に予定していた参戦を一週間繰り上げての参戦であるが、それは米側の意図に気付いたソが参戦を急いでのことである。

原爆投下はトルーマンにより世界に発表されたが、軍部は原爆の完成を信じたがらず、投下から二日後に原子物理学の仁科芳雄に広島を調査させた(日本も原爆開発を行ったが資材不足から断念していた。開発の中心にいたのが仁科である)。仁科は広島の爆弾が原爆であったことを報告した。米の開発がこれほど早いことは予想外だった。

続いて九日には長崎にも原爆が投下された(推定死者七万人)。米は日本の敗戦が間近であることを認識していながらも、即時の降伏を求めて二発目を投下した。二つの爆弾は種類の異なる原爆で、米はその実験のために二発目を落としたと言われてきたが、それ以上にソ軍の侵攻が進まないうちに終戦させることこそが二発目の投下理由である。対するソは領土割譲の約束を反故《ほご》にされないように対日戦を急いだ。

そしてソの参戦は、鈴木内閣の講和工作が全く非現実的であったことを明確にした。内閣は九日に臨時閣議を開催して、ポツダム宣言受諾の条件を話し合った。東郷外相・米内海相・平沼枢密院議長は「国体護持」のみ要求して受諾するとしたのに対して、阿南惟幾《あなみこれちか》陸相・梅津美治郎《よしじろう》参謀総長・豊田副武《そえむ》軍令部総長は戦争指導者の処罰は日本が独自に行えること、日本軍の武装解除や撤兵は自主的に行うことを条件に加えようとした。会議で議論が並行する中で長崎に原爆が投下されたとの報が届いたが、それでも意見はまとまらず、日付をまたいだ一〇日の午前〇時過ぎに御前会議が開かれた。

宮中の防空壕の中で開催されたこの御前会議においても、受諾方針はその条件をめぐって分裂したが、最後には天皇自身が判断を下し、東郷外相の主張が通った。天皇の「聖断」によって終戦が決定した。

内閣は、連合国に対して「国体護持」（天皇の統治の大権を変更しないこと）を唯一の条件に降伏を申し入れた。これに対して米のバーンズ国務長官（James Byrnes）から寄せられたのは、連合国の対日処理方針を示した文書「バーンズ回答」だったが、その内容は、日本の政体が日本国民の自由意思のもとに決定されることと、天皇の権限が連合軍最高司令官に「従属する」とされていた。国体護持について不明確な「バーンズ回答」に対して、梅津と豊田はなおも受諾に反対した。しかし、一四日には天皇の発意によって御前会議が行われ、再度の「聖断」によって「ポツダム宣言」の受諾が決定した。

天皇は受諾の決定とともに、終戦の詔書を自ら読み上げてその肉声を録音した。同日一四日には陸軍の一部の将校らが最後の戦いとしての「本土決戦」を主張して、天皇の肉声を収録した「玉音盤」を奪うクーデターを計画したが失敗した。「終戦の詔書」は、翌一五日の正午に「玉音放送」によって発表された。

鈴木首相は、陸軍による倒閣を避けるために、表向きには徹底抗戦を力説してきた。和平工作は秘密裏に進めたものだった。国民は空襲による被害の中で、また戦地において突如として玉音放送を聞いた。受信状況の悪い中で内容を聞き取れないまでもその悲壮的な雰囲気から敗戦を察したという。

宮中や政府には、敗戦後の国民が「国体」に対する反感を抱くのではないかとの危機感があったことから、戦争の終結があくまでも天皇の「大御心」・「思召し」によるものであることを強調した。天皇は大命により皇族を各戦地へ派遣して終戦の聖旨を伝達させた。大本営は侵攻作戦の中止を命令し、鈴木内閣は終戦処理の決定を以って一七日に総辞職した。鈴木は国民の一部に怨嗟《えんさ》を買って自邸を焼き討ちされたが、米には三発目の投下も用意があったことを誰も知らなかった。

④蒋介石軍の反攻

中国では汪兆銘政権の解散が宣言され（汪兆銘は四四年一一月に病死）、蒋介石軍が南京に凱旋した。「大陸打通作戦」を決行した陸軍は中国の奥地まで占領地域を広げたが、英米の支援によって軍備を増強させた中国軍に抵抗できなくなっていった。沖縄戦が開始されると、米軍が上海にも上陸すると予測され、中国沿岸に兵力を展開した日本軍の戦線は手薄となったが、対する蒋介石軍は航空兵力も増強し、日本軍を凌駕する兵力を備えた。

鈴木内閣の総辞職を受け、同日に戦後処理を行う内閣として皇族の東久邇宮稔彦《なるひこ》王が組閣を行った。敗戦から復興への処理には困難が予想されたため、国民への統制力が求められたことから皇族が選ばれたのである。先の陸軍将校のクーデター未遂事件などの動きもあったことから、軍人への統制力も期待された。東久邇宮は大正時代の留学経験から自由主義思想に対する理解が深い皇族であるとされることがあり、また自身も皇族としての規定を嫌って、明治天皇に対して臣籍降下を願い出るなどした型破りな皇族と思われていた。総理への就任も望んでいなかったが、天皇から直接の懇願があったという。こうして皇族首班の内閣が初めて誕生することになった。

かくして大日本帝国は崩壊したが、太平洋戦争の後期においては既に戦後の主導権が争われており、戦後世界の方針は大国の対立と利害が絡み合う中で決定されていた。日本が勝利する可能性はミッドウェー海戦以降ほとんど無くなっていたが、有利な講和を導き出そうと戦局の好転を待ったために、終戦の決断は「遅れた聖断」となった。降伏の時期が遅れたことによって、東京大空襲や各都市への空襲、沖縄戦、原爆投下、ソ連の対日参戦などに見た戦争被害の拡大と、次章で触れる敗戦後の引き揚げやシベリア抑留などの戦争処理問題を発生させるのであった。

第12章　終戦 ―不正義に取引で応じる「償い」

ポツダム宣言を受諾した日本は連合国軍に占領されることになった。世界では米ソの対立が顕在化していくが、それに伴い日本の占領政策は途中で性格を変化させ、「東京裁判」のシナリオや新憲法にも影響していく。

1　日本占領

①「終戦の日」とはいつか

ソ軍は満洲と樺太・千島に侵攻し、満洲では関東軍が応戦したが、太平洋各地に引き抜かれた関東軍の戦力は半減していた。八月二〇日まで戦闘が継続し、千島・樺太では二五日まで戦闘が続いた。

ソの影響下にあったモンゴル人民共和国も、ソに続いて日本に宣戦布告した。モンゴル政府の存在は、ヤルタ協定で確認されたため、中国領の内蒙古とは分断が続くことになる。ソが参戦した後、蒋介石はソが中国で共産党の活動を支援しないことを条件にモンゴルの独立を承認したのであった。

各地の日本軍には武装の解除命令が出され、停戦のための処理が進められていた。武装解除後の満洲では、約六〇万の将兵らがシベリアへ移送され、一三〇万弱の居留民は日本への帰国を目指した。

九月二日、東京湾上の米戦艦・ミズーリ号で降伏文書の調印式が行われた。この調印によって日本の降伏は正式に決定され、世界大戦も正式に終了した。そして連合国による日本占領が開始され、九月一三日には大本営が閉鎖された。

中国では、九月九日に南京で支那派遣軍総司令官（岡村寧次）が中国陸軍総司令の何応欽に対して降伏文書に調印した。また台湾では一〇月下旬に投降式が行われ、日清戦争に由来する日本の台湾支配が終焉した。

マッカーサーは調印式に先立つ八月三〇日に厚木飛行場に進駐した。日本軍によって比島のバターン半島から駆逐されたマッカーサーは、将兵を残留させたまま敗走した。その汚名の雪辱を喧伝したのが厚木進駐であった。パイプをくわえて悠然と景色を見回す映像が記録されているが、本人が撮影を指揮したものである。調印式に出席した後は、連合国軍が接収した皇居前の第一生命館に執務室をかまえて占領行政を指揮する（執務室は現存している）。

ところで、正式に終戦を迎えたのは調印式のあった九月二日であり、これが第二次世界大戦の終了した日となる。世界的にも概ねそのように認知されているのだが、日本においては八月一五日が「終戦の日」とされ、暦にも記されている。しかし御前会議で降伏受諾を決定したのは前日の一四日であり、「玉音盤」も一四日に録音された。つまり一五日とは「玉音放送があった日」で、それ以外の何でもない日ということになる。一五日以降にも継続された戦いがあった事も指摘されるべきであるし、諸外国では記念の日ではないことは確認すべき問題である。

また「歴史総合」の観点からは大戦が始まった日についても確認されるべきであろう。独と波蘭にとっては三九年九月一日こそ開戦日であり、芬蘭はソの侵攻を受けた一一月からが開戦となる。しかしソにとっては「大祖国戦争」の始まりが大戦の開始と認識されるのが傾向である。米にとってはもちろん **Pearl Harbor** こそ開戦日であるが、日本は既に日中戦争を始めていた。但し中国では満州事変から抗日戦が始まっていたとの解釈も成り立つであろう。丁抹と諾威は四〇年四月、仏白蘭はその翌月、インドネシアにとっては四二年からが独立戦争の始まる年である。また、四五年三月末に参戦を表明したアルゼンチンのような国もある。戦争の呼称は各国の戦争認識の違いを示している。

②占領政策は何を目指したか—米ソの確執

占領政策は、ＧＨＱ（連合国軍最高司令官総司令部）により統轄された。ＧＨＱは、ポツダム宣言を執行するための連合国軍の機関である。米の軍人および民間人の他、少数の英・豪の軍人で構成されており、実質的には米が主導した。一〇月二日に設置され、マッカーサーが最高責任者に就任した。ＧＨＱの指導の下に日本政府が行政を遂行する「間接統治」が行われ、民主化（非軍事化）・戦犯逮捕・人権保障・農地改革・財閥解体が指令されていく。

これに対して日本側からは、英語での交渉ができる外交官が占領軍との交渉を担当した。重光、幣原、吉田茂、芦田均《ひとし》など外交官出身者で、彼らはこの後それぞれ政党の総裁などを務めることになる。

米では、終戦前から既に対日政策の立案機関を設置していた。国務省・陸軍省・海軍省による三省調整委員会（State-War-Navy Coordinating Committee）で通称「ＳＷＮＣＣ《スウィンク》」と呼ばれた。そこでは、四五年六月に非軍事化・民主化政策の具体案を決定しており、当初は直接軍政を予定していた。それが間接統治に転換されたのは、日本の降伏が原爆によって早まったために、軍政要員を確保する時間がなくなったことや、米の納税者の要望に応えて占領費を節減する必要があったためであった。

九月にＧＨＱにおいて作成された指針では、占領政策の究極目的は、日本が再び米国の脅威にならぬこととされ、また占領方針について連合国の間に意見の不一致が生じた場合には、米に従うこととされた（「降伏後初期における米国の対日政策」）。

こうした米軍の単独占領状態に対しては、ソが不満を示し、占領統治を話し合う国際会議への出席を拒否した。そのため一二月にモスクワで開催された英米ソの外相会談において、連合国間で協議するための「極東委員会」を設置することが決定された。委員会の構成国は、英・米・中・ソ・仏・蘭・加・印・豪・比・新で、後に独立した緬とパキスタンも加わることになる。

ＧＨＱはこの「極東委員会」の下部に位置することになり、政策の決定権も極東委員会がもつことになった。ソはマッカーサーの行動を制約できるように極東委員会を東京に設置するよう要求したが、マッカーサーは強く反対してワシントンに設置させた。その代わりとして、翌四六年四月に、極東委員会の諮問機関として米英ソ中の代表で構成される「対日理事会」を設置し、そちらを東京に置くことにした。但し、「対日理事会」の議長はマッカーサーが務め、ＧＨＱを制約するような審議をとにかく避けた。かくしてマッカーサーは日本への主導権の独占を図ったのであった。

③「新憲法」は誰がつくったのか

占領政策に対応するために、東久邇宮内閣に代わって、幣原喜重郎が首相に任命された。組閣した幣原は、直後にマッカーサーの訪問を受けた。両者の会談では、ＧＨＱが日本の安定的な統治のために天皇制を廃止せず、むしろ天皇に協力を要請する意向であることと、自由主義に基づく新憲法の制定が必要であることが確認された。ＧＨＱが皇室の存置を考えた背景には、東久邇宮内閣の副総理格であった近衛がマッカーサーを訪問し、皇室を廃せば共産化すると意見したことなどがあったが、それ以前より米はフィリピン統治の経験から、占領には現地人の協力が不可欠であると認識していたことがある。マッカーサーは天皇の排除は統治行政を破綻させると考えていた。

そして「五大改革」（「労働組合奨励」・「女性参政権確立」・「学校教育の自由主義化」・「圧政組織解体」・「経済民主化」）が指令された。経済の民主化においては、格差の激しかった地主と小作の問題を解消するための「農地改革」や、過度な経済力の集中によって政治的影響力をもった財閥の解体が指示された。これらの改革には、日本社会に平等をもたらそうとする「社会改革」としての意味があった。経済的にも所得の再分配が行われ、国民の権利が拡大された。

また新しい憲法は自由な権利の尊重の下に制定するとされた（「自由の指令」）。新憲法に関して、当初のGHQでは日本政府による自力作成が望まれていた。自主的な民主化を希望してのことである。憲法制定の作業は、政府と民間との双方で進められたが、政府ではマッカーサーを訪問した際に指示を受けた近衛が改正作業に当たった。近衛は木戸内大臣によって内大臣御用掛に任命され、「大日本帝国憲法」を改正する体で作業を進めた。近衛の意図した新憲法は「統帥権独立」の是正案で、憲法学者・佐々木惣一（大政翼賛会の違憲を指摘した学者）による調査班と、商法学者の松本烝治《じょうじ》国務相（無任所大臣）による作業班によって進められた。両班にはそれぞれ京大出身の憲法学者と、帝大の憲法学者が顧問になっていた。

作業過程で近衛が自殺したために、その後は松本を中心に進められることになった。近衛の自殺はこの後に行われる「東京裁判」によって戦争犯罪の責任者を追及する捜査が及んだためである。近衛は敗戦によって自身が裁かれることを考えていなかった。また敗戦することで処刑されるような前例は世界になく、そんな予想などしていなかった。「近衛上奏文」で早期の降伏を求めたのも自身の命までは心配していなかったのであったし、ソ連参戦に際しては「天佑であるかも知れん」などと述べていた。近衛は東京裁判についても、新憲法の制定を依頼されたからには自分は大丈夫だと思っていた。しかし、その捜査においてGHQ側は、憲法作成にあたって近衛を信任したというわけではないと発表した。戦争犯罪人として訴追されることが解った近衛は服毒自殺した。

一方、政府の作業と同時に民間においても独自に憲法草案が作成された。明治期の「自由民権運動」や「大正デモクラシー」の思想を継承する「憲法研究会」が発足され、「憲法草案要綱」が作成された。この草案では、「日本国の統治権は日本国民より発す」・「天皇は国政を親《みずか》らせす、国政の一切の最高責任者は内閣とす」・「天皇は国民の委任により専《もつぱ》ら国家的儀礼を司る」ことと原則とし、君主権と国民主権とが政治的には分離しながらも併存するモデルが示された。この構想はGHQの着目するところとなり、現在の象徴天皇制の基礎となる。

これに比べて、松本らが進めた政府の草案は、「天皇は至尊《しそん》にして侵すへからさるもの」や、「天皇は軍を統率するもの」として、戦前憲法の精神を多分に遺した案になっていた。これを見たGHQは日本政府には民主的憲法をつくる能力がないと判断するようになり、自主性に期待する姿勢を改めて、「主権在民」と戦争放棄を骨子とする模範案を手交した。

2 「九条」（戦争放棄）の価値とは何か

GHQの憲法案は「マッカーサー草案」と呼ばれるもので、GHQの民政局のホイットニー局長（Courtney Whitney）によって起草された。ホイットニーは九日間でこれを起草した。その後、戦争放棄を規定する第九条を含めた日本国憲法が成立するが、九条の発案者をめぐっては論議のあるところである。幣原が発案者であるとの見解もあるが、実証できる事実に基づく限りでは幣原の発案とは認定し得ない。

それは以下に考察したい（先に筆者の立場を明示するが、九条の発案者が誰であるかということと九条の価値とは全く同義ではないことを述べておく。日本側の発案でなければ改憲の根拠になるかのような無稽の主張は憲法の運用の意義を理解していないが故の思い込みに過ぎないと考えるが、それについての詳述は他の機会にする）。

①なぜ「戦争放棄」が必要となったか─世界を満足させる草案

幣原は四五年一一月末の議会において、憲法改正は時期尚早であり、かつ戦前の憲法は民主主義の発展を阻害する性格ではないとして新憲法への取り組み自体を否定していた。実際にも幣原は新憲法制定の用意などはしていなかった。それが変化するのは、天皇制の存続にはどうしても憲法改正が必要であるとのGHQの要請によってである。

連合国の間には天皇の戦争責任を裁判で訴追すべきとの声があり、とりわけ戦争被害国には、天皇制を存続させれば再び軍国主義が台頭するとの警戒があった。諸国に何らかの保障を与えない限り国体護持は困難と見られた。そのため民政局は、「世界の世論が十分に満足されなければならない」（「GHQラウエル文書」）と、日本が新憲法によって国際社会に対する約束をするよう働きかけた。

四六年一月一一日、米政府はマッカーサーに対して「日本の統治体制の改革」方針を定めた文書を送付した（SWNCC二二八）。そこには「日本の非軍国主義化」と「軍隊の廃止」が定められており、民生局はこの基本路線に則って憲法草案を起草することになる。非武装を命じた同文書は公表してはならないと米政府から命じられていた。そのためGHQが日本の憲法改正を命じることは、他の連合国に対しても、日本国内においても秘密にせねばならなかった。

その後の一月二四日、先述の幣原とマッカーサーとの会談が行われた。この会談で、まず幣原はマッカーサーが天皇制を存続させる意向であることを確認すると、その上で「世界が戦争をしなくなる」ように考えるのであれば、戦争を放棄する以外にないと考えると述べると、マッカーサーはそれに歓喜した様子であったと伝えられている。翌日、マッカーサーはアイゼンハワー参謀総長への電報で、「天皇起訴の場合は、占領軍の大幅増強が必要」として、日本の速やかな占領政策の実行のためには天皇を利用すべきとの考えを示した。

しかしながら幣原は一月三〇日に、軍の復活を前提にしていた松本草案に対して「軍はいつかはできるかもしれない」が今日の時点で憲法に軍の規定を織り込むのは刺激が強すぎると述べており、この段階では軍の将来的な復活については否定しなかった。先の「世界が戦争をしなくなる」の発言には世界的軍縮や軍備廃止の意図を看取できるが、日本が単独でそれを行うという趣旨ではなかった。

二月三日、ホイットニーに草案の骨子となる三原則（天皇制・戦争放棄・封建制度廃止）が示された。それがマッカーサー草案となり、二月一三日に日本側に手交される。民生局が早急に草案を仕上げたのは、この二月末に極東委員会と対日理事会の設置が迫っていたためである。もし極東委員会の審議にかかれば、委員会にはソの拒否権があるため、米が意図する占領政策が阻止されるとの懸念からであった。

草案を渡された日本側は戦争放棄の条項に驚き、幣原がマッカーサーに面会して直接問い合わせることになった。マッカーサーは極東委員会が天皇の訴追を厳しく求める可能性があるため、象徴天皇制と戦争放棄を抱き合わせで規定するのだと幣原を説得した。面会は三時間にも及んだ。面会の中では、日本が戦争放棄の Moral Leadership を握るべきだとマッカーサーが述べたのに対して、幣原はリーダーシップと言っても誰もついてなど来ないだろうと問うた。マッカーサーは誰もついてこなくとも日本は何も失うものがないではないかと説得した。説得を受けた幣原は翌日の閣議で会談の内容を話すと、松本が「外より押しつけた憲法」は決して守られることなどなく、それは独や南米の前例に示されているのだと強く反対した。しかしながら、ＧＨＱ案を受け容れることなくして天皇制の存続は不可能であった。

つまり九条は「国体護持」の担保として成立した。そして、「世界の世論を十分に満足」させるための約束が不戦の約定なのであった。天皇は実権なき儀礼的君主としてのみ存続し、他方で戦争放棄を憲法で誓うという形式によって、各国の懸念に対応したのである。そうすることで天皇制は国際的にも承認され得た。そのため幣原は、「天皇制を維持し、国体を護持するためには此際思い切つて戦争を廃棄し、平和日本を確立しなければならぬと考へた」として、天皇の地位（第一条）と戦争放棄（第九条）との関係を述べている。

②「戦争放棄」の系譜

幣原はＧＨＱ案の承認を閣議でまとめ、天皇の承認も得た。松本草案を起草した法学者の宮沢俊義によれば、幣原がＧＨＱ案を天皇に見せたところ「これでいいじゃないか」との返答だったので、幣原は閣議で「この御一言で安心して、これで行くことに腹をきめた」と発言した。政府は三月四日から五日にかけて徹夜でＧＨＱ側と協議し、「憲法改正草案要綱」を作成した。二月二六日の極東委員会の開催日にはわずかに間に合わなかったが、天皇の訴追を回避させる説得材料としての戦争放棄条項は成立した。宮沢は貴族院において、憲法は「自主性をもつてやつたといふ自己欺瞞」で成立したと述べている。松本草案が排除され、ＧＨＱ案となったことへの不満が見られる。

しかし、表向きには憲法の作成はあくまで日本政府の自主によるものとされた。マッカーサーやホイットニーは、マスコミなどに対しては憲法が日本側の発案であったとし、その意を受けた幣原も自身が九条を発案したように述べた。天皇の「人間宣言」（四六年一月一日）においても、民主主義は明治天皇が採用したもので、決して新たに導入するのではなく、日本の民主主義は「輸入ものではない」との意味づけがされていた。人間宣言の詔書の作成には幣原も関わっていたが、ＧＨＱは極東委員会の問題から日本側の発意で平和国家へと前進する姿勢を求めたのである。

幣原は後の五一年に自身の秘書を務めた平野三郎の聴取に応じて、九条が誕生した経緯を説明している。幣原は「日本の戦争放棄が共産主義に有利な口実を与えるという危険は実際あり得る。しかしより大きな危険から遠ざかる方が大切であろう」と述べた。戦争放棄と共産主義の関係は次節以降に検討するが、国体護持のために選択された結果であったことが確認できる。

また岸倉松という秘書官も、「戦争放棄の思想は幣原からマッカーサーに話し出したものであるが、幣原にはそれを憲法に規定しようとの考えはなかった。そのため戦争放棄を含んでいた米側の草案が提示された時には幣原はちょっと驚いた様子であった」と述べている。

他にも幣原の長男・道太郎が「第九条は父の本心に反して押付けられたにも拘わらず、占領下にあって真相を一切口にすることができなかった父が発案者と言わされた」と述べており、これらの証言を全て覆して幣原が発案したと実証できるだけの論拠はいずれにおいても示されていないと言わざるを得ない（他には、不戦条約の調印のためにパリに随行した白鳥敏夫が巣鴨拘置所から幣原に書簡を発しており、その中で「不戦条項」を提起したとの話もある。白鳥の提案も天皇制の存続が目的で、また東京裁判における自己弁護の準備でもあったが、幣原とマッカーサーの会見は白鳥書簡が幣原に渡った後に行われており、また書簡はＧＨＱの検閲も受けていることから、白鳥が発案した可能性を示唆する見解も存在する）。

戦争放棄の問題は、天皇とマッカーサーの間でも相談されている。マッカーサーとの会見で、天皇は軍備を撤廃する以上日本の国防は米に頼らねばならず、ソが拒否権をもつ国連には期待できないと述べると、これに対してマッカーサーは日本の安全を確保する用意があるので安心するよう説得しており、「日本が国連において平和の声をあげ、世界平和に対する心を導いていくべき」と説いた。

両者の会見は数回にわたるが、日本の安全保障について天皇が懸念を示すのは憲法施行の後に至ってなお続いた。天皇は「米国は日本を放棄するのではないかと心配する向きがあります」・「米国は極東に対する重点の置き方が欧州に比し軽いのではないでしょうか」など、軍事力を失った日本の国防を懸念し、マッカーサーはその度に天皇をなだめた。もし軍備撤廃を日本側が発案したのであれば、天皇がマッカーサーに対して国防の危険や不安を訴えることをするのであろうか。

戦争放棄は「パリ不戦条約」を参照に、戦争の永久禁止を意味する条文として作成された。「戦争違法化」の理念そのものを憲法の中に組み込んだものである。それは日本国憲法の理念そのものとなった。

幣原が発案した可能性も否定はしないが、「軍隊の廃止」としての戦争放棄を形にしたのが、武力を前提とした集団安全保障を基礎にした英の外交を手本にしていた幣原か、戦争自体を否定する米の民主党的な思想が継承されたものだったのか、判断し難いところである。次節は民政局と民主党との親和性についてさらに見てみる。

3　戦後日本にはどのような進路が考えられたか—ＧＨＱの権力闘争

ＧＨＱは参謀部と幕僚部の二部から構成された。幕僚部は、民政局、経済科学（財閥解体）、民間情報教育（教育改革）、天然資源（農地改革）などからなり、民主化を推進するホイットニーら民政局（ＧＳ）が中心部局であった。民政局は「ニューディール政策」の推進部局でもあり、当初の対日占領政策を主導した。「ニューディール政策」というのは、公共事業への大規模な資金投入・減税・金融緩和や雇用の確保によって大きな財政の流れを生み出し、政府が積極的に経済活動に介入して景気回復を図る政策である。米では前大統領のルーズベルト政権（民主党）が世界恐慌の巻き返しを図って、伝統的な自由主義経済の原則を大幅に修正した。巨大企業の独占を擁護しつつも労働者の権利保護を積極的に行い、失業者の大量雇用を行った。農業では政府が生産を統制して余剰分を縮小させ、農作物の価格を上げることで、農家の購買力上昇を図った。

もう一方の参謀部は、連合軍の統率・指揮を掌握する部局である。第一部～四部で構成され、それぞれ人事・情報・作戦・後方を管掌した。参謀部の中心部局は、「情報」（諜報・保安・検閲）を担当する第二部（G2）であった。

情報を統轄するG2は「プレス・コード」（報道統制）を実施して影響力を発揮した。GHQは日本での出版物や報道を検閲し、間接統治の建て前からマッカーサーの指導性を報道することや、占領政策への批判を禁止した。そして「GHQが憲法を起草したことに対する批判」も検閲対象に挙げられている。違反者には、沖縄での強制労働（三～五年）が課せられた。

こうした背後で、幕僚部と参謀部をそれぞれ代表する民政局と参謀第二部の間には、占領統治をめぐる対立があった。対立点となったのは共産主義への姿勢で、G2の部長であったウィロビー陸軍准将（Charles Willoughby）は強い反共意識から、急進的な日本の民主化に反対していた。しかし、民政局は日本の民主化のために、政治犯として拘留されていた共産主義者の釈放や労働組合を奨励するなどしたため、ウィロビーはホイットニーを敵視した。両者はこの後に日本の占領政策における二つの流れをつくり出し、民政局が日本社会党を中心とした片山哲・芦田均内閣を支援したのに対し、G2は保守的な吉田茂内閣を支援していくことになる。

4　「東京裁判」は何を裁き、何を裁かなかったか─戦後復帰への寓意

①「戦犯」とは何か

四六年五月三日から四八年一一月一二日まで、東京・市ヶ谷の旧陸軍士官学校講堂で開廷されたのが、極東国際軍事裁判（通称「東京裁判」）である。裁判は連合国が指定した「戦争犯罪人」（戦犯）を裁く一審制の裁判で、戦争指導者・責任者を被告人として開廷された。戦犯の処罰は「ポツダム宣言」における降伏条件に含まれていた。

英・米・中華民国（国民政府）・仏・蘭・ソ・加・印・比・豪・新の各国から判事が派遣された。既に、ナチの戦犯を裁くための「ニュルンベルク裁判」が行われていたが、これ以前に戦犯を処罰した実例はなく、戦犯自体も新しい概念であった（裁判をやること自体は前例があったが、「陸戦の法規慣例に関する条約」では、占領者は絶対的な支障がない限り占領地の法律を尊重することが定められていた）。スティムソンは、独に反省を迫るために「文明の裁き」としての国際軍事裁判を開き、ナチの残虐行為を公的に記録すべきとした。そして、「不戦条約」を根拠に開戦行為を処罰することを求めた。つまり、戦争そのものが戦争違法化の国際社会に対して行われた犯罪であるとして裁こうとの意向であった。

日本軍は敗戦の間際に多くの史料を焼却処分したため、証拠に基づくはずの裁判は、証言に基づく性格になった。それは裁判が長引く大きな要因となり、当初は半年で終わるはずの公判を長期化させた。

罪状には、「平和に対する罪」（A級戦犯）、「戦時国際法の通例に対する犯罪」（B級戦犯）、「人道に対する罪」（C級戦犯）が設定された（ABCの等級は犯罪を種別したものであり、罪の重さを表わすものではない）。「人道に対する罪」を設定した「C級戦犯」は、ナチによるユダヤ人虐殺に対して設定された犯罪である。ヒトラーはユダヤ人を人質として米の参戦を抑えようと考えていたが、米が参戦するとユダヤ人一一〇〇万人を対象とした虐殺を指示した。日本の戦争犯罪にはそのような民族虐殺に当たる犯罪例はなかったため、BC級を合一して戦時国際法上の犯罪を裁く方針になった。「BC級裁判法廷」は横浜に設置された他、戦地となった中国・東南アジア各地の四九ヵ所に設置された。処罰の対象は、「戦時国際法」または

「陸戦条規」に違反した日本人・朝鮮人・台湾人である。戦地での拷問・略奪・強姦・集団殺害などが訴因となるが、特に焦点となったのは捕虜虐待の事例で、日本軍の捕虜となった兵士の証言で進められた。国内事例としては撃墜されたB29の搭乗員を処刑した事件などが裁かれた。

裁判の準備過程では、四五年九月一一日からA級戦犯容疑者の逮捕を開始し、逮捕者は一〇〇名以上に及んだ。翌年四月までにA級戦犯の被告が確定したが、石原莞爾・眞崎甚三郎など戦争指導者であっても除外される例があった。その後、ソの検事によって重光・梅津が追加され、A級戦犯容疑者二八名が確定した。日独伊三国軍事同盟推進者（日米開戦派）と、中国戦線の責任者に集中している。

②「勝者の裁き」とは何か―事後法の裁判

戦争の処理が「裁判」で行われること自体は、「ハーグ陸戦条約規定」にも定められた方法であったが、「東京裁判」が異例と言えるのは、軍人の法規違反だけでなく、政治家らの謀議・思想までを審判した点である。またA級の「平和に対する罪」は、戦争が起こされた時点では存在していない新しい罪状であった。これには遡及処罰を禁止する「事後法」の問題があった（行為の後に定められた法では罪を裁けないとした原則）。東京裁判の根拠となったのはポツダム宣言であったが、ニュルンベルク裁判を先例に「戦時国際法に違反する罪」としての戦争犯罪の概念を拡張して裁きを下したのである。それは、この裁判を戦争違法化を徹底する機会にしようとの希求からだった。

国内のマスコミは「原子爆弾による広島の殺傷は殺人罪にならないのか」（朝日新聞）など、「勝者の裁判」への批判が現れた。そうした批判への対応として、裁判の冒頭陳述で「これは普通一般の裁判ではありません」・「裁判は全世界を破滅から救うための文明の闘争」であり、「被告は文明に対して宣戦を布告した」と説明された。そして事後法の問題についても、後世に侵略戦争を許すような先例を残さない事が優先され、「Ａ級」での求刑を有効とした。

被告らに対する弁護団が、鵜沢総明《うざわそうめい》を団長、清瀬一郎を副団長に組織されたが、弁護士らの間に統一的な見解があったわけではなかった。また「勝者による報復」であるとの批判に対応して、米の弁護士も各被告に付いた。

連合国にとっての裁判は、日本を民主国として再建させる意味をもったが、その中で焦点となったのが天皇に対する訴追問題であった。豪の検事は、天皇の起訴は軍国主義解体の前提であり、裁判の責務であるとまで主張していた。これに対して用意されたのが戦争放棄条項（憲法九条）だったわけである。

その後二月二六日にワシントンで開かれた第一回極東委員会において、天皇の訴追が議題となったが、三月六日に日本政府がＧＨＱとの徹夜の協議で作成した「憲法改正草案要綱」が出されると、四月には、日本国民の統合の観点から天皇には抵触しないことが米英両国によって決定された。新憲法によって軍事的脅威がなくなったことから、極東委員会では豪もソも同意した。ソは共産党中央委員会においても不起訴を決定し、天皇の弾劾は回避された。

③「東京裁判」は誰を裁いていたか

東京裁判の準備過程で、天皇の戦争責任が問題となり、民政局は戦争放棄条項を交換条件に天皇の訴追回避を図っていた。かつそれは極東委員会の設置に間に合わねばならなかった。そして不戦の理念を評価する民政局は、同時に共産主義にも寛容だとして、共産主義を敵視するＧ２と対立した。そしてその対立は東京裁判の準備過程の裏でも起きた。

二月二六日に極東委員会が開催され、新憲法草案の起草が急がれる中、東久邇宮が或る外国人記者に対して、天皇には退位する意思があり、その場合には皇族は皆これに賛成するとの発言をした。退位の問題化を恐れたＧＨＱは、新憲法の制定を急ぐ一方で、天皇に戦争責任がないことを説明する天皇の「独白録」を作成した。「独白録」は、陸軍の三国同盟推進派が「責任者」であったことを告発する内容になっているが、米側との協議によって作成されていたことがマッカーサーの軍事補佐官でＧ２の将校であったフェラーズ准将（Bonner Fellers）の「関係文書」から確認できる。

「憲法改正草案要綱」が作成された三月六日、ＧＨＱ側から米内光政元首相に、東京裁判における「被告人」の選定についてマッカーサーの意向が伝えられた。そこからフェラーズと米内、および「独白録」の執筆者となる宮中御用掛の寺崎英成《てらさきひでなり》が頻繁に接触し始めた。フェラーズと米内の間で話された内容は、「海軍反省会」での証言に遺されている。

フェラーズは、ＧＨＱが天皇を占領政策の最善の協力者であると認めており、天皇制の存続を希望していると語った。ところが連合国の中には、天皇を戦犯者として処罰すべきとの声があり、またソが全世界の共産主義化の完遂を企図しているとして、「従って、日本の天皇制とマッカーサーの存在とが大きな邪魔者」になっており、それればかりか共産主義的な考えはＧＨＱ「当局の相当上の方にも勢力を持つに至って」、天皇を戦犯にしようとしていると述べた。ＧＨＱの上の方とは民政局を指している（また国務省内部に「親中派」が存在した）。

そしてフェラーズは「右に対する対策としては、天皇が何等罪のないことを日本側が証明してくれることが最も好都合である。そのため近々開始される裁判が最善の機会と思う。ことに、その裁判において東條に全責任を負担せしめるようにすることだ。即ち東條に次のことを云わせて貰いたい。『開戦前の御前会議において、たとい陛下が対米戦争に反対せられても、自分は強引に戦争まで持っていく腹を既に決めていた』」と、示唆した。これに対して米内は「全く同感です」と応えている。

米では、長く駐日大使を務めたグルーや、戦後に大使を務めるライシャワーが天皇制の存続を働きかけていた。彼らは知日派として米政府の対日政策に協力したが、ライシャワーは四二年九月に記した「対日政策に関する覚書」において、天皇は自由主義者で平和主義者であり、「天皇を協力させる政策に転向させることが、臣民を転向させることよりも遥かに容易」であり、これまで天皇の名は邪悪の象徴として広められてきたが、戦後処理のためには天皇個人の報道は極力避けること、そしてむしろ東條あるいは山本五十六を「敵国日本の人格的具現として使用するよう」指導すべきと述べた。他にも天皇を平和のシンボルへと転用できるとする報告が米軍の情報部などに出されていた。

フェラーズは、天皇が「無罪」であることを裁判において日本が自ら証明することと、その責任は東條に負わせることを伝えた。そして、海軍出身の米内が戦犯容疑者の選定に関与することになった。そのため、被告人には陸軍の将校が圧倒的に多く、また東條の責任を際立たせるために、東條と対立した人物は対象から外されることになった。満州事変の首謀者でありながら、戦時中に東條批判を公然と行っていた石原莞爾がA級戦犯容疑を免れているのはその代表的事例と言える。陸軍が「悪玉」となるのは米内によって証言されたからに他ならず、その意向の下に作成されたのが「独白録」であった。

米内はソと主導性を争う米との取引によって一部を見殺しにしたことになるが、英米には勝てないことを言明した大臣こそは米内であった。そして「独白録」のそうした成立事情の故に、天皇はこの後に国民へ戦争の反省を示す機会を度々求めることになる。

④免責と引き換えに何を得たのか

「東京裁判」はＧＨＱ内部の政争を背景に、マッカーサーおよびＧ２と宮中・海軍による合作としての性格があった。開廷された裁判には、証人として幣原・若槻・田中隆吉（陸軍将校）、ハバロフスクに拘留された愛新覚羅溥儀などが喚問された。ほとんどの供述が天皇を擁護し、戦争責任を東條や武藤章など少数の陸軍軍人とその協力者に担わせる証言になった。

Ａ級戦犯に対する判決では、容疑者二八名のうち七名に対する死刑宣告と、一八名に対する禁固刑が確定し、一二月二三日に死刑が執行された。

東條英機　、軍国主義と侵略戦争を代表する責任者。
板垣征四郎、支那派遣軍総参謀長（共同謀議・戦争遂行）
土肥原賢二、奉天特務機関長（華北工作などの対中謀略）
広田弘毅　、総理大臣在任時の（「侵略戦争の共同謀議」・「戦争法規遵守義務の無視」）
松井石根　、中支那方面軍司令官（南京事件の責任者／Ｂ級戦犯による死刑判決）
武藤章　　、軍務局長・第十四方面軍参謀長（罪状は捕虜虐待／中国への侵略）
木村兵太郎、陸軍次官・ビルマ方面軍司令官（陸軍次官在任時の謀議）

判決に至るまでには、松岡洋右が病死している。三国同盟締結の責任者を裁くはずが、締結の張本人はいなかった。同盟締結を自ら痛恨し「死んでも死にきれない」と言っていた松岡は裁かれることなく死去した。また開戦時の軍令部総長であった永野修身も審理中に病死している。

政治的役割を帯びた「東京裁判」には未決の戦争犯罪や、訴追されるべき問題が遺された（生物化学兵器／強制連行／慰安婦／日米の無差別都市爆撃など）。それは共産主義排除と天皇の免責を求めて裁判の性格を変えた結果として起きた問題でもある。

また占領政策では、当初は民主化を推進する民政局が主導的であったのが、この後に中国でソの支援を受けた共産党が台頭し、米ソの代理戦争としての朝鮮戦争が起こると、共産主義に寛容な民政局の方針はＧＨＱ内部で危険視されるようになった。さらに「ニューディール」がインフレ傾向を生んだことから否定され、緊縮政策（「ドッジ・ライン」）が実施されるようになると、ＧＨＱの主導権は民政局からＧ２に移っていった。従って、幣原が五一年時点で述べていた「戦争放棄が共産主義に有利な口実を与える」との見方は、民政局の立場を否定する発言だったのである。だからこそ再軍備へと進んでいくことになる。民政局の凋落《ちょうらく》が戦争放棄の修正をもたらすわけである。

米ソの対立が具体化する中で、日本は「反共の防壁」という新たな役割を背負うようになった。非軍事化・民主化の方針は、経済復興を最重視する性格へと転換し、占領政策は「逆コース」を歩むことになった（日本が将来的には世界貿易に復帰するとの方針はポツダム宣言にも記されており、経済復興へとシフトしていくシナリオ自体は占領以前からあったことから「逆コース」の用語を使用すべきではないとの意見もある）。

そしてそれは、戦後の日本が共産圏の国々とは絶縁し、米に従属して自らの外交など構想しない国になる進路を指していた。

終　章　正義と責任
―歴史は誰がつくるのか

「東京裁判」が政治的に作為されたことから、本来は問われるべき問題が不問に伏されてしまった。しかし、個々の戦争責任などには比ぶべくもない世界史的規模の戦争責任問題が未解決のまま残された。ソ連の戦争責任である。

独と侵略戦争を共謀して大戦を開始し、そのために連盟から除名された国が、途中から連合国の一員になり、終わってみれば戦勝国に位置付いている。ナチと戦うことと引き換えに波蘭や芬蘭への侵略が見逃されたため、ソはその後も平然と領土割譲を要求していた。ソとの友好を長く求め続けていた孫科すら、波蘭侵攻に対しては、「侵略を正当化しようとするソ連の言い分は、中国侵略の日本の言い分とまるで同じ」と批判した。

対日戦においても、犠牲を嫌った米の判断が、ソを戦勝国に成りすますことを許した。連合国は日本が近代の戦争で朝鮮・中国から奪った領土の返還を求めたが、その連合国の中でソは戦争を通して領土拡張を追求した。ソが満洲やその他に侵攻することには正当性などなかった。とりわけ千島列島は日本が戦争によって獲得した領土ではなく、ソが領有すべき根拠もない。そして対日戦は「日ソ中立条約」を無視して行われた。ソは、「日ソ中立条約」が四一年の「関特演」により失効したと主張したが、対日戦に参戦するために四五年四月五日に中立条約を延長しないと通告しているのであるから、それはこじつけに過ぎない。また、それら諸問題の原因は、英が国際関係や秩序を振り回したことに求め得るであろう。国際社会には、不戦と戦争違法化を目指す崇高な理念はあったが、それを実現する正義がなかった。

しかし、いくら他国に不義や虚偽があったとしても日本のアジア侵略を正当化する理由にはならない。国際社会の中で、とりわけ平和機構の常任理事国が、ある日突然に軍事行動を起こしていいことになどならない。条約は一方的に破棄できるものであるが、破棄をするにも手続きはあるのであり、それを無視して正義はない。それ以上に、日本が侵略の意図を隠蔽し、戦争責任から逃れようとするほどに世界の不正義が明らかにされずに済まされることになる。日本が開き直ろうとするほどに、他国の不正義を指摘する資格を失うのである。

「東京裁判」の裏では、海軍の米内が言うなれば東條ら陸軍を売り渡したのであったが、その「東京裁判」によって、日本人の戦争観には一定のストーリー性が後付けされた。一つは陸軍の悪玉イメージである。四五年一二月一日に陸軍省と海軍省が廃止されたことで米内は最後の海相となったが、その直前の議会では（第八九回臨時帝国議会／一一月二七日から開会）、斎藤隆夫議員によって軍部の戦争責任が追及された。斎藤は「反軍演説」を行って衆院を除名された議員である。質疑に対し陸相の下村定《しもむらさだむ》は、陸軍の横暴な政治干渉が敗戦をもたらしたのであり、「全国民諸君に衷心からお詫びを申し上げます。陸軍は解体を致します」を述べた。その一方、米内はというと、戦争責任に関する質問には「御答えのかぎりじゃございませぬ」と答弁を拒否した。下村に対しては拍手が幾度も起こり、米内には怒号が止まなかった。しかし陸軍を断罪する裁判が海軍を善玉に仕立てた。

そしてもう一つのストーリーが、戦争と敗戦の責任は一部の軍国主義者にあり、国民は彼らに騙《だま》されて従ったという物語である。戦犯の訴追は何よりポツダム宣言に含まれた要件だったが、日本国民はポツダム宣言の背景にある理念や、またその中でカイロ宣言の履行が求められている意味について自覚的ではなかった。そうした中で、近衛内閣において海軍の米内や広田外相が日中戦争を積極的に拡大させた問題は追及されなかった。近衛は自殺し、広田が処刑されたが、米内はＧＨＱの一部とともに陸軍を悪玉にして海軍の生き残りを図った。それは現在も轍《わだち》となって陸上・海上自衛隊のそれぞれに影響を遺している。

また「東京裁判」は、日本が国際社会へ復帰する条件ともなっていた。戦後復帰を明文化したのは「サンフランシスコ講和条約」で、日本は調印国四九ヵ国との国交回復を果たすことになる。その前提は、戦争で得た領土を放棄することと、東京裁判の判決を受け容れることだった。条約の第一一条では「日本国は、極東国際軍事裁判所並びに日本国内及び国外の他の連合国戦争犯罪法廷の裁判を受諾し、且つ、日本国で拘禁されている日本国民にこれらの法廷が課した刑を執行するものとする」と定められ、裁判の後も戦犯の赦免・減刑は日本政府単独では行えないことになっていた。戦争責任への反省は国際的な信頼を回復する条件であり、日本はそれを約束して復帰したのである。

しかしその後、岸信介の政権において帝国主義への復古が起きた。二度の大戦を経て、ついには不戦の理念が理解されたかと思われたが、それでもまだ戦争違法化への理解は定着しきらなかった。冷戦構造の陰で、日本社会には侵略の反省から逃れようとする意図がいつまでも燻《くすぶ》ることになる。

軍国主義は大衆に支持されて成立した。独では、選挙で合法的に成立した政権が国際的な合意を破り、民族虐殺の先例を遺した。それは政治的無関心を自ら放置し、社会のために何事かをなそうとする気持ちになれずに、中立でいるつもりの大衆に支持されていた。しかし、民主主義や選挙において「中立」など存在しない。黙っていることは多数派に加担しているのであり、自分だけ関わらずにいられるわけではない。

政治に対する不信や嫌悪の表れであったとしても、沈黙していれば賛成しているものとされ、声なき声は権力に横領されることになる。それを見逃して過ごすことは、無関心である事を社会に体質化させているることに他ならない。軍国主義が一たび社会の支配的な意見になると、個々人では抵抗し難い集団的な圧力となったが、偏った意見が社会の支配的な意見となるまでには、どのような過程があるのか。またどう防ぐことができるのか。当時の人々は何が解らず、何ができなかったのか。これらの課題は、今日もそしてこれからも社会的課題である。

おわりに　日本の財産・無上の価値

本書では帝国主義を否定した新秩序に「現代史」の起点を求めた。時代区分は各国によって全く異なるが、帝国主義の終焉や、戦争違法化の秩序は世界的にも共有でき得る基準と言えよう。

或る市民講座で、現在の日本人には「戦後責任」はあっても、戦争責任はないと思うとの意見を受けたことがあった。「戦後責任」とは、戦争責任を内在化し難い若い世代（非戦争体験世代）に対して考える契機をもたせようと登場した用語であるが、「戦前」と「戦後」を分けて考えてもよいように思うのは「日本史」の話であって、諸外国から見れば「戦前」の責任を切り捨てて構わないとする態度は理解されるものではない。相手あっての議論であるはずなのに、被害国の認識を無視しておいて責任もなにもないのだが、日本政府や国内体制の変化を根拠にそれ以前の歴史と決別できるのであればそもそも戦争責任など問題にはならない。

その時の講座の内容は、まさに時代区分が研究者の理解に終始することを説明したものだった。後世の私たちが時代を区分して考察することは、時間の流れに区切りを入れて歴史を断絶する行為であって、区分することで連続性を見落としがちとなると話したばかりであったのに、そうした問題意識は何も伝わっていなかったのだ。一から説明し直す時間もなく諦める他なかったが、研究史上の関心を一般聴衆に伝える難しさにぶつかった。時代区分は問題意識の反映であり、どのような認識で区分したのかを併せて考察せねば独り善がりな理解に陥ってしまう。

戦争責任をめぐる言説の一般傾向においては、歴史認識や史実を離れた議論になりがちなようである。本書では日本の軍事行動が世界に与えた影響の中で戦争責任を考えたが、しかし一口に「責任」と言っても、戦争を指導した者に問われる責任と、責任を引き受けねばならなかった兵士や国民の責任とは分けて考える必要がある。そもそも「戦後責任」は歴史学の用語ではないのだが、それが本来の議論の意図と離れて、戦前に対する免責であるかのように使用されるなら、現実的な解決を目指すあまりに国内事情に捕らわれた議論として終わってしまうし、国内でしか通じない議論にしかならない。現在においてなお問われている責任とは何であるのかについて、却って考察せずに済まされる議論になってしまっては歴史を知ることの意味も誤解されてしまうであろう。「歴史総合」がそうした理解にも有用性を発揮するよう願っているが、戦争責任については筆者の姿勢を最後に述べておこうと思う。

日本にはユダヤとアラブの宗教対立のように宿命づけられた他者との対立はない。また初めから避けられず、解決し得ないような国家間・民族間の対立はない。もしもムスリムの家庭に生まれたら、どんなに願ってもユダヤ教徒の友を得ることは困難であろう。世界には解決できていない宿命的対立が未だ多くある。しかし、そうした世界の中で、日本人は世界中の国や人と仲良くなれる。これは何よりも価値のある日本の財産である。無上の価値を持つ数少ない国である日本が、わざわざ敵をつくるとしたら（例えば大国に隷従して親日的な国とわざわざ対立するなど）、それは財産を投げ捨てているような行為であり、また先人から相続したその財産を無闇に粗末にして、自分たちは未来へ遺すことがないということになろう。

これから生まれてくる未来の日本人は、未だ生まれてさえいないのに戦争加害国としての責任を問われることになる。私たちの多くは既にそうした過去の責任に向き合ってきた。しかし、私たちの世代がこの問題を前進させることなく過ごせば、その責任をさらに未来の日本人へと垂れ流していくことになる。

責任を直視することを避けようとする主張には、戦争責任を認めてしまったら日本の価値が損なわれるかのような思い込みが見られる。しかし、先人の努力や過去の犠牲が報われるか否かはこれからの日本の行動にかかっているのであり、既に決まり切った価値があるのではない。戦争はよくないと語るだけなら智恵は要らない。考える必要もないし、既に終わった過去のことを学ぶ必要がないと思われても仕方ないであろう。それと同じように、どこかに「敵」を求めて批判だけしているのなら、やはり智恵は要らない。勝手に高見に立って無責任な立場から自分の気に入ることだけを言い放って過ごすなら、何の努力も必要のない「お客さんの態度」による批判にしかなっていない。

他国との経済依存関係の上にしか現状を維持できない日本が、どれほど世界とつながっているのか知ることなくしては自らの立っている場所すら理解できないが、他国を敵視してそれが愛国心だなどと言うのなら、愛国とは随分とお手軽で、何とも世間知らずであろう。

世界から信頼され、評価され、尊重される国になるように努力することこそが先人の努力と犠牲に報いることであり、愛国心があるのなら、どうしてそのために努力できないことがあろうか。そこにこそ智恵の発揮のしどころがあるのであり、歴史を知る者はそれを担う者である。日本の利益と他国の利益を図ることとが相反しないのかという疑問もあろうが、それに対する回答はさらなる続編において述べることにする。

あとがき

二〇〇六年の「世界史未履修問題」から世界史が必修となっていたが、以後は日本史か世界史のどちらか一方だけを選択することが自明のようになり、対立的な選択に迫られたようだった。それをともに必修化しようとしているのが「歴史総合」だと言える。

世界史と日本史が分けて教えられてきた原因は、ＧＨＱの民間情報教育局が当時の米国での世界史教育をモデルにしたことにある。結果的には、東洋史と西洋史を統合したような「世界史」から、遊離するように「日本史」が存在してきた。進学実績や付帯業務に忙殺される教員らには、その意味を存分に熟慮したり、授業を実施する上での関心に沿って勉強する時間など与えられてこなかった。

歴史総合がどのような意義を持ち得るかは今後の実践にかかっている。しかし、日本の教育を変えようと言うなら、何より大学入試と大学での教員育成が変わることが前提であろう。それには、微力に過ぎないながらも筆者なりに取り組んでいきたいと思っている。全国の社会科教員の方々と力を合わせて進みたいところである。

本書の執筆過程ではコロナ禍の状況の中でさまざまなトラブルに見舞われた。春の刊行を予定していたのを、脱稿できたのが夏になってしまった。それでもなんとか上梓できたのは多くの支えを得たからである。とりわけ本書の刊行を待っているとのお声を少なからずいただいたことには何より励ましをいただいた。そして、前著から引き続いて芙蓉書房出版の平澤公裕社長のご理解とご温情を賜った。機会を与えて下さったことに御礼を申し上げたい。

執筆内容においても、海軍については立教大学の太田久元さんから、外交については皇學館大学の田浦雅徳先生からは多くの御教示を頂いた。末筆となるものの心からの御礼を申し上げたい。

また本書の内容は筆者の大学での講義を基礎にしている。講義を担当する機会を与えて下さった師の山田朗先生に深い感謝をお伝えしたい。そしてそれらの講義や講座を通してこれまでご支援下さった白柳慶子さん、奈良部桂子さん、落合純平さん、上村裕貴さん、兼子祐実さん、川岸周平さん、木川加奈子さん、金山竜雅さん、神明陽菜子さんにも感謝をお伝えしたい。本書は右の方々と、本書を待っていて下さった方々に捧ぐ筆者の精一杯の感謝の形である。

二〇二一年九月一八日

伊勢　弘志

主要参考文献一覧

雨宮昭一『近代日本の戦争指導』(吉川弘文館、一九九七年)。

荒井信一『空爆の歴史』(岩波新書、二〇〇八年)。

家近亮子『蒋介石の外交戦略と日中戦争』(岩波書店、二〇一二年)。

石田勇治『ヒトラーとナチ・ドイツ』(講談社現代新書、二〇一五年)。

伊勢弘志『石原莞爾の変節と満州事変の錯誤』(芙蓉書房出版、二〇一五年)。

伊勢弘志『明日のための近代史-世界史と日本史の織りなす史実』(芙蓉書房出版、二〇二〇年)。

五百旗頭真『米国の日本占領政策-戦後日本の設計図』上・下(中央公論社、一九八五年)。

五十嵐武士『戦後日米関係の形成』(講談社学術文庫、一九九五年)。

井上寿一『危機のなかの協調外交』(山川出版社、一九九四年)。

井上寿一『日中戦争』(講談社学術文庫、二〇一八年)。

臼井勝美『満州事変　戦争と外交と』(講談社学術文庫、二〇二〇年)。

臼井勝美『日中戦争』(中公新書、二〇〇〇年)。

大木　毅『独ソ戦　絶滅戦争の惨禍』(岩波新書、二〇一九年)。

太田久元『戦間期の日本海軍と統帥権』(吉川弘文館、二〇一七年)。

大前信也『陸軍省軍務局と政治』(芙蓉書房出版、二〇一七年)。

岡　義武『近衛文麿』(岩波書店、一九七二年)。

笠原十九司『日本軍の治安戦』(岩波書店、二〇一〇年)。

笠原十九司『憲法九条と幣原喜重郎』(大月書店、二〇二〇年)。

加藤陽子『戦争の論理』(勁草書房、二〇〇五年)。

加藤陽子『模索する１９３０年代　日米関係と陸軍中堅層』新装版(山川出版社、二〇一二年)。

川田　稔『昭和陸軍の軌跡』(中央公論新社、二〇一一年)。

川田　稔『昭和陸軍全史』全三巻（講談社現代新書、二〇一四〜一五年）。

河西秀哉『「象徴天皇」の戦後史』（講談社、二〇一〇年）。

菊池貴晴『中国民族運動の基本構造―対外ボイコットの研究』

木畑洋一『二〇世紀の歴史』（岩波新書、二〇一四年）。

近代日本研究会編『協調政策の限界―日米関係史１９０５‐１９６０』（山川出版社、一九八九年）。

熊本史雄『大戦間期の対中国文化外交―外務省記録にみる政策決定過程』（吉川弘文館、二〇一三年）。

小池聖一『満州事変と対中国政策』（吉川弘文館、二〇〇三年）。

黄自進・戸部良一・劉建輝『日中戦争とは何だったのか』（ミネルヴァ書房、二〇一七年）。

酒井哲哉『大正デモクラシー体制の崩壊』（東京大学出版会、一九九二年）。

櫻井良樹『加藤高明』（ミネルヴァ書房、二〇一三年）。

櫻井良樹『華北駐屯日本軍』（岩波書店、二〇一五年）。

篠原初枝『国際連盟―世界平和への夢と挫折』（中公新書、二〇一〇年）。

須崎愼一『日本ファシズムとその時代』（大月書店、一九九八年）。

須藤眞志『日米開戦外交の研究』（慶應通信、一九八六年）。

千葉　功『旧外交の形成―日本外交一九〇〇〜一九一九』（勁草書房、二〇〇八年）。

茶谷誠一『昭和天皇側近たちの戦争』（吉川弘文館、二〇一〇年）。

筒井清忠『昭和十年代の陸軍と政治』（岩波書店、二〇〇七年）。

戸谷由真・Ｄコーエン『東京裁判「神話」の解体』（ちくま新書、二〇一八年）。

戸部良一『外務省革新派』（中公新書、二〇一〇年）。

豊下楢彦『昭和天皇・マッカーサー会見』（岩波現代文庫、二〇〇八年）。

豊下楢彦『昭和天皇の戦後日本』（岩波書店、二〇一五年）。

服部龍二『東アジア国際環境の変動と日本外交１９１８‐１９３１』（有斐閣、二〇〇一年）。

服部龍二『広田弘毅』（中公新書、二〇〇八年）。

樋口真魚『国際連盟と日本外交―集団安全保障の「再発見」』（東京大学出版会、二〇二一年）。

日暮吉延『東京裁判』（講談社現代新書、二〇〇八年）。

藤野裕子『民衆暴力―一揆・暴動・虐殺の日本近代』（中公新書、二〇二〇年）。
ボルジギン・フスレ『モンゴル・ロシア・中国の新史料から読み解くハルハ河・ノモンハン戦争』（三元社、二〇二〇年）。
古川隆久『近衛文麿』（吉川弘文館、二〇一五年）。
古川隆久『昭和天皇』（中公新書、二〇一一年）。
ウルリヒ・ヘルベルト『第三帝国―ある独裁の歴史』小野寺拓也訳（角川新書、二〇二一年）。
牧野雅彦『不戦条約』（東京大学出版会、二〇二〇年）。
松戸清裕『ソ連史』（ちくま新書、二〇一一年）。
森山　優『日米開戦と情報戦』（講談社現代新書、二〇一六年）。
山田　朗『兵士たちの戦場』（岩波書店、二〇一五年）。
山田　朗『昭和天皇の戦争』（岩波書店、二〇一七年）。
山田　朗『日本の戦争』Ⅰ〜Ⅲ（新日本出版社、二〇一七〜一九）。
山田　朗『大元帥昭和天皇』（ちくま学芸文庫、二〇二〇年）。
油井大三郎『避けられた戦争』（ちくま新書、二〇二〇年）。
吉田　裕『昭和天皇の終戦史』（岩波新書、一九九二年）。
吉田　裕『日本の軍隊』（岩波新書、二〇〇二年）。
読売新聞社編『昭和史の天皇』シリーズ（中公文庫、二〇一一〜一二）。
鹿　錫俊『中国国民政府の対日政策』（東京大学出版会、二〇〇一年）。
鹿　錫俊『蒋介石の「国際的解決」戦略』（東方書店、二〇一六年）。

著 者
伊勢 弘志（いせ ひろし）
明治大学文学部兼任講師、成蹊大学非常勤講師
1977年、大分県生まれ。2001年、國學院大学文学部史学科卒業。2004年、桜美林大学大学院修士修了（国際政治学）。2011年、明治大学大学院文学研究科博士後期課程修了。博士（史学）。
主要著作：『近代日本の陸軍と国民統制 - 山縣有朋の人脈と宇垣一成』（校倉書房、2014年）、『石原莞爾の変節と満州事変の錯誤』（芙蓉書房出版、2015年）、『はじめての日本現代史』（共著、芙蓉書房出版、2017年）、『明日のための近代史』（芙蓉書房出版、2020年）。

明日《あした》のための現代史《げんだいし》〈上巻 1914～1948〉
――「歴史総合」の視点で学ぶ世界大戦――

2021年11月10日　第１刷発行

著 者
伊勢《いせ》 弘志《ひろし》

発行所
㈱芙蓉書房出版
（代表 平澤公裕）
〒113-0033東京都文京区本郷3-3-13
TEL 03-3813-4466　FAX 03-3813-4615
http://www.fuyoshobo.co.jp

印刷・製本／モリモト印刷

ISBN978-4-8295-0820-6